Lumen

RABOS DE LAGARTIJA

Juan Marsé

RABOS
DE
LAGARTIJA

areté

Ilustración de la portadilla: Juan Marsé

Primera edición: mayo, 2000

© 2000, Juan Marsé
© de la presente edición: 2000, Editorial Lumen, S. A.,
   Ramon Miquel i Planas, 10. 08034 Barcelona.

Printed in Spain – Impreso en España

ISBN: 84-264-1284-X
Depósito legal: M. 14.197 - 2000

Fotocomposición: Fotocomposición 2000, S.A.

Impreso en Mateu Cromo Artes Gráficas, S. A.
Ctra. Fuenlabrada, s/n. Pinto (Madrid)

H 4 1 2 8 4 X

No comprendo para qué se necesita calumniar.
Si se quiere perjudicar a alguien lo único
que hace falta es decir de él alguna verdad.

NIETZSCHE

El poeta es un fingidor.
Finge tan completamente
que llega a fingir que es dolor
el dolor que de veras siente.

FERNANDO PESSOA

Difícil es combatir con el corazón: pues lo que
se desea se paga con la vida.

HERÁCLITO

Del tirano di todo, di más.

JOSÉ MARTÍ

CHISPA EN EL RECUERDO

V enga, chaval. Desembucha.

Mis padres me engendraron hace muchos años, pero en este momento no tendré más de tres o cuatro meses. Todo está ocurriendo como en un sueño congelado en la placenta de la memoria, en un tiempo suspendido que fue la caraba de mascaradas públicas e infortunios privados, atropellos y desventuras, calabozos y hierros.

–¿Qué pasa, se te ha comido la lengua el gato? –la voz intempestiva y ronca del hombre se abate de nuevo sobre mi hermano David, los dos enfrente de casa. Hace apenas media hora ha caído sobre el barrio una tormenta atronadora y sombría, y ahora, cuando la mañana vuelve a brillar esplendorosa y el aire y la luz se erizan acariciando la piel y los ojos, David se siente otra vez tan delicado y aparente que no le habría importado recibir el imperioso mandato de la autoridad vestido de Shirley Temple con sus tirabuzones rubios, sus hoyuelos en los mofletes y su vocecita de niña viciosilla:

–¿Mande?

–Digo que lo sueltes ya, si es que tienes algo que contarme sobre tu madre… –secretamente encelada, la voz se traba en su propia ronquera y su delirio, pero las palabras suenan sin acritud, en un tono tan poco apremiante e insidioso que, al oírlas, un chico menos maliciado que David Bartra habría tomado como un guiño que buscara su complicidad, y no como un desafío.

–¿Me está provocando, sahib?

–¿Qué es lo que sabes? –insiste el visitante–. Sea lo que sea, me interesa. Te escucho.

Lo estoy viendo como si ocurriera ahora mismo ante mis ojos. El hombre sigue plantado frente a la puerta de casa con su trinchera gris plegada al hombro, golpea calmosamente el extremo del cigarrillo sobre la uña del pulgar, y espera. Pero David percibe la combustión interna del rostro apagado, y, antes incluso de recibir la orden, ha visto reflejada fugazmente en sus ojos líquidos y pesarosos la imagen femenina que le conturba; así que ahora guarda silencio, mirándose hacia adentro sin decir lo que también él está viendo, y por un instante, ambos, niño y policía, evocan a mamá esperando el tranvía en el mismo lugar y en idéntica postura, apoyada en la misma farola de la Travesera con el libro abierto en las manos, el mismo ardiente sol en los cabellos y la misma ensoñación en los ojos. Muy bella en su espera ensimismada, nuestra pelirroja no tiene la mirada ni el pensamiento puestos en la página del libro, sino en el humo azul del cigarrillo que sostiene entre los dedos, o tal vez más allá del humo, en algún repliegue funesto de la luz, un sombrajo de mal presagio que sólo ella percibe en medio de la radiante mañana de julio.

–¿Y?

Mientras espera que mi hermano se decida a hablar, el inspector Galván ahueca la mano con parsimonia protegiendo la llama de un mechero que, medio oculto detrás de los dedos largos y nervudos, David intuye dorado y de superficie acanalada. Luego, el pitillo encendido en los labios, repite la orden con aparente indolencia y deja las manos yertas a la altura del ombligo, como prestas a sofocar alguna previsible punzada en el hígado o un puntual ardor de estómago. Vistas así, sumisas y pálidas, no parecen unas manos que hayan empuñado jamás una pistola, o que sean capaces de atizar puñetazos en los morros de alguien amarrado a una silla, aunque sí parece que tengan la presteza solícita y atenta como para haber sujetado a la pelirroja por la espalda tan oportunamente, evitando que cayera desfallecida sobre la acera. ¡Una mujer fumando en la vía pública!, gruñe con mirada severa un transeúnte, y el inspector le indica con la mano que se calme y circule, usted, circule. Pero no me engaña su rebuscada mansedumbre, piensa David: son las manos de un tipo sin entrañas, un pedazo de cabrón. Te vigilo, guripa, te tengo controlado, no sabes con quién te estás jugando los cuartos.

–¿A qué esperas?

–Primero enséñeme usted la placa.

–Me conoces. Soy la persona que atendió a tu madre cuando se cayó en la calle.

–¿En serio?

–Venga, no te hagas el listo.

Son las primeras escaramuzas de un funesto combate del que ambos saldrán maltrechos, y que en realidad no fue inicialmente concertado por ninguno de los dos, sino por una simple cartulina guardada en los archivos del rencor y la delación. Pero ésa es otra historia.

–Ah, sí –admite David–. La seguía usted tan de cerca que se dio de morros con ella. Por eso pudo cogerla por los sobacos antes de que cayera junto al bordillo. Vaya chamba, ¿verdad, usted?

–Me encontraba allí por un casual.

–Y una mierda.

–No me hagas perder el tiempo, muchacho. Me has parado para contarme algo importante de la señora Bartra. Adelante, te escucho.

–No sé si es importante. Pero sé que a usted le interesa...

–A ver, de qué se trata. Venga.

–No me atosigue, oiga, que tengo un bosque de jilgueros metido en el oído... Pero bueno, le cuento. Resulta que mi madre ha sabido que papá estuvo remontando el río Nilo en compañía del teniente Harry Faversham, fue la semana pasada, iban los dos disfrazados de nativos de la tribu Shangali. Como usted ya debe saber, lo saben los polis de todo el mundo, los Shangali no pueden hablar, son mudos porque les cortaron la lengua por orden del Califa, y por eso llevan una marca de fuego en la frente. Bueno, pues con sus plumas blancas en la cartera y muertos de sed ahora mismo mi padre y el teniente Faversham ya deben estar cruzando el desierto para unirse al ejército angloegipcio del general Kitchener, que avanza imparable hacia Jartum....

–Ya vale, chico. Acabarás por hincharme las pelotas.

–Si no me cree, pues deténgame ahora mismo –David junta los puños y baja la vista, pero sin dejar de vigilar las manos amodorradas del poli, hay que andarse con ojo–. ¡Ande, póngame las esposas!

En uno de los puños que se ofrecen burlones, el izquierdo, se retuerce el rabo cercenado de una lagartija. ¿Cuánta vida te queda, colín? Cinco minutos antes, el rabo serpenteaba sobre una piedra lisa al fondo del barranco y David lo contemplaba incrédulo y fascinado.

–Bueno, ¿qué me querías contar de tu madre? –insiste el inspector.

–Mire, ¿le digo la verdad? Yo sólo quería ver de cerca la jeta de un guripa –sonríe David, mientras rumía que la primera vez que la pelirroja sintió en la parada del tranvía el amago de una furtiva caricia en estas manos que la sujetaron por los sobacos, aquella primera vez que notó su aliento tabacoso en la nuca y sintió muy cerca esta boca dura y estos ojos fríos, naturalmente no podía saber que el fulano la seguía y ni siquiera sospechar que era un guripa–. Sólo quería eso, en serio, ver si pone cara de pipiolo cuando se traga una trola. ¿Le molesta, bwana?

El inspector le mira en silencio, moviendo la cabeza con aire conmiserativo.

–¿Cuánto va a durar la broma, mocoso? ¿No crees que ya va siendo hora de que espabiles un poco? Tendré que hablar seriamente con tu madre.

–Está durmiendo. Pero ya puede usted llamar al timbre, si quiere –desliza el rabo de lagartija en el bolsillo del pantalón y añade–: Alá nos proteja, sahib. Esta lagartija es venenosa. Yo me las piro.

–De modo que no tenías la menor intención de contarme nada, pillastre.

–No, señor. ¿Qué se había figurado? Lo único que quería es ganar tiempo, que mi madre pudiera dormir un poco más. Sólo un poco más.

Acaso no sería éste el primer encuentro ni el primer desafío, pero sé que tuvo lugar cerca de casa y a mediados del verano, probablemente unos días antes de aquella tarde en que había de caer otro fuerte chaparrón y David se presentó ante mamá llevando en brazos un perro de pelo negrísimo, flaco y sucio a más no poder, un chucho reviejo y más bien asquerosito.

–¡Virgen santa! –dice la pelirroja–, ¿de dónde vienes con este pobre animal? No pensarás quedártelo.

–Está enfermo y nadie lo quiere. Era del señor Augé y ahora es nuestro.

–¿Cómo que es nuestro?

–Te cuento –David abraza al perro con entusiasmo, pensando lo que va a decir–. Ya sabes que al señor Augé lo fueron a buscar a su casa, y como el hombre vivía solo, y no sabía a quién dejárselo, le dijo a la portera que si yo iba por allí...

–¡Lo que nos faltaba! ¿Tú sabes el trabajo que nos va a dar? –se lamenta ella con la mano posada sobre la barriga, verificando tal vez mi enroscado sueño prenatal, protegiéndolo ante la proximidad piojosa de este despellejado saco de huesos.

Su mirada lastimera se cruza con la del perro, ciertamente muy viejo y casi ciego y matado de reuma, admite David, pero muy bueno y obediente, ya verás, madre, lo vas a querer mucho.

–Sí, para eso estoy.

Despatarrado en el suelo entre los pies de David, tembloroso, el chucho suelta un hondo y largo suspiro que va derivando en resoplido y que, en el tramo final, deviene ronquido para acabar finalmente en una especie de maullido.

–¿Lo oyes? –dice David–. El señor Augé decía que este perro, en otra vida, había sido un gato. Que tiene alma de gato.

–Lo que veo es que el pobre no puede con su alma, sea de gato o lo que sea.

–No hables tan alto que te puede oír. ¡Lo entiende todo!

–¡Ay, hijo mío, qué poco conocimiento! –Mientras se afana frotando la pelambre del perro con una toalla, en la mirada con la que envuelve a mi hermano hay esa ternura que el destino no quiso que me alcanzara a mí, pero en mi sueño sí percibo la pequeña mariposa de luz que aletea en su voz–: ¿No podrías pararte a pensar un poco, cariño, antes de hacer las cosas?

Lo mismo digo yo, hermano.

Contigo no hablo, sietemesino, masculla David volviéndose de cara a la pared con la cabeza gacha.

¿Es que no tienes cerebelo? ¿Por qué no piensas un poco con la cabocia antes de traerle a la pelirroja una nueva preocupación, con lo atrafagada que siempre va? ¡Pues vaya un regalito que nos endilga el querido primogénito, precisamente la víspera del cumpleaños de papá…!

Eres un mamón, y no dejaré que te metas en mis cosas.

–¿Qué estás refunfuñando, David? –dice mamá sacando una vieja manta del armario–. Vuélvete, que yo te vea.

–Decía que bien podría quedarse con nosotros, por lo menos hasta que el señor Augé vuelva a su casa.

–El señor Augé no volverá a su casa en mucho tiempo, si es que vuelve.

–¿Entonces qué?, ¿lo dejamos en la calle y que se muera, pobre perrito?

–¿Vas a ponerte a llorar? Que te conozco. De momento coge la toalla, lo secas bien y que se eche aquí. Después veremos.

–Estamos muy cansados –dice David recostándose junto al perro y besándole el hocico–. Hemos caminado mucho, hasta casi reventar. ¿Podemos cerrar la ventana, a ver si dormimos un rato sobre la manta? ¿Podemos…?

Hace apenas un minuto todavía flotaba enroscado en el vientre materno, pero ya mis ojos, desde esa tiniebla esponjosa, presentían la luz del mundo y sus reiterados espejismos: lo que veo y lo que no veo, son ya la misma cosa. Ahora, alguien ha cerrado ventanas y celosías una vez más, la prima Lucía me ha traído el vaso de leche y la medicina y me ha arropado, y los recuerdos se balancean sobre el abismo tanteando algún asidero, una voz que me guíe de nuevo. Todo se halla en penumbra en la memoria que guardo de aquella casa, y todo me habla de sentimientos quebrantados y de emociones sofocadas, de un tiempo en que los silencios en torno a la mesa ocultaban graves trastornos de familia, oscuros sucesos, amarguras del corazón. No hay palabras, pero se oyen voces.

¡Zapastra!

¡Casumlolla!

¡Trinxeraire!

¡Lucía, cázame guerripa!

¡Nombre y apellidos!

¡Víctor Bartra Lángara! ¡Diligencias!

¡Achtung!

–¡Rayos y centellas, madre! ¿Es verdad lo que dicen, que consiguió escapar tirándose de cabeza al barranco?

–No ocurrió como piensas, David.

–¿Y que lo arañó una zarza y le quedó en la cara una cicatriz como un relámpago?

–Pues no –dice la pelirroja–. Tu padre se dejó ir por la ladera resbalando de culo. La mala suerte quiso que pillara un cristal afilado, seguramente la esquirla de una botella rota, y le rajó la nalga como si fuera una sandía. Eso fue lo que ocurrió. Ni más ni menos.

Rojas y ásperas, las manos de mamá remueven retales de colores en una caja de cartón y David retiene los aromas. Almidón y lejía y sosa y una luz algodonosa en los cristales de la ventana. La casa que nunca habité es más real y tangible que este mordisqueado lápiz mío que traza garabatos sobre el papel. Incrédulo y algo decepcionado, David inquiere:

–¿En serio? ¿Así escapó, de culo?

–Como lo oyes, hijo.

–Bueno, pero dejó a sus perseguidores con un palmo de narices. Les dio esquinazo. Y le echó valor al asunto, a que sí.

–Le echó una botella enterita de coñac. Eso es lo que tu padre le echó al asunto.

David no vio la tan comentada fuga nocturna, pero él menos que nadie quería faltar a la verdad, en este episodio cuando menos, y por eso me la contó años después con pelos y señales. Nuestro padre iba descalzo y con los faldones de la camisa fuera del pantalón, ya que apenas tuvo tiempo de vestirse al saltar de la cama, pero no fue el canguelo ante la llegada de la bofia ni el coñac ingerido lo que le hizo resbalar de culo por la escarpada ladera del torrente con los zapatos en una mano y en la otra la botella de Fundador, aunque ciertamente la situación se parecía bastante a otras muchas que el vecindario había tenido ocasión de presenciar: el tarambana, el cantamañanas de Víctor Bartra corriendo a deshora en busca de sus amigotes de farra con el consiguiente disgusto de su mujer, conforme, podía hacer pensar en eso, pero no iba borracho ni cagado de miedo. Desapareció brincando en ese tránsito borroso de la noche al amanecer, en la parte trasera de la casa que años atrás no era trasera, sino vistosa fachada y humilde jardín, tenías que verle corriendo descalzo ladera abajo, primero sorteando pedruscos atrapados por raíces de higuera y muñones resecos de encina y enseguida dejándose ir de culo hasta el fondo del barranco envuelto en una

17

nube de polvo rojo, y quedarse allí de pie conteniendo su furia y su despecho, pero entero y alerta y rápido como una centella, según mi hermano David, más bien como un espantapájaros o un pato mareado, según mamá, con el pantalón desgarrado y el culo ensangrentado al aire.

—Y por supuesto con la botella intacta y a salvo, faltaría más. Así es como tu querido padre se marchó de casa. Un triste espectáculo, hijo.

Pero si he de proceder por orden, si ese tumulto de voces me da un respiro, la historia que me propongo contar empieza de verdad cuando el inspector Galván llama a la puerta de casa un día que yo no estoy en casa.

Vivimos en lo alto de la ciudad, en un callejón sin salida y casi al borde de un barranco, pero nuestra casa tiene dos puertas, una de ellas se abre al callejón y al día, y la otra a la noche y al barranco, un tajo no muy profundo de tierra rojiza y paredes escarpadas y porosas que se desmoronan dócilmente nada más acercarte a ellas. Ignoro si en esta ocasión el inspector toca el timbre de la puerta de día o golpea la puerta de noche con la vieja aldaba, una delicada mano de niña empuñando con firmeza una bola de hierro oxidada, pero mi hermano David, que está convencido de que las dos puertas cumplen funciones distintas pero complementarias –por decirlo a su manera: una sirve para ocultarse en casa de día, la otra para escapar de noche–, lo que seguramente oye ese mediodía con sol y rachas de lluvia intermitentes son los golpes de la aldaba, y es lógico porque la visita llega esta vez en horas de restricción de la luz, y sin corriente ya me dirás cómo iba a sonar el timbre. En cualquier caso, tú de ningún modo podías oírlo, porque no estabas aquí ni allá ni en ninguna parte, monicaco, aún no habías salido del cascarón.

Vale, de acuerdo, tú lo has vivido, pero yo lo he imaginado. No creas que me llevas mucha ventaja en el camino de la verdad, hermano.

Siempre te llevaré ventaja, gusanito.

Yo voy por un atajo.

No quiero discutir contigo. Me confundes. Ya no sé dónde estoy.

En el cuarto de mamá, por ejemplo, cosiendo vestiditos para muñecas o probándote blusas y toreritas ante el espejo, mirándote de frente y de perfil y seguramente también de culo, y hace mucho calor, es el verano de la bomba de Hiroshima, y por eso, al sonar los golpes en la puerta, le dices a Chispa cuidado, cuando yo abra apártate a un lado, que podría entrar el resplandor atomicio y te quedarías ciego y achicharrado en el acto.

En todo caso, y volviendo a la puerta de noche, en esta ocasión es fácil adivinar de quién se trata, así que lo mejor es tomarse un tiempo antes de abrir, y David lo hace escudado en su postura predilecta: cimbreante y vestido de niña, con un precioso jersey de angorina de color rosa, faldita azul celeste plisada, calcetines blancos hasta debajo de las gordezuelas y risueñas rodillas y bolso de plexiglás rojo colgado al hombro. Luce también gafas de sol de montura blanca plastificada, unas gafotas de feria, y una boina roja, ladeada sobre la ceja, que le tapa los rizos de color de miel.

—Si viene usted buscando al sahib, no está en casa.

Plantado en el umbral, con sus hombros robustos un poco encogidos bajo la trinchera, el sombrero mojado en la mano y los zapatos enfangados, el inspector Galván lo mira sin pestañear. Sus ojos son claros, pero su mirada es sombría. No es como otros polis,

19

eso David debe admitirlo, no es uno de esos que esconden la mirada tras unas gafas negras incluso en días nublados, no parece importarle que la gente vea sus ojos y lea en ellos alguna emoción, ya sea un resentimiento o la más absoluta indiferencia, que solía ser lo más frecuente. Tampoco enseña la placa ni menciona ninguna orden de registro, y ni siquiera intenta cruzar el umbral.

–Tu madre que haga el favor de salir un momento–. Y con la voz más áspera, pero sin elevar el tono, añade–: Payaso.

–La memsahib tampoco está.

–¿Tardará en volver?

–¿Trae usted una orden de registro?

–No vengo a eso. Repito. ¿Tardará la señora Bartra en volver?

Uno de los bolsillos de su trinchera gris, abultado y fondón, soporta más peso que el otro. Pero ahí no suelen llevar la pistola, piensa David, mientras sus ojos tras las gafotas taladran la tela impermeable y el forro del bolsillo: una petaca llena de coñac, un poco de calderilla entre briznas de tabaco y pelusilla, las llaves de casa y el encendedor, un Dupont de pacotilla, agazapado detrás de un paquete de Lucky Strike muy sobado, seguro que el guripa compra cigarrillos por unidades y lo va rellenando...

Lo que cuento son hechos que reconstruyo rememorando confidencias e intenciones de mi hermano, y no pretendo que todo sea cierto, pero sí lo más próximo a la verdad.

–¿No me oyes? –insiste el inspector–. ¿Te dijo si volvería pronto?

–No sé, bwana. Yo no sé nada.

David baja la vista, presintiendo el carraspeo impaciente y las flemas desdeñosas anegando la siguiente pregunta:

–¿A qué estás jugando, chico? Será mejor que me digas adónde ha ido tu madre.

20

—Sí, claro —mantiene los ojos bajos y no añade más. Se estira un poco la falda, se toca la boina, acomoda la correa del bolso al hombro y finalmente prosigue—: Si tanto le interesa, le cuento. Ha ido a la Maternidad, a la consulta del médico, pero luego tenía muchas cosas que hacer... Visitar a la abuela Tecla, que sufrió una embolia y tiene paralís en este lado de la cara, y pasar por la farmacia, y después iba a comprarse unas medias de nylon y un vestido de noche, y me ha dicho que si le quedaba tiempo quería ver una torre con jardín que está en venta allá por Tres Torres, no crea usted que vamos a vivir realquilados aquí toda la vida, en este barrio de mierda donde tanto se nos critica. ¿Conoce usted Tres Torres? Un barrio de señores, el mejor de Barcelona, allí nació mi madre y los padres de mi madre, que murieron en un bombardeo. Seguramente la semana que viene nos mudamos, así que ya lo sabe, cuando vuelva por aquí ya nos habremos dado el piro. Es lo más seguro.

—Me das pena, muchacho —gruñe el inspector, que ha girado la cabeza a un lado mientras David estaba perorando, como si la sarta de disparates le salpicara el rostro. Mete los dedos en el bolsillo de la trinchera y acaricia la petaca de coñac, pero no la saca—. ¿Cuánto hace que tu padre no te pone la mano encima?

—¿Qué pasa, me va a interrogar a fondo? —Apoya una mano en el quicio de una puerta y la otra, más airosa, en la cadera algo encabritada, impertinente—. Pues si tanto le interesa, le diré que no veo a mi padre desde la noche que saltó al barranco y escapó al territorio de los Kabanga.

—Levanta la cabeza y mírame a los ojos —dice el inspector.

—A la jungla. No me diga usted que no lo sabía.

—¿De qué puñeta me estás hablando?

—De La Jungla en Armas. Allí es donde está.

El hombre deja escapar un suspiro y se pone el sombrero. Parece que se va, pero no. Llevas la mentira en la sangre, chico. David alza la rodilla izquierda para subirse el calcetín, luego la rodilla derecha, haciendo equilibrios sobre un solo pie. Enseguida, moviendo la mano con premeditada delicadeza y muy despacio, la lleva de nuevo a la cintura como si fuera una mariposa, y baja la vista otra vez. El inspector lo mira severamente.

–Quítate esas gafas y levanta la cabeza. Quiero verte los ojos cuando me hablas.

–Bwana esperar sentado. En este ojo tengo un orzuelo como un melón.

–Compadezco a tu madre. Seguro que se pasa el día suspirando porque tu padre vuelva y se ocupe de ti como es debido...

–¿Usted cree?

–Y de paso rezando para que el señor Bartra deje de beber y de meterse en líos, dondequiera que ahora esté. Quiero decir –añade el inspector con una voz que no parece la suya, más placentera–, deseando que esta situación acabe. Que tu padre vuelva pronto. Que se ocupe de vosotros.

–No sé, bwana. En casa no se habla de eso.

–¿Me vas a decir que no habláis nunca de él? ¿Acaso no le echáis de menos?

–No hablamos de eso. A la pelirroja no le gusta.

–¿Cómo te atreves a llamarla así, a tu propia madre?

–A ella no le importa –David esboza una sonrisa y arquea la cadera–. Es como un piropo. Mi papaíto siempre la llamaba así.

Oye un débil gemido y aparta la vista un momento. El culo ensangrentado de papá y su mano con el pañuelo apretado a la herida pasan ante sus ojos.

El inspector guarda silencio unos segundos.

–Entonces, ¿seguro que no tienes nada que decirme? Sabrás por lo menos dónde trabajaba tu padre.

–En la intrépida brigada matarratas.

–No seas majadero.

–¡Que me muera si miento! –dice David–. ¡Mataba ratas en los cines!

–Me refiero a antes de eso. Antes de ser funcionario del Servicio Municipal de Higiene.

–Antes no sé, bwana. Creo que era anestesista. Yo era muy pequeño. ¿Sabía usted que las ratas podrían invadir los cines y atacar a la gente? ¿Sabía que una pareja de ratas puede parir cada año veinticinco mil asquerosas crías?

–¿No habéis tenido noticias suyas, después de seis meses?

–Sí, pero son noticias del año catapún, y no son buenas –entona David sofocando un bostezo forzado y un repentino escalofrío dentro del jersey de angorina, que le viene pequeño y deja ver el ombligo–. Hemos recibido una carta suya, resulta que no está donde creíamos... Le cuento. Él siempre dijo que emprendería un largo viaje al corazón de África, desde Jartum hasta el lago Victoria pasando por los Montes Azules, pero no, resulta que a última hora cambió de plan. Se está internando cada día más en la jungla de Mindanao, ¿sabe dónde para eso, bwana? En las Filipinas. Y dice que ha tenido que disfrazarse de Juramentado para apresar a Datu y a todos los que trafican con pellejos de cerdo y colmillos de elefante. Y aún hay más. Dice que es mentira que los Juramentados se mueran de miedo si los envuelven en una piel de cerdo. Mentira podrida.

La cabeza echada hacia atrás, como si las palabras de David apestaran, el inspector tiene los ojos entrecerrados y parece dormir.

–¿Eso es todo?

Bajo el arco delicado y altanero de las cejas, la mirada insumisa de David recela del aplomo y la parsimonia del poli.

–No, bwana. Los Juramentados son como los caballos, sólo se les puede matar con un tiro entre las cejas... ¿Usted sabe disparar así? Mi padre dice en su carta que antes de dejarse prender por la tribu de los pigmeos Kubanga se pegará un tiro con su rifle de repetición. La carta tiene fecha de hace cuatro meses, así que podría ser que ya la hubiese diñado. El párroco de Las Ánimas le dijo a mi madre que seguramente estaría ya en el infierno, porque allí es adonde van a parar los suicidas, eso le dijo el jodido cabrón de mierda de cura. Y no la hizo llorar porque la pelirroja es fuerte, pero no hay derecho.

–¿Has terminado?

–Sí, bwana.

El inspector saca del bolsillo abultado de su trinchera un libro forrado muy toscamente con papel de periódico.

–Cuando vuelva tu madre, le das esto de mi parte. Se le cayó la otra tarde en la parada del tranvía. Lo he forrado un poco como he podido, porque tiene un roto.

–Vaya chapuza –dice David cogiendo el libro con dos dedos, como si estuviera infectado–. ¿Y ha venido sólo para eso? Pues sí que.

Que si patatín y que si patatán. Que si la han visto llorar, que si es hipertensa y diabética y fuma como un hombre, que si ella y su hijo viven con dos reales al día... Bueno, será como dicen, pero oiga, nunca la verá usted quejarse, aunque está de la espalda peor que yo, y pálida no digamos, hay días que su carita está más amarilla que este limón y asín y todo usted no la verá nunca torcer el gesto. Hace milagros con la ropa vieja y una aguja.

Y que lo digas. La señora Bartra es una mujer muy animosa. Siempre tan atenta y amable, una bellísima persona, y además muy instruida.

Nombre y apellidos, venga.

Dicen que había sido maestra de escuela.

La costurera pelirroja es una mujer todavía joven y muy guapetona.

Una mujer sola que se las apaña ella sola, Rufina. Una de tantas, hoy en día.

¿Que si le gusta el café? ¡Vaya preguntas tiene aquí el señor policía! Quién lo pillara, ¿verdad, Puri? Pero hay que ver a qué precio está hoy en día el café-café. ¿O lo pregunta usted por un si acaso la pelirroja anda estraperlando? Porque no, oiga, eso no. Se oyen tantas mentiras…

Pero ese aire tan juvenil que se gasta, esa carita de niña, con la piel tan blanca y el pelo de zanahoria, no sé, no sé…

A mí no me pregunte usted. Yo no sé nada, la verdad.

¿La verdad? Este callejón de mala muerte es tan estrecho que la verdad no pasa por aquí ni con fórceps.

Pero que chorradas dices, Rufina.

Una prima de ésta, la Emilia, está en la cárcel por dedicarse a la compra de objetos de procedencia dudosa. ¡Conque ya ve usted!

¿El marido de la señora Bartra? Un tarambana.

Cuando lo buscan…

Un sinvergüenza. Un malparido.

¡Ep, no fotis, tú, sin insultar!

…por algo será.

La última vez que lo vi, me engañó. Le dije qué, señor Bartra, cómo andamos, y él encendió un Ideales, se agarró aquí el paquete, con perdón, soltó un ¡Arriba España!, miróme de refilón el culo, y fuese.

Cuando una le vuelve la espalda, lo primero que hace este hombre es mirarte el culo.

Aquella noche se la pasó escondido en el barranco...

Media legua, media legua, media legua.

...durmiendo con un ojo abierto, como los tigres.

Y dice otra:

Pues anda que su hijo. Todo el santo día callejeando y sin escuela, escondido en el barranco con una navaja en la mano o repartiendo fotografías de bodas y bautizos. También es de la piel del diablo, como su padre.

Sí, nada bueno se puede esperar de este muchacho.

Y luego, como si un ventarrón caliente las hubiera sofocado, las voces se cobijan en el callejón y a la hora de la siesta se repliegan y bisbisean en portales umbríos y en rellanos de escalera, y más tarde se cuecen entre tufos de farinetas y coles hervidas y fritangas de Dios sabe qué, y al caer la noche emiten un silbido de serpiente, como el silbido que anida permanentemente en el atormentado oído de David. Y la mano yerta del hombre en la solapa, dejando entrever su autoridad, concitando las voces y el miedo:

Pregúnteme a mí, señor. A mi marido no, que no sabe nada.

El mío tampoco. Y no es un desafecto, que conste. Mayormente, que es un poco sordo.

El mío es de la Devota Cofradía de Portantes del Santo Cristo.

Pues el mío tiene la Gran Cruz de la Orden del Mérito Aeronáutico. Es totalmente afecto al régimen, créame usted.

El mío tiene un poquito de sarna. Son malos tiempos, oiga.

¡Nombre y apellidos! ¡Quiero nombre y apellidos!

Miró, Zabala, Benito; Raich, Rosalench, Franco; Sospedra, Escolá, Martín, César y Bravo.

En casa todos vamos a misa cada domingo, faltaría más dice otra.

Lo único malo que tiene mi marido es que escupe mucho. Se pasa el día escupiendo gargajos, todo le da asco.

Una noche, el marido de la costurera dijo que salía a comprar una gaseosa, y nunca más se le ha vuelto a ver.

¡Pero qué gaseosa ni qué leches, Paca! ¡Santa inocencia!

Y otra voz machaca:

Es un borrachín y un bocazas, mismamente un charlatán de feria.

Chuleta y calavera, dice la señora Carmela. Una joya.

Algo muy gordo debió pasarle a este hombre la última vez que vino. De la noche a la mañana ya no fue el mismo.

Últimamente iba como un perdulario, con los pantalones caídos y su buena merluza. Pero a la Trini bien que le gusta…

¿A mí? Pero qué dices, monada. A mí me gustan los hombres bien afeitados y marcando paquete, oye.

¡No digas eso, Trini, que te podrían excomulgar!

Por si le interesa a usted, un día mi marido le vio con una cogorza de las de aquí te espero.

Pues yo juraría que su mujer ya no le espera…

¡Ay, Rufina, qué dura de oído, hija!

…mayormente cuando la pobre estuvo a punto de abortar y el penco ese no dio señales de vida.

¡Menudo era! Veía pasar una escoba con faldas y allá que se iba. ¿Verdad, Trini, bonita?

¿A mí me lo preguntas, reina?, dice la más joven cuando un golpe de viento levanta su falda estampada. Tiene las manos ocupadas en la labor de punto y no hace nada por bajarse la falda, que sigue ondulando en torno a los muslos cortos y lechosos.

Niña, la falda.

Qué pasa.

Pues a mí me gusta, opina otra que se une al corro. Se veía un hombre muy aparente, un tipazo.

Que te la bajes, prenda.

Para qué, si las putas no tenemos piernas. ¿No lo sabía usted, bonita? No tenemos culo ni alma ni nada que valga un pepino, se lo dijo un cura a mi compañera el otro día que se fue a confesar.

Dicen que estuvo escondido toda la noche y todo el día siguiente, no muy lejos de aquí, media legua arriba en el torrente, tirado entre las raíces de una higuera seca.

Su mujer no quiso llevarle ropa ni comida. Ni verlo quiso. Que se joda el cabrón, dicen que dijo.

De eso nada, Felisa. Usted atiéndame a mí si quiere saber la verdad. Esta desgraciada vecina nuestra, la pelirroja que le decimos, cuyo marido tanto le interesa a usted, y usted sabrá por qué, nosotras no queremos saber nada de política, aunque a mí personalmente me gusta colaborar con la autoridad siempre que puedo, que conste, y además voy a misa; esta buena mujer, la costurera, decía, no será una santa, porque santos hoy en día ya sólo se ven en los altares, pero le puedo jurar que no es rencorosa ni se siente engañada por su marido, y además he de decir que tampoco es una pelandusca ni una estraperlista ni una roja de aquellas que todos hemos conocido, vaya, que no, que es una señora y se le nota de lejos, las cosas como sean, a ver si me entiende usted…

A mi marido no le interesa la política. Lo que le gusta es coleccionar sellos.

Una pobre mujer que se mata a trabajar. Una persona muy fina y muy educada, que siempre sabe estar en su lugar.

Tiene en el portal de su casa una mata de margaritas que es un primor.

Se ve que no es de por aquí, de verdad, tiene algo esta mujer.

¿Parientes? Una hermana en Vallcarca, pero no se hablan. Esta hermana vivía antes en un pueblecito que se llama La Carroña, en la provincia de Tarragona. ¿Y de la parte de su marido, dice?, bueno su suegra ha muerto en un asilo no hace mucho, había tenido una embolia y ya no conocía a nadie. El suegro también falleció hace un año. Vivían en Mataró, el suegro era pescatero...

Pescador, Rufina. Vas a confundir aquí al señor policía.

El pescador nunca quiso saber nada de su hijo, el señor Bartra. Ya sabe usted, familias rotas, cuentas pendientes, etcétera.

Mujeres engañadas. Hijos muertos. Maridos que nunca volverán a casa. Putas sin piernas y sin alma. Esto es lo que hay, señor.

¿La señora Bartra? De tres meses estará, digo yo.

De cuatro por lo menos, Aurelia.

Y aún dicen:

No me gusta mencionarlo, pero la pelirroja apechugó con dos abortos. Mismamente dos o tres, que yo sepa.

¡Cotilla eres, Consuelo!

Amaba a su hombre. Ahí está la cosa.

Qué tontas somos las mujeres, ¿verdad, usted?

Pues yo, de casa a la iglesia y de la iglesia a casa, señor inspector.

Y qué más, qué más... Bueno, pues que esta señora vive realquilada. Y la de fatiguitas que está pasando. Ahora por lo menos, desde que el pendón de su marido se las piró, duerme tranquila. Y nosotros los vecinos, también. No hay mal que por bien no venga, ¿verdad, usted? Y que si esto y aquello y lo de más allá, y que si patatín y que si patatán.

Andando el tiempo, mi hermano tendría ocasión de observar de cerca la jeta y el comportamiento de algunos fantoches de la Brigada Político-Social, y opinaba que casi todos ellos tienen la misma tosca manera de apabullarte, de plantarse frente a ti y de quedarse quietos igual que pesados armatostes, mirándote con pus en un ojo y el párpado gandul, siempre dejando pasar unos segundos antes de preguntarte nada, y que en esa manera de proceder precisamente el inspector Galván no se parecía a ningún otro; que él tenía una forma especial de quedarse parado largo rato en una esquina o en medio de la calle, o frente a un edificio o detrás de la vidriera de una taberna, un talante muy personal de permanecer quieto y erguido sobre las dos piernas, con su boca sin color muy prieta y sus ojos delgados y fríos, que seguro no alteraban su frialdad si veían algún espanto; allí estaba él mirando con aire taciturno cualquier cosa, lo mismo el escaparate de una floristería que la boca de una alcantarilla o la espalda de alguien alejándose, o un balcón o una ventana cerrada, no como si esperara verla abrirse y que apareciese alguien, sino como si en ese momento acabara de despedirse de ese alguien y se hubiese olvidado de decirle algo que seguro no le iba a gustar. Ya fuera mirando el vestíbulo del cine Delicias o del Iberia, el mercadillo de Camelias o una muchacha bonita que pasa, o interrogando a un grupo de vecinas chismosas en la calle, o simplemente observando a un perro vagabundo, parecía tan acostumbrado a permanecer así de pie, tan quieto y con los hombros un poco encogidos y tan ajeno al trasiego de la vida en torno, a la llovizna gris o al sol implacable, que a menudo parecía alguien llegado de fuera que se hubiera extraviado en el barrio, y que no le importara su extravío ni tuviera prisa por orientarse ni por nada. Su figura alta y de movimientos sinuosos, como retardados, sugería una malformación que en realidad no tenía, una suerte de reflexión muscular o de encantamiento, una disposición física a la inmovilidad.

Quién sabe si ese día también la siguió desde el momento en que ella salió de casa, o quizás ya la esperaba en la esquina de la calle Escorial para verla llegar con su capacho de palma y ponerse a la cola de la parada del 24, la terminal del tranvía. Para matar la espera, la pelirroja enciende un cigarrillo y abre un viejo y querido libro de tapa dura, una novela que yo conservo forrada en papel azul. Siempre le gustó leer y aprovecha para ello cualquier ocasión, cuántas veces David la ha visto de pie en la cocina frente al hornillo eléctrico con el libro abierto en una mano y en la otra la cuchara, removiendo el cocido y bisbiseando con los labios, atenta a la lectura y al condumio como si ambas cosas fueran un rito, y le gusta igualmente poner estampitas de colores muy vivos entre las hojas para saber en qué página está, y forrar los libros como le enseñaron en la escuela cuando era una niña. Ahora, bajo la sombra encendida de la buganvilla que se derrama sobre el muro, en la terminal del 24, ahí está con su hermoso pelo rojo recogido en un moño, su bonito vestido floreado y sus sandalias grises de goma, y el inspector Galván la sigue mirando parado en la esquina, la cabeza gacha y los ojos ocultos bajo el ala del sombrero, muy quieto y caviloso, como si nunca hubiera visto a una mujer leyendo un libro en la calle y fumando un cigarrillo, y encima embarazada. ¿O el hombre no hace otra cosa que cumplir con su trabajo, interesado únicamente en saber adónde va y con quién está citada, y si eso tiene que ver con papá dondequiera que esté? ¿Podría ser que sólo estuviera cumpliendo órdenes?

Lo cierto es que últimamente el guripa empieza a comportarse y a decir cosas que no parecen tener mucho que ver con sus funciones de sabueso. Una semana después de un encuentro nada casual en el mercadillo, al que la pelirroja suele acudir por razones de trabajo, David vuelve a toparse con él al salir del colmado y nuevamente se ve interrogado de forma chocante. Esta vez, luego de echar un vistazo al racionamiento que David lleva en la bolsa de la compra, el inspector quiere saber si mamá, aconsejada por el médico, ha renunciado definitivamente al café que tanto le gusta.

—¿Los polis preguntan estas cosas? —se extraña David—. Vaya, no lo sabía. Pues sí señor, le gusta el café-café. Y la nata, y los churritos calientes. Y a mí también. Ella dice que son antojos. Porque nos gusta a los tres, ¿sabe?

Ciertamente, el café le gusta mucho y su aroma invade con frecuencia el ámbito de sus sueños y sus lecturas, y ahora mismo cree percibirlo impregnando las páginas del libro que está leyendo, perfumando la habitación de la triste y desesperada Natasha. Cierra el libro y lo sujeta en el sobaco. Esta tarde es otra tarde y lleva una blusa malva recién planchada y una holgada falda marrón, zapatos planos y el paraguas colgado del brazo. Al subir al tranvía, el libro resbala del sobaco sin que ella lo advierta, rebota en el estribo y luego en el paraguas, y cae abierto y boca abajo sobre los mojados adoquines. El tranvía emprende la marcha y la rueda lo aparta del raíl suavemente, sin aplastarlo. El inspector diría después que él corrió para avisarla, pero es seguro que no hizo el menor esfuerzo, no merecía la pena correr por algo que, bien pensado, prefería devolverle en persona y en casa. Le veo inclinarse y recoger el libro, eso sí, le veo parado allí en medio de los raíles, la cabeza ligeramente inclinada y la espalda erguida, como reclamando una suerte de desagravio, mientras frota con la manga de la americana la página manchada y magullada, cuidadosamente, con esmero, un hombre que tal vez no había tenido un libro en las manos durante meses o tal vez años.

Absorto en la página maltrecha, como si le hechizara, y con los ojos entornados para retener un rato más la visión de la pelirroja y del tranvía que se aleja hacia Lesseps, lee: *A fines de diciembre, con un traje de lana negra, la trenza descuidada, el rostro enflaquecido y pálido, Natasha, tendida en el diván, contemplaba la puerta, arrugando y desarrugando la punta del cinturón. Miraba el sitio por donde él había salido de esta vida.*

Ella lo ha visto de lejos y guardará siempre en la memoria la imagen del inspector inclinándose sobre los adoquines al recoger el libro, en una actitud casi devota; posiblemente se trata de la primera vez que este hombre, al que apenas conoce, la ha conmovido. Recoger en la calle un libro sucio y desgarrado, y limpiarlo con la manga como él ha hecho, tan meticulosamente y tan absorto, comporta cuando menos, pensaría seguramente, una cierta bondad de corazón.

–Repito: cuando vuelva a casa, se lo entregas de mi parte. Y le dices que lo perdió en la parada del 24. Lo he forrado como mejor he sabido.

La mano de David sujeta el libro que ha recibido y se mantiene apoyada en el canto de la puerta, sin abrirla del todo, mientras la otra mano sigue mariposeando en la cintura. Debajo de la boina roja y los cabellos rubios, la cabeza permanece gacha. No es un gesto de humildad, ni mucho menos. Es una torva concentración de fantasía y mala leche.

–¿Lo ha forrado usted? Qué bonito le quedó, bwana.

–Si no fuera por tu madre, por no echarle otra preocupación encima, que ya tiene bastantes, te arrancaría las orejas y la lengua, muchacho. Qué te parece.

–¿En serio?

–Tenlo por seguro.

Su tono es monótono y cortante, aunque no expresamente amenazador. El inspector Galván no masculla las palabras ni las escupe. David sí lo hace, y con especial saña:

–Usted sigue a mi madre. Yo lo sé. La sigue por la calle, escondiéndose para que ella no le vea. La sigue y la sigue y la sigue. ¿Por qué?

El inspector reflexiona antes de responder.

–A veces uno está obligado a hacer cosas que pueden molestar.

–¡Y un huevo! ¿La sigue por si le lleva sin querer hasta mi padre? ¿O por qué lo hace? ¿Eh?

–Vas por mal camino, chico. Levanta la cabeza y mírame. ¿Se lo has dicho a ella?

–No, pero se lo diré.

–No lo harás –el inspector se inclina un poco, se acerca a David y añade–: De lo contrario, yo le contaré lo que te dejas hacer en el cine Delicias por el chico del barbero, ese gordito de mirada bizca, cómo se llama... Ese que anda por ahí con unas maracas.

David alza la vista por fin, pero las gafotas de sol ocultan el chisporroteo vengativo de sus ojos. A su vez, el inspector se inclina un poco más mirándole sin pestañear, y añade:

–Ya sabes a qué me refiero. Le darías a tu madre un disgusto de muerte. Y no queremos que eso ocurra, ¿verdad?

–No.

–Entonces no hay más que hablar.

–Sí, bwana.

El inspector menea la cabeza con aire conmiserativo, inicia la retirada dando media vuelta, pero lo piensa mejor, se vuelve y se queda mirando fijamente a David.

–¿Qué pasa contigo, hombre? ¿De verdad te gusta eso, o lo haces por una perra chica? ¿O sólo es un juego? ¿Qué es, coño?

David medita la respuesta con los ojos risueños escudados tras las gafas.

–¿Sabe una cosa? ¡Nadie me verá nunca con una mano en el trasero!

–A ver si he entendido bien...

–Dicen que mi padre anda por ahí con la mano en el culo y hecho un cristo, pero tenga usted por seguro que a mí nadie me verá nunca así. Y no me sacará usted una palabra más acerca de este asunto. Por mucho que me interrogue, bwana.

–No recuerdo el nombre de tu amigo, ese pimpollo. ¿Bardolet?

–Paulino Bardolet, para servir a Dios y a usted y a la hostia en vinagre. Qué pasa.

–Tu lenguaje y tu desvergüenza me tienen asombrado, chaval, de verdad. Y ahora escúchame bien: no quiero verte con ese tal Paulino. Y que tu madre no se entere.

El inspector se queda mirándole pensativo y haciendo gala de aquella inmovilidad tan absoluta y persistente que a veces parece un hombre congelado. Antes de irse, prueba a darle un coscorrón presuntamente amistoso, que David esquiva. Entonces descubre a un perro pachón arrastrándose penosamente sobre las baldosas, detrás del chico, con el rabo entre las piernas y los orejones caídos.

–¿De dónde ha salido esto?

–Es mío –se apresura a decir David–. Me lo dio el acomodador del Delicias. Le prometí que lo cuidaría. ¿Pasa algo?

El perro husmea los calcetines largos de David y suelta una tos que más parece ansia de vómito, y que le hunde el costillar. El inspector respira hondo, como si cogiera fuerzas para hablar sin ganas.

–Es un perro callejero –y vuelve la cabeza para mirar el sendero que corre paralelo al torrente seco, con la esperanza, piensa David, de ver llegar a la pelirroja; enseguida simula interés por el perro, sólo para ganar tiempo–. Un chucho.

–Sí, bwana. Un chucho, un mil leches.

–Y es muy viejo. ¿Cómo lo llamas?

–Chispa –dice David–. Qué pasa, ¿no le gusta? El señor Augé se lo encontró abandonado en el vestíbulo del cine y le puso Niebla, porque aquella semana ponían una peli que se llama Niebla en el pasado. También pensó en llamarlo Nodo, porque al oír la música del noticiario No-Do el perro se ponía alegre...

–Muy propio, sí señor.

–El mundo entero al alcance de todos los perros, decía el señor Augé. Qué pasa, ¿tampoco le gusta?

–Me das pena, muchacho.

–Y qué, bwana. Qué pasa.

Aplastado en el suelo, vencido por los años y los achaques, Chispa hace un intento de menear el rabo, pero desiste enseguida y con su ojo menos quebrantado escruta al inspector.

–Este animal está más muerto que vivo.

–Usted no entiende de perros.

–Le harías un favor sacrificándolo.

–¡¿Cómo?! ¡¿Cómo dice?!

–Que lo mejor sería darle una bola de estricnina.

–¡Y una mierda! ¡Lo estoy curando ¿sabe?!

–Lo único que vas a conseguir es que sufra más. ¿Qué opina tu madre?

–¡Nada que le importe! ¡El perro es mío! ¡Y ni hablar de matarlo, ni por viejo ni por enfermo ni porque lo diga mi madre!

–Está bien –dice el inspector iniciando la retirada–. No olvides lo que te he dicho...

–Y otra cosa, bwana –lo interrumpe David de nuevo en tono de chunga, tal vez por torcer la conversación y quitarle la pelirroja de la cabeza, impedir que se aproxime a ella siquiera de palabra o pensamiento–. ¿Por qué no me explica qué pasó con el ahorcado de la calle Legalidad? ¿Qué me dice de ese misterio? ¿Usted lo vio, colgado debajo de aquella glorieta como si fuera un muñeco?

–Algo me han contado –gruñe el inspector.

–Se ve que lo perseguían. Dicen que se colgó porque estaba cansado de esconderse.

–Esconderse de quién. De qué.

–Dejó una carta explicando que se ahorcaba por culpa de su mujer. Yo lo vi colgando de la cuerda, ¿sabe? Tenía la lengua fuera y colorete en la cara, como los payasos, y la carta que dejó llevaba una firma extraña: El gusano invisible. ¿Qué cree que significa?

El inspector levanta las cejas y suspira.

–No sé nada de gusanos. Adiós. No te olvides de mi encargo.

–Sí, bwana.

Escudado en sus gafas de plástico, David le ve irse bordeando el páramo gris junto al barranco. ¡La estocada de Lagardere acabará contigo, guripa! Cierra la puerta del zaguán y de la noche, coge el perro en brazos y con su faldita plisada y su bonito jersey de angorina corre por las estancias desiertas llenas de muebles que gimen bajo fundas fantasmales, embiste con el hombro la cortina verde en mitad del estrecho pasillo y luego la pequeña puerta de cristales esmerilados que separa el chalet del consultorio y alcanza nuestra exigua vivienda realquilada, abre de par en par la puerta de día que da al callejón y saca a pasear a Chispa para que pueda husmear las cagarrutas de otros perros y así tal vez, quién sabe, se sienta menos solo y quebrantado. Quién sabe.

Mamá ha encargado a David que la despierte a las tres y media. Hace un rato ha sacado los pies hinchados del agua salada de la palangana y ahora duerme la siesta sentada en el sillón de mimbre. David se acerca a ella sigilosamente, retira la palangana y le envuelve los pies en una toalla. Antes de incorporarse coge su mano y comprueba que está bien dormida, y entonces, con mucho cuidado, se abraza a sus rodillas y apoya la mejilla y la oreja contra su vientre. Un botón desabrochado de la bata le permite sentir en la mejilla la tensión de la piel cálida alrededor del ombligo, y capta con la oreja el apagado murmullo de lo que parece una melodía, como si la pelirroja cantara en sueños y su voz al caer se remansara en el útero. ¿Me estás oyendo, enano? Incluso dormida, tiene una canción a flor de labios. ¿Qué opinas tú, microbio, tú que escuchas su corazón a través de la sangre? ¿Por qué canta en sueños, y a quién le canta?

No quieras saber a quién, hermano. Es mejor que no lo sepas.

¿Por qué no?

Te caerías de culo si lo supieras.

¿Es un secreto de la pelirroja? ¡No te des la vuelta y contesta, sanguijuela!, masculla David entre dientes. Si me estás escuchando, dime una cosa. Tú, que el día de mañana serás alguien tan listo y tan importante, eso dice mamá, un artista famoso, ¿tú qué harías en mi lugar, viendo cómo las gasta ese poli fardón y cenizo? Sobre todo después del espanto del otro día.

Yo no vi nada.

¡Se cargó al pobre tío sin pestañear, lo mandó al otro barrio en un periquete! ¡Lo vieron todos los que iban en el tranvía!

Pues a pesar de estar allí, yo no alcancé a verlo. ¿Tanto te cuesta entenderlo, alcornoque? Precisamente por eso, porque no lo vi, puedo imaginarlo mejor que tú. Debió ser horrible.

¿Horrible? ¡Fue terrorífico! Te cuento. El domingo, después de comer, la pelirroja va y me dice péinate y arréglate un poco, iremos a visitar a la abuela. Cogimos el 24 y oye, quién iba a pensar que viajando en tranvía veríamos un asesinato. ¡Porque fue un asesinato a sangre fría!

Dudo que la gente que iba en la plataforma lo viera así. Y baja la voz, mamá está durmiendo.

Y es que un guripa que está colado por una pelirroja es capaz de todo. ¡Está como trastornado, está majara! No olvides que un poli siempre es un poli. Si algún día, cuando hayas salido del cascarón y te hagas mayor, ves a un poli mirando con ojos de besugo a una mujer bonita, ¡atate!, es que está pirado por ella y hay peligro mortal, seguro. Tenías que ver su mirada rapiñosa buscándola en la plataforma abarrotada del tranvía. Y después, al ver las intenciones del sobón, ¡cómo se puso, qué mala sangre el tío! Te cuento. Ibamos en la plataforma delantera, ella te protegía con los brazos de los achuchones de la gente, pero no podía avanzar, y en esas que un tipo esmirriado y calvete se le arrima por detrás, ya me entiendes, y entonces ella le lanzó una mirada furiosa y se apartó abriéndose paso con los codos. En la plataforma nadie pareció darse cuenta de los apuros de mamá, nadie salvo el inspector Galván. No sé si el guripa subió en la parada con nosotros o si lo hizo después, pero ahí estaba, mirándola desde un rincón con sus ojos de lince y sin tener que ponerse de puntillas, gracias a su estatura. La vio escabullirse hacia el pasillo, y actuó rápidamente. Así, como quien no quiere la cosa, sin pestañear, alarga el brazo por encima de las cabezas y me agarra al hombrecito por el pescuezo, empujándolo hasta el borde de la plataforma. Parecía dispuesto a dejarlo caer del tranvía en marcha, que en este momento bajaba a toda leche por el Paseo de Gracia, pero el tío canijo aquel tuvo tiempo de agarrarse a la barra con una mano y allí quedó colgando, un pie en el estribo y otro en el aire. ¡Salta, cabrón, quiero ver como te rompes el cuello!, le dijo el inspector, y el otro, con un canguelo que no veas, acogotado y avergonzado, como si temiera recibir un trancazo de quién sabe dónde, miraba el empedrado que pasaba vertiginoso bajo las ruedas del tranvía y adelantó una pierna y tanteó el suelo con su zapato viejo y sin cordones que se le iba del pie, y parecía que decidido a saltar pero finalmente no se atrevió. O saltas ahora mismo o te vienes conmigo a la comisaría, y no veas la manta de hostias que te espera, escoge, insiste el poli asomado al estribo, y el tío prueba de nuevo a rozar el empedrado con la punta del zapato, ensaya el salto buscando el apoyo y el momento oportuno, si el tranvía aflojara un poco la marcha, si viniera una curva, y entonces levantó la jeta de mono y lanzó a los pasajeros de la plataforma una mirada de súplica. Nunca mientras viva olvidaré la mirada lastimera de aquel desgraciado solicitando auxilio, alguna señal de comprensión, aunque sabía que nadie movería un dedo en favor suyo, pues sí que, menudo sobón asqueroso, mira que arrimarse a una señora embarazada... A todo esto, en el interior del tranvía, la pelirroja consigue sentarse y abre su libro, prefiere no enterarse de lo que pasa en la plataforma. Yo creo que ni siquiera vio al inspector, ni llegó a sospechar que la había seguido. Salta, hijo de puta, quítate de mi vista, insistía tercamente el guripa, por última vez te lo digo. Cuando el tranviario, quién sabe si compadeciéndose, decidió aminorar un poco la marcha, ya era demasiado tarde: tenías que ver la mano crispada que sujetaba la barra poniéndose lívida; cuando se soltó, era la mano de un muerto. Con los ojos cerrados y el terror pintado en el rostro, se lanzó por fin tomando contacto con la calzada, pateándola y braceando desmadejado, como un pelele a merced de otra voluntad, perdido el equilibrio y moviendo los brazos como un ventilador loco. El impulso imparable lo estampa contra un plátano del Paseo y el tronco del árbol lo escupe en el acto, lo mete debajo del tranvía y la rueda trasera le machaca las costillas y le borra la cara al arrastrarlo sobre el empedrado. No veas, gritos histéricos y el tranvía que frena chirriando cincuenta metros más abajo. El cuerpo del infeliz estaba plegado bajo el negro laberinto de hierros. Estiró una pierna, pataleó un rato y salían de su boca borbotones de sangre, como lo oyes. Cuando algunos viandantes acudían en su ayuda, entonces, tenías que verlo, enano, entonces aquel guiñapo se estremeció y se quedó inmóvil con los ojos abiertos y la sangre brotando por un lado de la boca, así, mira, como si la expulsara con asco. El inspector había bajado del tranvía y se acercó sin prisas, encendiendo un cigarrillo con su falso Dupont dorado, la trinchera echada sobre los hombros, muy chulo el tío y muy tranquilo, y en el acto se hizo cargo de todo y dio las órdenes, que llamen a un ambulancia, que se aparte la gente, circulen. Se ocupará personalmente del traslado del cuerpo, de redactar el acta del suceso y de avisar a la familia, está acostumbrado a resolver estas cosas... ¿Cómo se puede ser tan hijo de puta?

¿Y mamá qué hace mientras? ¿Se ha quedado allí sentada junto a la ventanilla?

Sí. No vuelve la cabeza ni una sola vez, no quiere ver nada ni saber nada, permanece sentada con el libro abierto en el regazo, y aunque ha oído gritos y sabe que alguien ha muerto, no pregunta ni vuelve la cabeza ni levanta los ojos del libro, y ni siquiera respira.

¿Y eso por qué, hermano? ¿Por qué crees que mostró la pelirroja esa falta de sensibilidad?

Ya sabía yo que preguntarías eso. ¿Lo ves como no eres tan listo, renacuajo, lo ves como aún no tienes el cerebelo formado y no carburas? ¿Cuándo saldrás de tu cueva y te enterarás de la vida, muñeco? ¿Todavía no has entendido que mamá ha vivido tantas desgracias, ha sufrido tanto y ha visto cosas tan espantosas por culpa de la guerra, que ya nada puede afectarla? ¿Que por dentro ya no siente nada?

Pues yo sí noté algo. Como una serpiente que se retorciera alrededor de mi cuello.

Naturaca. Se mareó un poco. No era para menos.

No fue sólo por eso. Yo sé que está enferma...

¡No te pases de listo, calabacín! ¡Tú no sabes nada ni ves nada ni sientes nada! ¡Si supieras lo que te espera! Todos los bebés que vais a nacer después que ha caído la bomba atomicia, que dice la abuela, naceréis sin agujero en el culo y sin orejas. Yo en cambio puedo oírte con mi gran oreja del doctor P.J. Rosón-Ansio, que es como un caracol de mar, y puedo verte con mi centelleante mirada de megarratones radioactivos –susurra David con la oreja resbalando sobre la piel tensa y cálida del vientre.

Después se aparta, todavía medio adormilado y con la mejilla ardiendo, abrocha el botón de la bata sobre el ombligo duro y se incorpora. El sol de verano entra por la ventana, la tarde es muy calurosa. David contempla un instante el rostro bello y soñoliento de mamá mientras termina de secarle los pies con la toalla y le susurra:

–Despierta, madre. Son las tres y media. Despierta.

PILOTO DE CAZA

U n callejón de tierra apelmazada y negruzca, roturada por los juegos de navaja de los niños, apenas transitada y con orines y regueros de agua sucia y espuma de jabón, según la hora del día, así es nuestra calle, la calle que David Bartra nunca reconocerá como suya. Callejón del Viento, lo llaman a eso. No más de diez o doce casuchas, enjalbegadas algunas, otras de ladrillo rojo y todas de una sola planta, con escalera exterior y azoteas agobiadas con improvisados habitáculos de madera o de obra: palomares, lavaderos, trasteros. La calle, surgida como por ensalmo en la falda más pobre de la colina y un poco descolgada del barrio, quedó en callejón sin salida al torcerse y resbalar atolondradamente desde las afueras hacia la ciudad, hasta topar con el antiguo consultorio adosado a las traseras de un viejo edificio de los años veinte con ínfulas de chalé. La pequeña puerta despintada y rasguñada de este consultorio, reconvertido en vivienda por la viuda del médico y ofrecido en alquiler a un precio razonable, aún hoy exhibe la placa de latón con el nombre y la especialidad: *Dr. P.J.Rosón-Ansio. Enfermedades de nariz, garganta y oídos.*

Florece junto a la puerta una mata de margaritas blancas de casi un metro de altura, parece un gran paraguas verde salpicado de nieve.

–Tengo entendido que vive usted realquilada.

El inspector remueve la mata de margaritas con los dedos mientras lee la placa del otorrino con aire distraído.

–Pues sí –dice la pelirroja con una leve hostilidad en el tono, sujetando la puerta y sin dejar entrever la menor intención de permitirle la entrada–. Realquilada con derecho a cocina y baño. Y éstas son mis margaritas.

–¿Suyas?

–Totalmente, señor. La cocina, el baño y el lavadero es lo único que compartía con la viuda.

–Parece que en tiempos fue la casa de veraneo de esa gente –dice el policía cabizbajo y como si hablara solo. Su voz trasiega una flema. Saca un pequeño bloc del bolsillo, consulta unas notas y añade–: Hará unos diez años se instalaron aquí de manera permanente y el médico mandó construir el dispensario. ¿No fue así?

–No sé –dice mamá–. Nosotros aún no habíamos llegado.

Los datos obran en poder de la autoridad, pero en el barrio todo el mundo lo sabe: el doctor P.J. Rosón-Ansio fue un otorrinolaringólogo cordobés de filiación anarquista que en 1933 había plantado su consulta en Barcelona huyendo de la justicia por un asunto no aclarado, y que posteriormente desapareció durante la guerra. Su viuda le sobrevivió seis años en esta casa, que entonces tenía un pequeño jardín frente a la entrada principal, al otro lado del edificio.

–Seguramente ese médico –aventura el inspector sin la menor convicción– compró la casa con la idea de levantar otra planta y convertirla en un verdadero chalé.

Ella no oculta el aburrimiento que le causan estas deducciones, y permanece callada. El inspector Galván corre algunas hojas del bloc. Una errática mariposa blanca se balancea abruptamente sobre las margaritas, sin posarse en ninguna, y mamá rompe el silencio.

–Tengo los papeles en regla, por si le interesa. Sólo debo una mensualidad.

–Eso no me incumbe, señora.

–Pues qué más quiere saber. Tengo mucha faena, ¿sabe?

El poli mantiene la cabeza inclinada sobre el bloc. Ensaliva la yema del dedo cada vez que pasa una hoja.

–Usted es de la parte baja de Andalucía, seguramente de Málaga –dice–. ¿Me equivoco?

Ahora ella recela, no esperaba esa clase de preguntas. Deja pasar unos segundos y responde:

–No creí que se me notara después de veinte años en Cataluña. Mis padres eran canarios, pero me crié en Coín hasta los doce años.

–¿Lo ve, señora? Tengo buen oído para eso. Es que mi mujer era de Algeciras –añade, y una sombra pasa por sus ojos–. ¿Vive usted sola?

Mamá cierra los ojos con aire de fatiga y suspira.

–Oiga, ya fui interrogada en la Jefatura Superior de policía, hace dos meses, y durante más de ocho horas...

–Yo entonces no me ocupaba del caso –dice el inspector–. ¿Vive usted sola?

–Con mis hijos.

–Creí que sólo tenía uno.

–Hay dos más (uno me lo matasteis en un bombardeo, piensa seguramente, y el otro está al llegar, espero que vivito y coleando). Si se refiere a si vive alguien en el chalé, pues no. Está deshabitado desde que la dueña falleció hace dos años.

–Tengo entendido –empieza él y de repente calla, su mirada fría se enreda un instante en los brazos desnudos y en el cuello esbelto de la pelirroja, tal vez en sus cabellos ensortijados. Pero es una mirada que, a primera vista, no expresa ni siquiera curiosidad: alguna peculiaridad del carácter de este hombre, la rutina profesional, la frialdad en el trato o tal vez algún hábito conformado en el sufrimiento ajeno, se ha congelado en su cara–. Tengo entendido que usted cuidaba a esta señora desde que enviudó.

–La pobre se sentía muy sola. Su hija vive en Pamplona, casada con un pelotari que se quedó manco...

Silencio. Se oyen los gemidos de Chispa detrás de mamá, echado debajo de la mesa. No es broma, añade ella, perdió el brazo en un accidente. El inspector tuerce la cabeza y se rasca la frente alta, muy pálida. Con la voz monótona dice como para sí mismo:

–Así que al otro lado ya no vive nadie.

–Pues no –dice mamá–. Y aún no han decidido qué van a hacer con los muebles y con nosotros. Un día se presentó un hombre que dijo que trabajaba de guardamuebles o algo así, y que venía de parte de la hija de la señora Rosón con el encargo de llevárselo todo a un almacén. Pero no me enseñó ningún papel firmado, y a mí el procurador no me había advertido de nada, así que no le dejé entrar.

El inspector asiente en silencio. Estaría meditando alguna otra pregunta, pero la pelirroja es muy lista: seguramente para evitar o retrasar explicaciones sobre cuestiones más comprometedoras, de las que prefiere no hablar, sobre todo si se refieren a papá, se muestra locuaz en estas minucias:

–Los muebles son unos armatostes muy feos, no creo que la hija los quiera para nada. En realidad, el chalé deshabitado es un engorro. Hay que meterse allí y hacer limpieza de vez en cuando, no vamos a dejar que se llene de ratas. ¿Y quién cree usted que limpia? Pues una servidora. No estoy obligada, desde luego, pero lo hago... Me gustaría saber qué piensa hacer la hija con nosotros, sus realquilados –añade rodeando con el brazo los hombros de David, que acaba de aparecer en el portal con el pelo mojado y una toalla liada a la cabeza a la manera de Sabu con su turbante–. Pero no importa, nada malo puede pasarnos, ¿verdad, hijo? –sonríe y le hace carantoñas–. ¿Verdad que no tenemos miedo? Y tú tampoco, piojito, di que no –se acaricia el vientre y su mano percibe bajo la ropa ligera y la piel tensa, me gusta pensarlo, una patada en señal de conformidad con ella y su imbatible espíritu luchador, mientras David se abraza más fuerte a su cintura mirando al poli con ojos torvos–. No necesitamos a nadie más, ¿verdad, chicos? –añade recomponiendo una sonrisa muy suya, dura y amarga, dedicada a David.

–*Vedá,* memsahib.

Un chaval cariñoso con su madre, taciturno y espigado, de grandes ojos color miel y nalgas respingonas y fuertes, bien asentadas sobre las piernas largas y delicadas, casi femeninas. Así es como se muestra David. Hace un instante el inspector no le había prestado mucha atención: una sombra escurridiza detrás de la pelirroja, en torno al perro y la mesa del interior, algo que se deslizaba con la ligereza de un fantasma y con un reproche intermitente en los ojos. Ahora intercambia con él una mirada de refilón, una mirada intratable.

–Aunque el día menos pensado –se lamenta mamá siguiendo el hilo de sus pensamientos– el procurador nos echará a la calle.

–No diga eso. ¿No sabe usted que hay leyes que amparan a los realquilados?

–¿De veras?

–Si lo desea me puedo informar.

–Gracias, no hace falta. Sé a qué atenerme.

Sin embargo, a pesar del tono desdeñoso con que responde a las preguntas, hay ahora en su mirada una chispa de curiosidad femenina al calibrar por vez primera las maneras aparentemente suaves de este hombre de rostro enjuto y ojos grises, bastante bien parecido, envuelto en su aire de malhumorada benevolencia, o quizás de aburrimiento, ella no sabe todavía, y tieso de cuerpo hasta el punto de parecer más alto de lo que es. Sus pómulos tienen un aire belicoso y poco saludable, casi tumefacto, como si la piel exudara alguna impureza, pero hay una armonía viril en sus facciones. Habla con voz pausada y, a ratos, debido tal vez al hábito de hilvanar preguntas previamente vaciadas tanto de saña como de compasión, su entonación monótona y fría enhebra una fibra impostada, impersonal y vagamente amenazadora.

–¿Le dio su hijo el libro que perdió en la parada del tranvía?

–Ay, sí, olvidaba darle las gracias... Ya es casualidad que pasara usted por allí en aquel momento.

Abrazado a la cintura de mamá, David mantiene la cabeza gacha y ahora mira el suelo, justo allí donde el poli acaba de frotar la tierra con la suela de su zapato, como si aplastara una colilla. Pero no ha estado fumando, no hay ninguna colilla en el suelo. Tal vez ha pisado una mierda de Chispa. El inspector vuelve a consultar su pequeño bloc y dice:

–Si no le importa, quisiera echar un vistazo al otro lado.

–Ya le he dicho que no hay nadie. El chalé está cerrado.

–Tendrá usted una llave de la puerta principal.

La pelirroja no oculta una mueca de fastidio.

—No hace falta. Entre por aquí. —Y con algo de chunga añade—: Así de pasada podrá ver cómo se vive realquilado en un consultorio médico.

Se hace a un lado y suelta a David, que se cuela por delante del policía, lo hace rápido, encorvado y con una sonrisa pérfida, mascullando:

—Siempre que entro por esta puerta se me dispara el zumbido en los oídos. ¡Es la maldición del otorrino!

La minúscula vivienda de realquilados está vista en un santiamén. Apenas cincuenta metros cuadrados. No hay recibidor ni vestíbulo ni antesala de nada: al cruzar el umbral ya se halla uno en el comedor, así de sopetón, frente a una mesa rectangular cubierta con un hule a cuadros, a un lado el aparador y al otro, bajo la ventana con celosías que da al callejón visto en profundidad, la máquina de coser Nogma, la mesa camilla y dos sillones de mimbre. Se ve muy claro que lo que hoy es recibidor, comedor y sala de estar, todo a la vez, antes era salita de espera del consultorio médico: en la pared aún hay manchas descoloridas y clavos donde colgaban cuadros y diplomas. Igual pasa con el dormitorio de la pelirroja, que ahora también es su cuarto de costura. Es el más grande, con sitio suficiente, al pie de la cama de matrimonio, para la negra consola y la tabla de madera sin pintar en la que ella trabaja, con su cajón adosado siempre lleno de retales, tijeras, escuadras, tiza y carretes de hilo. Aquí es donde el otorrino atendía a sus pacientes, algunos baldosines todavía muestran los agujeros donde estuvo sujeto con tuercas el sillón para la tortura. Abre la boca, niño, enséñame la garganta.

—¡Agggggg...! Aquí es donde el otorrino te cortaba la campanilla con una navaja —susurra David detrás del inspector.

El inspector no dice nada. Lo único bonito del jodido consultorio transformado en jodido hogar, tal como lo definiría David años después con su contundente vocabulario, son las puertas, todas de cristales esmerilados y adornados con cenefas de mariposas y lirios; eso y algunas cortinas y visillos hechos por mamá. Pero la mirada circular y lentísima del policía lo que registra ahora no son las marcas en el suelo y en las paredes, sino la cama de matrimonio con su colcha color salmón, las fotos de papá y de Juanito sobre la mesilla de noche, el alfiletero de terciopelo rojo en forma de corazón acribillado de agujas sobre la tabla con rayas de tiza, el ropero y la consola negra en el rincón.

David retrocede hasta topar con la dulce barriga, se abraza a ella nuevamente y dice en voz baja:

—¿Por qué no le dices que te enseñe la orden de registro?

—Éstos no se andan con formalidades legales, hijo.

—Que te enseñe la placa, por lo menos.

—Para qué.

—¡Tú dile que te la enseñe!

—¡Chisssst...! ¿No recuerdas lo que nos explicó tu padre? Antes la policía estaba a las órdenes de la justicia, pero ahora es al revés, es la justicia la que está a las órdenes de la policía. ¿Lo entiendes?

—Seguro que esta vez lleva la orden escrita en el bolsillo. Que la enseñe —insiste David con la boca pegada a la barriga, hablándome en un susurro: Tú me crees, ¿verdad, monicaco? Tú sabes que puedo verlo todo porque mis ojos miran con radiaciones atomicias y traspasan paredes y puertas y sobre todo la ropa, incluso la trinchera de un poli doblada sobre el hombro, y también su americana y su camisa azul, y por eso ahora mismo podría decirte dónde lleva la orden de registro y la pistola y si está cargada y con el seguro puesto, y hasta veo en el otro bolsillo su petaca de coñac y su paquete de Lucky y su mechero dorado, es un Dupont de imitación. Puedo verlo porque mi mirada atomicia lo taladra todo...

–¡Chissst...! –mamá retrocede en el umbral del dormitorio.

–¿Me enseñas tu cuarto, muchacho? –dice el inspector girando sobre los talones. De pronto parece incómodo, moviéndose con torpeza–. Siento molestarla, señora.

Ella responde con una mueca de resignación.

El cuarto de David es el más pequeño, un cuchitril que había sido almacén de específicos e instrumental médico. En las paredes verdosas y ciegas, con un ventanuco alto mirando a poniente, la marca que dejaron los estantes y la humedad han grabado un desleído crucigrama. La mirada fatigada, falsamente rapiñosa del policía resbala ahora por el camastro y el perchero de madera donde cuelga la boina roja y el chubasquero de David, por el armario ropero y el ventanuco abierto, y se detiene en el viejo y descolorido mapamundi, como dos mitades de manzana agostadas, clavado en la pared con chinchetas junto a una foto de Joe Louis recortada de un diario. Con la trinchera escrupulosamente plegada sobre el hombro y las manos en los bolsillos, el inspector se queda mirando el mapamundi y la foto del boxeador. Tras él, cruzada de brazos y armándose de paciencia, la pelirroja le observa, y a su lado David piensa pero bueno, ¿qué clase de registro domiciliario es éste? Se te ve el plumero, guripa, lo que buscas es pasar el mayor tiempo posible a su lado aunque sea haciendo ver que te interesa un mapamundi del año catapún...

–¿Quiere usted que le enseñe mi Atlas Universal a todo color y mi colección de pesos pesados de todos los tiempos? –dice David–. ¿Quiere? ¿Le gustaría ver mi álbum de cromos de *Los tambores de Fu-Manchú*?

–Gracias, no tengo tiempo.

En la silla rota que sirve de mesilla de noche hay una lámpara de flexo, una sobada novela de Edgar Wallace, el cortaplumas de mango nacarado, un rabo de lagartija reseco, una caja de cerillas y un reloj de pulsera de plexiglás con la esfera celeste, las manecillas pintadas y la hora fija. Un tufillo de violencia silenciosa y alada, una especie de altercado sin palabras, cultivado en secreto, se eleva de todo eso expuesto en la silla paticoja. Pero el interés del policía se centra en la pared, en dos viejos diplomas del otorrino colgados por encima de Joe Louis, dos cuadros que mamá puso aquí para ocultar manchas de humedad, y sobre todo en la oreja del doctor P.J. Rosón-Ansio, una oreja gigantesca y enmarcada en un cartelón de vivos colores, protegida por un cristal y asaeteada por textos de letra menuda explicando las diversas funciones de los órganos interiores y sus recovecos.

–¿Por qué tiene usted eso colgado ahí?

–Hay un desconchado en la pared.

Al darse la vuelta para salir, el inspector casi tropieza con David, que acaba de desliar la toalla de su cabeza. Alargando la mano, alborota suavemente sus cabellos, al tiempo que deja caer con la ronca voz que no expresa nada:

–Qué tal nos portamos, chaval. ¿Ya procuras ayudar a tu madre?

–Sí, bwana. ¿Ha visto cómo brilla la placa de latón de la puerta? Todos los sábados la fregoteo con bicarbonato y un trapo mojado, y también me ocupo de la compra, voy por el carbón y el racionamiento y el pan, y la gaseosa, y el hielo... Y por las tardes soy ayudante de un fotógrafo...

–David –corta mamá–. No le haga caso.

–Pierda cuidado –dice el inspector–. Nos conocemos, ¿verdad, chico?

Mira en torno con aparente desinterés y acaba fijando su atención en una portada de la revista *Adler* recortada y clavada con chinchetas en la pared, debajo del ventanuco y frente al camastro. La portada reproduce la imagen de un piloto de las fuerzas aliadas en el momento de ser apresado junto a su avión abatido. Una foto de propaganda, una instantánea hecha a la luz del día. Observándola más atentamente, el inspector constata la actitud un tanto chulesca del joven aviador, con los brazos en jarras, la sonrisa casi imperceptible y la mirada insumisa, cautamente irónica, dirigida no a la pareja de soldados alemanes que lo apuntan con sus metralletas, uno a cada lado, sino directamente al objetivo del fotógrafo, al incierto futuro y a los ojos que ya para siempre han de verle cautivo. Pero su cara no le dice nada al inspector.

–¿Quién es? ¿Otro púgil, un artista de cine?

–No sé –dice David.

–Mi hijo vio la foto en una revista y le gustó –se apresura a decir la pelirroja–. Siempre está recortando aviones y pilotos, le gustan mucho. Siente una verdadera devoción por los pilotos.

David la mira sin disimular su sorpresa: la primera mentira que le oye decir a mamá, la primera mentira sin intención de bromear, formulada con una extraña urgencia en la voz.

–Bien, no veo ningún motivo para efectuar un registro a fondo –dice el inspector–. Acompáñeme al otro lado, al chalé. Haga el favor.

Echándose las manos a la nuca David se ha tumbado boca arriba en el camastro, frente al piloto que le sonríe desde la pared frontal. El Spitfire entró en barrena con la carlinga incendiada, murmura David sin que nadie le oiga, pero pudo aterrizar. Y recuerda lo que un día le dijo aquí mismo a Paulino Bardolet: ¡Vaya foto, gordi! ¡Un segundo y 25 centésimas para captar el coraje de un héroe que se dispone a morir de pie!

Oye las voces del poli y de la pelirroja adentrándose en el pasillo mientras se desabotona la bragueta.

–No debería dejarle colgar en su cuarto estas miserias de la guerra, señora.

–Ah, los niños, siempre nos sorprenden, ¿verdad? Hasta hace poco tenía en el mismo sitio una foto del pato Donald rodeada de cromos de Héroes de la Cruzada –dice mamá abriendo la pequeña puerta que comunica con el chalé, su voz levemente irónica alejándose cada vez más–. ¿Le parece a usted que el pato Donald en compañía de los Héroes de nuestra Cruzada es más apropiado para un chico de su edad, inspector?

–Los muertos no son buena compañía.

¡Mentiras, no dicen más que mentiras!, masculla David para sus adentros. Guripa mamón, tú qué sabes si lo han matado los alemanes.

La mirada paciente y risueña de mamá atraviesa el corredor que prolonga una tiniebla de baldosas con rombos y concluye en una cortina de terciopelo verde medio desprendida, y, un poco más allá, en un par de zapatillas grises de fieltro dejadas delante de una puerta y juntas por los talones, apuntando una a cada lado. La viuda Rosón nunca quiso retirarlas de aquí, dice mamá en tono chungo. Hemos respetado su voluntad. Sígame usted, inspector. Es un mo-

56

mento, gruñe él quizás a modo de disculpa. ¿Qué tal se porta su hijo en la calle? Parece un chico muy despabilado, añade simulando un deje cansino de funcionario al que ya le aburre tener que hacer siempre las mismas preguntas.

Juan se sienta a horcajadas en la silla con los brazos colgando del respaldo, frente a la cama de David. Tiene la cabeza vendada y el pantalón desgarrado deja ver la pierna cercenada por debajo de la rodilla, aunque en el hueso astillado no hay ni rastro de sangre. Su bufanda marrón y sus ropas de abrigo conservan todavía el polvo rojizo del edificio que se le vino encima enterito el mediodía de un lejano 17 de marzo, pero él no aparenta los años que tenía entonces, sino los que tendría hoy, unos veinte.

Serías mi hermano mayor, se lamenta David. Qué lástima.

No pudo ser, chaval, no le des más vueltas.

Me habrías enseñado la mar de cosas sobre la vida.

Olvídalo. Mi destino estaba escrito.

¡Qué puta mala suerte!

Ya ves. Se hizo lo que se pudo. Un señor me quiso sacar de entre los escombros y tiró de mi pierna, y la pierna se le quedó en las manos. No sentí ningún dolor.

¿Oíste el silbido de la bomba cuando caía?

Pues no. Estaba en la Gran Vía mirando la fachada del cine Coliseum y oí a alguien gritar: ¡Rápido, niño! ¡Tírate al suelo y abre la boca!

Y eso por qué.

Hombre, por la onda expansiva. Si no abres la boca, revientas por dentro. Así que me tiré al suelo y abrí una boca como un cazo.

Pero no sirvió de nada, concluye Juan, y de su nariz brota un hilo de sangre que fregotea con el dorso de la mano.

Hostia, dice David, en esta familia todos sangramos como cerdos.

A otros les fue peor, ¿sabes?, dice Juan, y al hablar suelta por la boca un polvillo como de estuco o de mármol. Había gente despanzurrada por todos lados, y el esqueleto de un tranvía ardía delante de mí.

¿Y no oíste la bomba?

¡Qué pesado te pones con la bomba, David! ¡No la oí, te lo he dicho mil veces!

Pues para que lo sepas, el silbido de esa bomba se metió en mi oído como una serpiente venenosa. Y ya no se va, hermano.

Qué le vamos a hacer, dice Juan rascándose la sangre seca de la mano. Es una pena, porque viviendo aquí habrías podido consultar al doctor P.J. Rosón-Ansio, el otorrino cordobés. Pero él también la diñó. A mí podía haberme operado la nariz, ahora que lo pienso.

El otorrino de Córdoba, entona David. Cuando aún no sabía qué quería decir otorrino, yo pensaba que era el nombre de un torero de Córdoba…

Ya es mala pata que ese médico bolchevique amigo de papá también la palmara.

Baja la voz y cuidado con lo que dices, hermano.

Y sus miradas confluyen un breve instante en el cuadro que reproduce el sonrosado apéndice colgado en la pared, la gran oreja atravesada de flechas y abriéndose como una caracola capaz de absorber todo lo que se habla en este cuarto y fuera de él, cualquier ruido de la casa, el crujido de un armario, el chirrido de una puerta, el viento en la ventana, la lluvia en los cristales, sé lo que me digo, chaval, todo, incluida la penosa respiración de Chispa echado debajo de la mesa y el paso muelle y silencioso de un ratón o una cucaracha, y hasta el rasgueo del lápiz sobre el papel...

Oye, ¿es verdad lo que dice la pelirroja, que de mayor tú querías ser escritor?

Ya no podrá ser, dice Juan.

Tú eras el preferido. Eras el mejor para ella, había puesto en ti todas sus esperanzas.

Pues aquí me tienes, hecho un guiñapo. El que viene detrás de ti puede que tenga mejor suerte.

¿Ese renacuajo? ¿Por qué lo dices?

Sé que a mamá le haría mucha ilusión, dice Juan removiéndose en la silla con gesto de dolor.

Sin papá en casa, el piojo este no será nada, dice David.

Te equivocas de medio a medio, hermano. Lo que hará que ese piojo se convierta a su debido tiempo en un artista será precisamente la ausencia de papá: se pasará la vida imaginándolo.

¿Sabes que le he pillado una mentira a la pelirroja, por primera vez?

Siempre hay una primera vez.

Pero es muy extraño... Yo no recorté esa foto de ninguna revista. ¡La tenía ella!

Vuelve a su lado, anda, no la dejes sola con este hombre, lo apremia Juan con la voz hueca. Y menos en el chalé, con tantas habitaciones cerradas y ese tufillo a ropa de muerto y a muebles apolillados, ese olor a alcanfor que se filtra por debajo de las puertas y que nos aturde cada vez que tenemos que pasar al otro lado para ir al baño o a la cocina.

Suena un lejano estruendo de hierro y cristal. David se incorpora en el camastro, y al mismo tiempo, detrás de la alambrada de espinos y junto al fuselaje del Spitfire, se incorpora el piloto de la RAF con las manos en la cintura.

¿Tú dirías que está muerto?, dice David antes de salir. ¿Piensas que lo acribillaron ahí mismo, al pie de su avión? ¿O que lo llevaron preso y lo torturaron y después consiguió escapar? ¿Crees que la pelirroja sabe algo...?

Déjate de cuentos y ve con ella, dice Juan con la voz polvorienta. Yo iré a cambiarme el vendaje.

Ya voy, dice David mirando con tristeza la pierna cercenada. Deberías poner en su sitio ese hueso que se sale y limpiarlo, hermano. Y de paso sacúdete el polvo, que pareces un fantasma. ¿O es que los fantasmas no se cepillan la ropa?

Cuando David nos alcanza poco después, el inspector se halla de pie en medio del salón y rodeado de muebles, algunos cubiertos con fundas amarillas. Ella enciende las luces junto a la puerta del recibidor y luego se vuelve a él cruzándose de brazos, como si ya le esperara para despedirle. Hay otro olor aquí, otra luz, otro silencio. Todo lo que David ve en este salón, siempre que tiene que cruzarlo solo, yendo o viniendo del baño o de la cocina, ya no parece vivir en el tiempo, solamente en la memoria desbaratada de alguien; muebles renqueantes y desplazados, cortinas tiesas y visillos desflecados, grandes cuadros torcidos en la pared, anticuados y sombríos, con liebres y perdices muertas expuestas sobre mesas repletas de verduras y frutas, todo parece no sólo haber sido abandonado hace muchos años con premura y sin el menor afecto por quienes vivieron aquí, sino haber sido repudiado y maldecido, entregado rabiosamente a una voluntaria desmemoria.

Detrás de mamá se distingue el recibidor en penumbra y la puerta de la entrada, por la que se filtra la luz del mediodía. El inspector observa a la derecha de mamá la mesita redonda y los dos sillones de mimbre color naranja, y en el acto se da cuenta de que antes aquí debía haber cuatro sillones y que los dos que faltan están en nuestro ridículo comedor-recibidor. Mamá los tomó prestados. Erguido, sin hacer ningún comentario, el inspector se gira despacio y su mirada corvina lo registra todo, los espejos ciegos y el viejo reloj de péndulo, las estanterías llenas de libros, los cuadros, el velador con los dos sillones y las vitrinas vacías, para acabar fijándose en la pelirroja con una suerte de fatigada complacencia.

–Aquí viviría usted mucho mejor que al otro lado.

–Sí, claro, pagando el doble o el triple de lo que pago ahora. No podemos permitirnos ese lujo –con un suspiro de impaciencia añade–: Por allí se va a la cocina y a un pequeño retrete al fondo del pasillo, y por aquí a los dormitorios y al baño, a una pequeña biblioteca y a otros aposentos. Si quiere verlo...

El policía mueve negativamente la cabeza. Intuye lo espaciosa que es la casa, aun siendo de una sola planta, pero en ningún momento mostrará el menor interés en verla por entero. Sus ojos se demoran en la mesita del rincón, encima hay dos guantes de piel cruzados, una panzuda copa de coñac y un cenicero de cristal con un cigarrillo consumido, un gusano de ceniza intacto. David sigue la trayectoria de la mirada del poli y alcanza a ver todavía la espiral de humo azul subiendo al techo y enseguida a papá descalzo y en mangas de camisa sentado en uno de los sillones de mimbre, relajado y sonriente, alzando en su mano la copa de coñac a modo de saludo. El inspector se acerca a la ceniza del cigarrillo y al hacerlo observa borrosa y fugazmente reflejada en la superficie leprosa de un viejo espejo el perfil sumiso y grávido de mamá, que desde otro ángulo del salón evoca la misma quimera: el cigarrillo consumido en el cenicero despide su espiral azul, secretamente furiosa y enroscada, hacia el techo.

–¿Es usted la que fuma?

–Quién si no. –Se para un momento con la mano en la barriga–. Y tú, diablillo, no empieces con tus volteretas.

–¿Cómo dice?

–No va por usted –abre la puerta de doble hoja, alta y pesada. El hierro corroído de los goznes chirría–. Ésta es la entrada principal. Y ya estamos en la calle, como quién dice.

El aire huele a leña quemada. Después de bajar lo que queda de los tres escalones, el inspector observa la pequeña explanada que llega hasta el borde del barranco, una tierra calcinada con restos de lo que en tiempos debió ser un bosquecillo. Aquí en torno a él, enfrente mismo del chalé, asoman muñones de rosales muertos, raíces de un olivo tronchado y retoños enfermizos de geranios y adelfas junto a fragmentos del muro que encerró el antiguo jardín. Se acerca al borde del tajo y considera la altura y la inclinación de la ladera arcillosa y cuarteada, y enseguida gira otra vez sobre los talones y se queda mirando la vieja fachada orientada al mediodía, rectangular y con una balaustrada musgosa tras la cual debía pudrirse la azotea. Es una fachada pretenciosa, con su remate ondulado de cerámica, cenefas de mosaico y adornos de terracota en lo alto en forma de grandes cestos que derraman frutos y flores. Un descalabrado tejadillo protege la puerta con aldaba, y una hiedra sanguínea y lustrosa respeta las dos ventanas enrejadas. Piedra labrada hasta un metro de altura y el resto de ladrillo rojo, salvo el marco de la puerta y ventanas, que también es de piedra.

La pelirroja intercambia con David una mirada que dice mírale, no hay más que ver su cara para saber lo que piensa: decididamente Víctor Bartra escapó por aquí, ésa es la puerta de la noche, el umbral del abismo y del olvido, el desagüe de un pasado criminal...

–De modo que escapó por aquí –dice el inspector.

–No sé, yo estaba durmiendo. –Mamá permanece en lo alto de los tres escalones, cruzada de brazos y con el hombro apoyado en el quicio de la puerta–. Como un tronco, créame.

–¿Conoce usted a una tal señora Vergés, viuda de Montcys?

–No –se apresura a responder ella, y me llega el sobresalto de la sangre–. ¿Por qué lo pregunta?

La repentina palidez de su rostro no le pasa por alto al policía. También observa sus labios hinchados.

–¿Se encuentra mal, señora?

–No es nada. Acércate, hijo –apoya la mano en el hombro de David y la espalda en la puerta, cerrando los ojos–. Una acaba por acostumbrarse a todo. Quién me lo hubiera dicho...

–No entiendo –dice el inspector.

–Que no es nada. ¿Ha terminado usted? He de salir.

Inmóvil frente a ella, las manos en los bolsillos de la americana, el inspector indaga en su expresión de fatiga.

–Creo que debería sentarse un rato.

–Puede usted creer lo que quiera, pero yo he de ponerme a trabajar.

–Está bien –su mano derecha palpa algo en el bolsillo, David habría jurado que es la petaca de coñac–. No la entretengo más. Pero quedan bastantes cosas por aclarar. Volveré otro día. Veamos, si bajo por ahí –añade indicando el sendero paralelo al torrente– supongo que saldré a la Avenida Vírgen de Montserrat.

–Pasado el barranco, cruce al otro lado y enseguida verá la carretera que lleva a la plaza Sanllehy. Que usted lo pase bien –dice mamá antes de meterse en casa, cabizbaja y como aterida.

–Que se mejore.

David entorna la puerta sin quitarle ojo al poli, que está todavía parado en el jardín muerto pero ya de espaldas a la casa, consultando su bloc antes de emprender la retirada.

Diez minutos después, cuando David saca a mear a Chispa, el guripa está en el mismo sitio pero nuevamente encarado a la puerta. Acaba de echar un trago de la petaca y la desliza en el bolsillo trasero del pantalón. En el dorso de la mano frota sus labios finos y tensos como el acero, sin apartar los ojos de la puerta.

–¿Tu madre se encuentra mejor? –dice con la voz ronca y sin la menor afectación.

David se queda mirando su trinchera doblada al hombro.

–Sí.

–He debido preguntarle por qué has tardado tanto en darle el libro. No sé qué pensar de ti, la verdad.

–Piense lo que quiera, bwana. Me la refanfinfla.

El inspector Galván se queda un rato más mirando el perro que jadea y apenas se tiene en pie, y después, repentinamente, palmea el hombro de David y le tiende la mano en un gesto rápido y sin mirarle, da media vuelta y se aleja con paso muelle siguiendo la franja de ceniza al borde del terraplén. David ya no puede o no quiere hacerse oír cuando mascula entre dientes:

–Es el mejor piloto de caza del mundo. ¡Y aún no está muerto! ¡Entérate bien, guripa!

Mientras le ve irse, acaricia en el fondo del bolsillo el rabo de una lagartija que guarda para Paulino, y recuerda: Mira, no tienen sangre, le dijo a su amigo la primera vez que cortó un rabo. En lugar de sangre, suelta un agüilla viscosa y fría, como el sudor de la mano del poli.

Nunca veré los ojos de mi madre, pero sé que bizquean un poco y que su mirada es risueña y clara, del mismo color del infinito, sobre todo cuando escucha una explicación más o menos fantasiosa de David o cuando sus pensamientos se pierden en pos de mi padre. Y sé también que su piel es muy blanca y que su hermosa cabellera roja es digna de verse. Por eso, en nuestra calle y en el mercadillo, en las paradas de ropa infantil donde la conocen, la llaman la pelirroja.

El último sábado de este remoto mes de agosto que está resultando tan caluroso y que acabará siendo tan distinguido, tan desdichadamente memorable, a media mañana flota todavía en la atmósfera el azufre atomicio con su repelente olor y su desfile fantasmal de muertos como fundidos en plomo, tiesos y despellejados y sin nariz y sin ojos, pero más tarde vienen nubarrones negros atropellándose, el cielo se desploma y el tufo a pelo churruscado y a huesos calcinados se desvanece bajo la lluvia. Después ha diluviado un buen rato sin parar, y ahora vuelve el bochorno y la luz de la tarde parece un estropajo.

En la cocina llena de humo la pelirroja sufre un mareo y se escalda la mano al derramar agua hirviendo, poco después Chispa vomita en el pasillo aquejado de interminables espasmos, y acto seguido, mientras mamá fregotea el vómito con la bayeta, arrodillada sobre las baldosas y canturreando duerme duerme mi niño querido, una tonadilla que se pega al oído más que el sindeticón, sufre de repente otro de sus fortísimos dolores de cabeza y se le nubla la vista, y encima en este momento a David se le ocurre comentar algo acerca del desconocido que se ahorcó debajo de una glorieta en una azotea de la calle Legalidad, asegura que de noche a veces se le aparece el ahorcado con la lengua fuera, con su pijama y sus zapatillas de fieltro, un suicida tan señor de su casa, tan pulcro y aseado, hace ya dos meses de aquello pero a David le obsesiona aquel muerto que sigue girando en el aire con la cuerda al cuello y sacando una lengua como un zapato, hasta que mamá lo manda callar.

–Ahora no, hijo, por favor, olvida a ese desdichado y ayuda a levantarme.

–Aúpa, madre.

–Eso es, buen chico.

Más tarde David le quita las legañas a Chispa con una gasa húmeda y le susurra tontas promesas de juegos y correrías. Sentada a la mesa, mientras expurga un plato de lentejas con los dedos escaldados, ella siente el mareo que arrecia de nuevo y los insectos de luz que vuelven, y se levanta, entra en el dormitorio y se recuesta en la cama. Esperando que se le pase, habla un rato con la foto de su marido enmarcada en plata sobre la mesilla, una fotografía de estudio retocada y pulcra, nuestro borrachito y simpático padre siempre de medio perfil, siempre con su aire pistonudo y sus negros cabellos planchados de brillantina y su sonrisa debajo del bigote bien recortado; una sonrisa ladeada y guapa, con su rabillo de chunga en la comisura. No tendré ocasión de verla nunca al natural y de cerca, pero sé que es una sonrisa aparente y falaz, o mejor dicho, sé que no es exactamente suya, que su blancura y perfección no le corresponden; porque esa sonrisa, al igual que la más viril y seductora sonrisa que triunfa en las películas, la que precisamente más gusta a la pelirroja, la de Clark Gable, resulta que no es otra cosa que una prótesis dental.

–¡No puede ser!

–Lo he leído en una revista.

No pasa nada, señor Bartra, le está diciendo ahora desde la cama, he tenido otro mareo y han vuelto esas moscas de luz revoloteando ante mis ojos, pero tú tranquilo que no es nada, dondequiera que estés puedes seguir empinando el codo y ojalá tus penas se ahoguen en la botella que te llevaste, puñetero amor mío, junto con tu dentadura y tus queridos ideales, si te quedan, por mí no debes inquietarte, que ahora mismo se me pasa y me pongo guapa, me secaré las lágrimas, me peinaré, me daré colorete en las mejillas y carmín en los labios y hala, a la calle. También hay, en la mesilla de noche, una pequeña foto coloreada de nuestro hermano Juan en la escuela, está sentado detrás de un pupitre y empuña una pluma de afiligranado mango de marfil sobre un cuaderno abierto, con el mapa de España colgado a su espalda. Sonríe y nos mira, pero la pelirroja no le dice nada esta vez.

Después que David se ha ido a pasear a Chispa, ella se peina y se pinta los labios, con algún esfuerzo se calza las botas katiuskas, aunque sabe que ha dejado de llover –es que las katiuskas tienen mejor aspecto que sus zapatos, ya para tirar de viejos–, y coge el paraguas. Sale a la calle y la sorprende un sol intermitente y picajoso, radiante en medio del tumulto de nubes, y animosamente echa a caminar hacia la Avenida, y entonces yo, que no soy más que un oscuro designio en su conciencia y en la de mi hermano David, y probablemente ni eso en la desolación postrera del pobre Chispa, recibo a través del cordón umbilical el coletazo alegre de su indomable voluntad de vivir, de superar penas y añagazas y desdenes vengan de donde vengan, fortaleciendo día tras día su firme propósito de no dejarse vencer por la soledad y el miedo, la enfermedad y un embarazo no deseado, la pobreza y el desamor y lo que el destino le depare.

Juraría que esta tarde, si hubiese podido, al salir para que la viera el médico, de buena gana me habría dejado en casa. Pero cómo saberlo. Yo estaba por aquel entonces balanceándome al borde de la vida y a un paso de la muerte, de espaldas al mundo y seguramente cabeza abajo. El renacuajo ya presentía la vida en torno, pero solamente como una llamarada fugaz, como zarpazos de luz.

VOCES EN EL BARRANCO

Si pasó la noche escondido en el barranco, tal como dicen, quizás dejó algo suyo por allí, piensa David, un paquete de cigarrillos arrugado, alguna colilla, unas gotitas de sangre, la botella de Fundador vacía... O un papelito, un pedacito de papel enrollado y metido dentro de la botella: un mensaje. ¡Eso es, seguro que al guripa le va a interesar!

Hola, bwana. Buenas noticias. Ya sé dónde está mi padre.

Le ve venir y se queda esperándole en el portal de la noche, sentado sobre los talones y acariciando pringosos rabos de lagartija en los bolsillos (cinco minutos antes, abajo en el barranco, el afilado cortaplumas en la mano y sentado también sobre los talones, observa atentamente la grieta por la que ha de asomar la lagartija, y espera. Hola, bonita).

—Hola, bwana. Escuche lo que voy a decirle...

—He de hablar con tu madre.

—Acabo de saber dónde está Víctor Bartra.

—¿Ah, sí? Luego me lo cuentas. Avisa a tu madre.

—Mi madre no está en casa, se ha ido pitando al Skating después de leer esto. ¿Quiere echarle un vistazo? Lo encontré metido en una

69

botella de coñac vacía, al lado de un montón de colillas de Chester, que es la marca que fuma mi padre... Mire. Está en clave.

–¿Ya estamos embrollando otra vez?

–Vale, vale, creí que le interesaría –dice David–. Échele un vistazo por lo menos, bwana.

–Me lo lees tú, anda.

David desdobla el papel y carraspea.

–Dice así. Una chica patinando, patinando se cayó, y en el suelo se le vio... que no sabía patinar.

–¿Por qué no me la cantas?

–¡Es un mensaje en clave!

–Ya. ¿Eso es todo?

–¡Pero bueno, ¿qué clase de poli es usted?! ¿Es que no tiene olfato? ¡El mensaje está en clave, hasta un ciego lo vería! Ya sé que es la letra de una canción que se oye mucho por la radio, pero lo que mi padre nos está diciendo está clarísimo: ve a la pista de patinaje del Turó Park, verás caerse a una chica que no sabe patinar y ella te dirá con quién has de ponerte en contacto si quieres obtener noticias mías... Todo encaja, ¿verdad? ¿Qué me dice, inspector?

–Compadezco a tu madre. Es lo único que puedo decir, chaval.

–Lo que pasa es que usted no tiene el olfato de los verdaderos sabuesos –dice David–. No sé por qué estoy perdiendo el tiempo con un polizonte que no tiene ni pizca de olfato... ¿Ya se va? Como quiera. Usted se lo pierde.

Paulino Bardolet, corazón de oro, culo de cristal, será el cómplice y el confidente, el gordito llorón que busca amparo, siempre cariñoso y cagueta, compañero incansable en las musicales cacerías por el barranco y destinatario doliente y agradecido de los rabos de lagartija, pero el amigo secreto de la noche, el aliado de los sueños heroicos, el camarada que David no está dispuesto a compartir con nadie, es un piloto de la RAF cuyo nombre ignora y cuya más que probable muerte, después de ser captado por el reportero gráfico junto a su Spitfire derribado, con su formidable cazadora de cuero, su foulard anudado al cuello y sus gafas rotas en la frente, David ha vivido cien veces. Lo tiene día y noche clavado con chinchetas en la pared de su cuarto, de pie y con los brazos en jarras frente a dos soldados de la Wehrmacht que lo apuntan con sus metralletas en medio de un sombrío páramo masacrado por la Luftwaffe. ¡Achtung! Es una foto de guerra coloreada con tonalidades de pastel o de cromo, una pátina celeste y afrutada que lo cubre todo excepto la ferralla humeante del entorno, las manos chamuscadas del piloto posadas tranquilamente en la cintura y la delgada y espesa columna de humo que se eleva al cielo a su espalda, desde los restos del aparato. Se distinguen llamas en el interior de la carlinga amorrada al suelo, y en su flanco abollado puede leerse en letras negras la leyenda *The invisible worm*. Salvo por algún tizne en la cara y por las manos renegridas, una de las cuales sostiene un par de guantes que todavía echan humo, el piloto apresado parece indemne, y además muy sereno, las piernas abiertas firmemente asentadas en la tierra, mirando a la cámara con un brillo risueño en los ojos y una absoluta indiferencia ante la amenaza de las metralletas alemanas.

Apuntad a la barriga, dice el piloto a sus verdugos. Ningún agujero en la cazadora, please.

¡Achtung!

¿A que nunca habéis visto una cazadora de piel tan estupenda?

¡Hände hoch!

Que os den por culo, boches de mierda.

En medio de la noche más oscura el aprendiz de barbero corre despavorido esgrimiendo la navaja de afeitar en una mano y la brocha con espuma de jabón en la otra, atravesando un paisaje iluminado por relámpagos.

–Lo pienso y me duermo y en mi sueño lo llamo –dice David–. Y el Paulino del sueño se para y se vuelve a mirarme, el gilipollas, pero no me ve. Lleva en la boca el pito del guardia urbano, el muy capullo, tiene el labio partido y la camisa rota.

–¿Y ese caguetas de tu sueño soy yo? ¿Qué te propones, chatín? –dice Paulino–. ¿Quieres asustarme aún más?

–No te vendría mal un acojonamiento de narices en medio de una gran tormenta. A ver si así te decidías a morir matando y le cortabas los huevos al cafre de tu tío de una puñetera vez.

–No quiero hablar de mi tío. ¿Vamos a cazar lagartijas? Necesito muchos rabos, una docena por lo menos. Jolín, ayúdame.

–Está bien –dice David–. Pero nunca curarás tus almorranas con eso.

–¿Ah no?

–No. Tienen que ser rabos de palabartijas.

–¿Palabarqué...?

–Palabartijas de Ibiza. Es otra clase de lagartija, con la panza verde y amarilla y un rabo que suelta un líquido negro como la tinta, porque le gusta comer libros viejos y periódicos y toda clase de papeles escritos. Un día vi una dentro de mi pupitre en el colegio del parque Güell, estaba comiéndose una libreta y ya tenía el rabo todo negro negro. Palabra.

–Me estás tomando el pelo, guapín.

–No se ven muchas y hay que saber distinguirlas, pero con un poco de suerte algún día cogeremos una, ya verás. Cocidas con hinojo y hojitas de margarita curan las almorranas y los sabañones mucho mejor que el rabo de la lagartija corriente, me lo dijo la abuela Tecla.

—De momento no tenemos otra cosa —dice Paulino—. ¿Me acompañas o no?

—Te estoy diciendo que estés alerta, porque en cualquier momento te puede salir una palabartija de debajo de una piedra, y entonces a ver qué haces. ¡Que eres gueño, chaval!

—Bueno, ¿pero ahora me quieres ayudar o no? —insiste Paulino—. Baja conmigo al barranco y ayúdame, necesito más colitas. Por favor, por la memoria de tu padre...

—¡Serás capullo! La memoria de mi padre me la suda.

Sin embargo, no es verdad. David respeta su memoria, aunque le gustaría no tener que pensar en él tan a menudo. Ocurre que, cuando menos lo espera, lo ve furtivamente como nunca antes habría imaginado verle, perseguido por sus furias y sus demonios, de espaldas y alejándose muy encorvado torrente arriba, con una mano ensangrentada en el culo y balanceando la botella en la otra. Un pordiosero borrachín vagando por el cauce seco del torrente. Es él, quién si no. Más allá de su aspecto indecoroso y de su aire de derrota, por encima de su cabeza despeinada e iracunda, el crepúsculo despliega su engaño opalino con una intensidad y un arrebol que David tampoco ha visto nunca, y que súbitamente le deja sin suelo bajo los pies. Constata en el entorno, sin la menor extrañeza, una sorda resonancia como de chatarra de guerra, hierros y voces crispadas bajo las aguas que ya pasaron, y entonces se fija con más atención. El tajo en la nalga va dejando en el pedregal del torrente un reguero de sangre.

–¿Adónde vas con esa pinta de perdulario, padre?

Mi cinturón, dónde está mi cinturón.

–¿Con quién hablas? –dice Paulino.

–Por ahí andará. Y no veas cómo. Hecho una mierda. Qué desastre, Pauli. Qué vergüenza.

Mientras acaricia a Chispa, su amigo Paulino deja vagar la mirada torrente arriba, donde los huertos de lechugas y tomateras invaden el cauce seco.

–Tú qué sabes cómo andará. Estás un poco pirado, David, de verdad –dice y bruscamente se acuclilla ante una roca caliza. Antes de escabullirse debajo, la lagartija lo mira con su ojito de plomo–. ¡Mierda!

–Mi cabeza es una pajarería –se lamenta David tapándose una oreja. Cierra el cortaplumas de mango nacarado y añade–: Volvamos a casa. Ya no se ve nada, yo voy zumbado de oídos y Chispa está que se cae.

Deshace el camino seguido del perro y de Paulino, que cierra también la navaja barbera y la guarda en el bolsillo mascullando su contrariedad. Poco antes de llegar al barranco escalan el flanco menos escarpado y recorren el sendero paralelo al torrente hasta alcanzar de nuevo la parte trasera de la casa. Sentados en los tres escalones de lo que en tiempos fue entrada principal, la mirada bizca y asustadiza de Paulino busca en el suelo y recupera amorosamente sus maracas pintarrajeadas. Pasa rozando la tierra una golondrina con su chillido. En esos polvorientos retoños de adelfas se enreda un humo atomicio. Paulino agita suavemente las maracas, una en cada mano, sacándoles un siseo discreto, una brisa que mece sus palabras, dotándolas de ritmo y de sentido. Las maracas son de color azul celeste con franjas verdes y rojas y estrellitas amarillas en el mango. Paulino las compró en los Encantes con las propinas ahorradas remojando barbas en el Cottolengo.

–Tusss madresss aún no han vueltosss del médicosss...

–¡Chissst! –hace David parando la oreja en dirección al torrente–. Calla un momento. He oído algo...

–Yess tontuuu o faisteee, guapínnn –entona Paulino acompañándose con las maracas.

–¡Cállate y escucha!

El corcho gime otra vez en el cuello de la botella, es como el chillido de un pájaro. Papá sonriente y seductor en el recibidor-comedor está mirando la barriga de mamá y suelta una sonora carcajada, luego se inclina ceremonioso, burlón y seductor, la botella de vino sujeta entre los muslos y la cara congestionada, tirando del sacacorchos, y, en pleno esfuerzo, eructa.

Perdón, Rosa, cariño.

Un día te vas a herniar descorchando botellas, Víctor. Ella está sentada en el sillón y tiene los pies hinchados dentro del agua de la palangana. Harías mejor empleando tus energías en educar a tu hijo y traer algún dinero a casa.

No os faltará de nada, te lo prometo, dice papá. ¿Sabes cuál es mi único problema, pelirroja intrépida? No es la botella, no son los ideales ni el mujerío ni el gusto por la aventura. Mi problema es que solamente he perdido una guerra. Con una sola guerra perdida, un hombre está muy lejos de alcanzar su dignidad... ¡Toc! Aquí tienes el tapón.

–¡¿Has oído eso?! –dice David.

–Pesado te pones, hostia –dice Paulino–. Tú y tus orejines que todo lo oyen.

–Hasta Chispa ha pegado un brinco del susto. Ha sido como un disparo –insiste David, y el eco se lo devuelve dos veces enredado en la fronda del bosquecillo, al otro lado del torrente.

Por un instante ha taponado sus oídos anulando el habitual y obstinado zumbido, como en otras fantasmagorías parecidas: la detonación y su eco le han llegado antes incluso que el dedo apretara el gatillo, porque él tiene ese disparo metido en la cabeza desde hace ya mucho tiempo. Mi hermano David esgrime temerariamente la memoria de otros como propia, y esa memoria punzante y vicaria, legado de papá y de un abuelo difunto que nunca hemos conocido, contiene las aguas fangosas y violentas de otro tiempo, las aguas que socavaron el lecho del barranco. Cualquiera que se acerque a la casa remontando la suave loma desde la Avenida puede ver, en el fondo del barranco, el hilo de agua que parece muerta, la arcilla cuarteada, los desperdicios, alguna lagartija sin rabo y las raíces secas y retorcidas como culebras; pero sólo David ve las aguas turbulentas que habían atronado y descarnado los flancos del tajo, sólo él conserva aquella resonancia espumosa que inunda sus oídos enfermos y le mantiene de pie y aterido sobre el abismo, soñando historias de huracanes y borrascas, nieblas espesas y tempestades y naufragios.

–Un tiro, seguro. Alguien ha disparado un tiro por allá arriba, donde las huertas.

–Lo que tú digas –gruñe Paulino, bizqueando hipnotizado por el ritmo de las maracas.

Con mucho esfuerzo, el hocico entre las patas y el lomo hundido, Chispa se dirige al borde del torrente y se para allí cabizbajo y trémulo, resignado a su ruina, pensando tal vez aprovechar el último sol de la tarde. Paulino Bardolet se levanta y dice:

–Oreja Sentada, escucha, Nube Roja se las pira. Tiene que llevarle a su tío un frasco de masaje Floyd y limpiarle el salacot. Así que abur.

–Tu tío lo que tiene que hacer es meterse por el culo su mierda de salacot de guardia urbano. Díselo, atrévete de una vez.

Paulino se aleja arrullado por sus maracas y David llama inútilmente a Chispa. Sordo como una tapia o acaso vislumbrando un salto que acabe con sus males, el perro permanece asomado al vacío con la cabeza gacha y el rabo entre las piernas, mirando el cauce seco en cuyo centro discurre la culebra yerta del agua sucia. Quizás él también, a su modo, percibe ahí abajo, piensa David, el eco del furor que socavó el tajo, el rugido cavernoso y las sombrías espumas que un día mordieron con saña esta tierra arcillosa y encrestada. No es que sea muy profundo ni muy tenebroso este barranco, no es gran cosa, no implica ningún peligro y no sugiere arrebatos románticos ni memoria de suicidas ni nada de eso, no impresiona a nadie salvo a mi hermano David. Tiempo atrás hubo aquí una pasarela de tablas, un puentecillo improvisado del que aún quedan exangües hendiduras en los flancos y alguna astilla podrida apuntando al cielo. Como una herida mal cerrada, en sus flancos rojizos brota una flora agreste y virulenta, zarzas y cardos y pitas de afiladas púas. El flanco oriental, del lado de nuestra casa, es una suave pendiente de apenas ocho metros, con raíces y matojos donde uno puede agarrarse. De aquella torrentera que añora David, de aquel antiguo descalabro de la tierra, hoy sólo resta al otro lado una pared escarpada y con grietas, que se desmorona día tras día, y el casi invisible estiaje del lecho, que cobija, entre desperdicios diversos, una muñeca de celuloide decapitada y vidrios rotos centelleando al sol del mediodía. Ahora el cauce desprende un olor pútrido a causa de las basuras, pero en invierno ese hedor se trueca en un suave perfume a sandía partida y a algas marinas, como el de las redes de pesca alfombrando la arena frente a la casita de la abuela Tecla en Mataró. Algunas tardes, al ponerse el sol, se eleva desde el fondo una efusión rojiza de polvo, como el resplandor de un incendio; podrían ser niños o ratas asustadas. El tajo se ensancha y pierde altura unos metros más abajo, y se corta bruscamente en la ladera rocosa y cuajada de ginesta sobre la Avenida Virgen de Montserrat, cuyo sinuoso trazado cuelga a su vez sobre el Parc de Les Aigües y el Guinardó. Al atardecer, la brisa emboca el angosto cañón trayendo consigo los timbrazos alegres de las bicicletas que se deslizan sobre el asfalto de la Avenida y las voces de hombres y mujeres que saliendo del trabajo se dejan ir cuesta abajo sin pedalear, desde los altos del barrio hasta Horta, ellas soltando el manillar para atarse con ambas manos el pañuelo a la cabeza o sujetarse el vuelo de la falda, riéndose, y ellos piropeándolas con una mano en la cintura.

–¿Tú tampoco has oído nada? –dice David rodilla en tierra junto a su perro–. Ha sonado más arriba. Échate en el portal y avísame cuando llegue la pelirroja.

Pero Chispa prefiere seguirle torrente arriba, trastabillando por el cauce pedregoso que poco a poco se va elevando y ensanchando hasta desaparecer confundido con las riberas cubiertas de helechos resecos y matojos. Delgadas lenguas de arena finísima y blanquecina, mórbidas dunas como panzas de pescado, yacen inmaculadas junto al estiaje que circula por el centro, un hilo de agua de regadío que proviene del cañaveral y de las huertas de más arriba. David camina mascullando entre dientes: Ratas, escorpiones, escarabajos, arañas, lagartos, saltamontes, sapos y culebras, un día vendrá una gran inundación de aguas torrenciales y se lo llevará todo....

En este momento oye a su espalda el clinc de la botella al chocar con las piedras, y enseguida la voz de vidrios rotos.

Necesito un pañuelo limpio, hijo. Y un cinturón. Y un buen remiendo. Nuestra costurera está tardando en volver a casa más de la cuenta.

De su boca sale un vaho que huele fuertemente a cloroformo. La penetrante mirada de David, pugnando a contraluz entre los párpados semicerrados, sólo capta una cara jocosa cuyas facciones abotagadas y grisáceas parecen confundirse con las mismas piedras pulidas y uniformes del lecho del torrente. Con barba de varios días y ojos amarillos, la colilla de Chester apagada en la comisura sonriente y la botella de coñac en el sobaco, papá se agacha sobre el turbio estiaje desplegando un pañuelo manchado de sangre. Se le cae la botella casi vacía y rebota otra vez en las piedras.

También a ésta se le ve ya el culo, qué lástima, añade haciéndose rápidamente con la botella. En torno a él, semienterradas en el lecho del torrente, asoman algunas ramas y troncos pelados, calcinados por el sol. Arqueando el lomo, Chispa suelta una tifa líquida, como un puré verde. David se sienta en una roca ladeando la cabeza sobre el hombro y se oye decir:

Te veo borroso, padre.

Tendrás que conformarte con eso. Es más de lo que mereces ver.

En mis sueños te veía de otra manera...

Pues esto es lo que hay, muchacho. O lo tomas o lo dejas. Así que abre bien los ojos. No eres tú quien me sueña.

No te entiendo.

No importa. Yo veo muchos huevos fritos en mis sueños, pero los únicos que me comería a gusto son los huevos de Velázquez.

Y pensando también en el inspector Galván, el cual probablemente ahora mismo estaría plantado en alguna esquina o detrás de los cristales de una taberna acechando el paso de mamá, pero que igualmente podía andar husmeando por aquí cerca, David se agacha y escoge cinco guijarros puntiagudos y se los guarda en el bolsillo. Los ojos amarillos del tigre nos miran fijamente, pero saldremos de ésta, padre, ya verás.

No escapé por temor a eso. Ni por salvarme yo, ni por salvar a unos compañeros o algunos papeles comprometedores. No me rajé el trasero como un cerdo por miedo a que me pillaran, añade con la voz fugitiva. Sin incorporarse todavía, se desplaza de lado dando saltitos como los monos, buscando algún arroyo de aguas no estancadas en el estiaje del torrente, descalzo y despeinado, con la camisa fuera del pantalón y apretando el pañuelo ensangrentado en la raja escalofriante de su nalga izquierda. No abandoné a tu madre por nada de eso. Lo hice porque la quería mucho. Y aún la quiero.

A David sus movimientos le recuerdan la última lagartija cazada por Paulino aquí mismo hace unos días: cortado el bicho por la mitad con la navaja barbera, las dos partes, cada una con sus dos patas, estuvieron dando saltitos y retorciéndose convulsivamente sobre una roca plana mientras él y Pauli esperaban a ver cuál se moría antes, y fue la parte de la cabeza. El rabo siguió serpenteando mucho rato en la palma de la mano de David. De nada te sirvió pensar, pobre lagartija. ¿Quién decide ahora estas contorsiones, qué cabeza las piensa si ya no tienes cabeza?

Ella sabe que la quiero, a pesar de todo, añade papá mientras lava el pañuelo en el recuerdo de otras aguas, en el caudal crespo y veloz de otros tiempos, otros amores. El desgarro del pantalón deja entrever el mal aspecto de la herida.

Sangras mucho, dice David. Se te va a infectar.

Tonterías. La sangre derramada por la patria no se infecta jamás, es inmune a cualquier microbio, porque ya está podrida y bien podrida.

A madre no le gustaría oírte hablar así.

Soy un hombre derrotado. Qué quieres. Un hombre derrotado no va por ahí presumiendo de nada. Vaya papelón el mío, con el culo al aire y sangrando como un gorrino. Yo pensaba entregarlo todo por la patria, todo menos el trasero... Y hablando de traseros, juraría que tu amigo Paulino lo está pasando francamente mal con el suyo... Te supongo enterado.

No queremos hablar de eso con nadie, dice David. Observa que papá lleva la dentadura postiza mal encajada, y a ratos le castañetea. Ten cuidado no pierdas la dentadura. Y te ruego por favor que no vayas más arriba por ese torrente. Créeme, padre, aquí estás bien. Media legua, media legua, media legua más arriba, más allá de la calavera que asoma en la arena con un agujero en la frente, junto a las huertas, podría verte algún vecino.

No me reconocería. Estos últimos tiempos me han cambiado mucho, hijo. Hoy mi lema es: la puñetera verdad te enseñará a dudar de todo. Y a propósito, he visto esa jodida calavera con el agujero de bala y creo que es de una cabra, dice chasqueando la lengua, sin darse cuenta de que su voz rota causa un efecto especial en David. Es una voz que no se dirige a los oídos como las demás voces, en línea digamos recta, sino que primero da un amplio rodeo en torno a la febril y orgullosa cabeza de David, como si quisiera marearla un poco. Pero David parece conforme en que sea así.

En fin, concluye papá incorporándose con el pañuelo apretado al trasero. ¿Qué hay de nuevo, hijo?

Estás sangrando mucho.

Dime algo que no sepa, coño.

Qué quieres que te diga. Tuviste mala suerte, padre.

La que merezco. Esa cuchillada traidora en la nalga me la gané a pulso. Se queda un rato pensando, simulando una expresión de fatalismo y moviendo la colilla de un lado a otro de la boca, y añade: La que merezco.

Pero por qué.

Por algo malo que hice una vez, en nombre de elevados ideales, ¿sabes qué cosa es?

Parece una adivinanza…

Pues no. Con el tiempo se convertirá en una siniestra adivinanza (el cura de un pueblo arrodillado en una cuneta, en la tonsura de su coronilla se pasea una hormiga, en su nuca temblorosa un dedo apuntándole, ¿de quién es ese dedo?), una pesadilla que debería quitarle el sueño a más de uno, pero que de momento sólo me incordia a mí… Sería la tapa de una lata de sardinas que tiré yo mismo en el barranco, quién sabe. Sería eso lo que me rajó el culo.

No fue una lata de sardinas, dice David. Fue un cristal grueso y afilado clavado en tierra, seguramente una esquirla de sifón.

De una botella de vodka habría sido lo más apropiado…

Qué más da.

Hombre, en algo deben basarse los de la Brigada Social para decir que soy un bolchevique fiel a mis ideales… Je je. Bien, hablemos de ti y de tu madre. ¿Qué tenéis hoy para cenar? ¿Lentejas?

Patatas viudas.

Estupendo. ¿Y tú qué haces, ya trabajas?

Soy el ayudante del señor Marimón, ¿ya no te acuerdas?, dice David sin mucho entusiasmo. El señor Marimón es el fotógrafo de la parroquia de Cristo Rey. Y en casa a veces pedaleo en la máquina de coser de mamá, cosas sencillas; también coso botones y bolsillos en batas de colegiales, en faldas y blusas para muñecas, y repaso la costura de cuellos y puños. Y también a veces hago las entregas en el mercadillo y en los tenderetes de la Travesera de Gracia.

Eso está bien, hijo.

David observa la mano que ciñe con fuerza el cuello de la botella.

Las manos te delatarán, padre. ¿Ya no recuerdas que tus manos siempre olían a éter? Y ahora que lo pienso, ¿no podrías anestesiarte la herida y así te dolería menos? Madre dice que eras un buen anestesista cuando te conoció y se enamoró de ti...

Ya no lo soy. ¿Para qué sirve hoy un anestesista? Hoy todo el mundo vive con la boca y los ojos cerrados y los oídos sordos. Mis servicios ya no hacen ninguna falta. ¿Y cómo le va a la intrépida pelirroja?, ¿qué hace todo el día metida en casa?

Pues coser y barrer y fregar y lavar y planchar, farfulla David. Y fumar y beber mucho café. Pero sobre todo, lavar y coser, lavar y coser.

Rosa Bartra, llevas mal camino, entona papá en tono lúgubre. ¡Ay ay, cómo duele esto...! Y dime, ¿ya te acuerdas de visitar a la abuela Tecla de vez en cuando?

Mañana voy. Pero la abuela no me habla. Y me mira siempre de refilón. Como ese policía.

¡Ay ay, qué dolor más puñetero!, gime papá dando media vuelta y caminando hacia los helechos de la orilla con el pañuelo bien apretado a la nalga. Los esfuerzos que hace por mantenerse erguido, en una postura bastante precaria, pero en algún sentido todavía digna, realzan por un breve instante su robusta figura, aquella prestancia y aquella fortaleza imbatibles que David le otorgó hasta el día de la fuga. Ahora le ve sentado sobre la nalga sana en la ribera del torrente, echando un trago con la botella en alto. Sabiendo lo que ahora sé, no me cuesta nada imaginar a David acuclillado sobre las piedras calientes y con la cabeza gacha, viéndole sin querer verle, oyéndole decir con su voz desmenuzada, atomizada en el aire: Todavía no le has dado a tu madre el libro que ese poli recogió de la calle y se tomó la molestia de forrar y de traer a casa. Mal hecho, hijo.

Es que le tengo mucha tirria al guripa. Me cae gordo.

No hace falta que lo jures. Prueba inútilmente de encender la colilla con fósforos húmedos, y desiste. Maldita sea mi suerte... En cambio, el inspector Galván tiene un encendedor de marca, de los caros.

Es falso, padre. Un Dupont falso. No vale nada. Todo lo que tiene que ver con ese tío es una trola descomunal, todo lo que hace y todo lo que dice es puro camelo. Fíjate, parece un hombre tratable, ¿verdad? Pues un día, en la plaza Sanllehy, Paulino Bardolet le vio atizar una patada a una paloma vieja y enferma que se moría acurrucada en el suelo. David se interrumpe y piensa un rato antes de añadir: Y la pobre paloma además estaba ciega y coja.

También tú vas por mal camino, David Bartra.

¡Te digo la verdad!

Seguro. Pero es demasiado lo de ciega y coja. No hacía falta.

No te entiendo.

Te daré un consejo de hombre maldiciente, experimentado y cabrón. Si has de desacreditar a alguien, no acumules datos veraces. Siempre acaban por levantar sospechas. Es mejor inventarlo todo. Si es verdad que tienes alma de artista, muchacho, como soñaba tu madre antes ya de echarte al mundo, si es verdad que la tienes, algún día entenderás lo que te digo.

Yo no soy el que tiene alma de artista, dice David con la voz afligida, acariciando el lomo de Chispa. Siempre te confundes, padre. El que ha de nacer es quien tiene alma de artista. Eso dice madre. También lo decía del pobre Juan, ¿ya no te acuerdas? De mí nunca lo dijo.

Bueno, qué más da. No debes entristecerte por eso. Hoy no sirven de gran cosa los artistas, diga lo que diga tu madre… Ahora me tengo que ir. Si vuelves por aquí me traes cerillas. Y un pañuelo limpio. ¿Es tuyo ese perro que te sigue a todos lados arrastrando la barriga por el suelo?

Es el Chispa. Era del señor Augé. ¿No lo has reconocido? Ahora es mío.

El pobre está más acabado que yo. Deberías sacrificarlo… No me mires así, hijo. Ahora los matan sin tener que reventarlos con estricnina. He leído en alguna parte que los alemanes han inventado una inyección letal. Les inyectan bencina o qué sé yo directamente en el corazón y la diñan sin sufrir. Mira de enterarte. Ahora vuelve a casa y no te preocupes por mí. Sueño verdaderos horrores, pero me despierto muerto de risa.

La pelirroja está ordenando los cajones de la consola. David entra en el dormitorio pelando un plátano más que maduro, de piel negra y pulpa gelatinosa y dulce como mermelada. Lo mordisquea con una mueca de asco y se queda mirando aviesamente la barriga de mamá:

Te he oído, renacuajo asquerosillo.

¿No andas siempre diciendo que te mueres de hambre, hermano? Pues come y calla.

Te he oído.

Sólo he dicho que no le hagas ascos. Mamá los compra porque son más baratos, pero has de saber que el plátano, cuánto más maduro, mejor.

¡Y tú qué sabes! ¡Tú lo único que has de saber es que da lo mismo que te escondas o hables bajito porque te oigo y te veo cuando me da la gana!, masculla David. ¡Te veo con mi poderosa mirada de megarratones radiactivos!

Otra vez hablando solo con la pelirroja al lado. ¡Pelma eres, amado primogénito!

Está delicada de salud por tu culpa. Le chupas la sangre, mamón.

Y tú la asustas parloteando como si estuvieras chiflado.

¿Cuándo vas a salir de tu escondrijo, piojo de mierda?

Cuando ella se sienta bien fuerte y animosa y alegre, y papá esté de nuevo en casa y ningún guripa de la político-social nos vigile y todos seamos felices otra vez y nunca más nos acordemos de la pobreza ni del hambre ni del frío ni de nada...

No dices más que chorradas.

Bueno. Gracias por darme un poco de conversación.

Me divierte bastante tomarle el pelo a un embrión tan gilipollas.

De todos modos te agradezco mucho la compañía. A veces aquí me siento angustiado pensando en la mala salud de mamá y en sus problemas...

Culpa tuya, ¿sabes? Has conseguido que ella no piense más que en ti. Mírala.

Está sacando sábanas limpias del cajón inferior. Luego, abierto el cajón superior, sus manos se demoran amorosamente en la lana azul. David engulle el plátano casi deshecho y sigue farfullando: Mírala, ya está otra vez acariciando tu ropita de bebé, tu gorrito de lana y tus peuquitos, ya sólo piensa en eso, ya te está viendo crecidito, ya está echando agua de colonia en tu pelo y te peina bien peinadito, con la raya muy recta a un lado, ya está poniendo la bufanda alrededor de tu cuello y la merienda en tu cartera del colegio...

–¿Qué estás murmurando, David? –dice mamá–. ¿Hablas con el perro?

–Nada, estaba pensando en voz alta.

–Pues algo le pasa a tu garganta.

–Estoy afónico. ¡Agggggssss...! Y me duele.

–A ver si me vas a coger unas anginas. Haz gárgaras con agua templada y bicarbonato... ¿Adónde vas ahora? Aún no has hecho los deberes.

–Luego. Voy a buscar espárragos al otro lado del torrente, con Pauli.

¡Serás trolero, hermano! No hay espárragos en esta época del año.

Quería decir moras, feto asqueroso, gruñe David (de pronto le llega la voz de pito de Paulino hundido en su butaca del cine: ¡Cáspita! ¡Se te ha puesto dura como una pastilla de chocolate del bueno!). Voy a coger moras en el barranco, eso quería decir. Moras.

Mentira. Te vas al Delicias con Paulino Bardolet y sus maracas.

Cállate ya, monicaco, o juro que te romperé los morros el día que te asomes a este mundo...

–¿Qué te pasa, hijo, qué refunfuñas? No estarás haciendo gárgaras con el plátano.

–No, son payasadas para que te rías un poco... –se hurga los dientes con la uña y saca una fibra del plátano–. Es que casi nunca te vemos reír...

–Ay, gracias por la buena intención, tesoro. Ven, échame una mano. –Con la ayuda de David, empujando a su lado, cierra el pesado cajón de la consola–. Este gordito amigo tuyo, Paulino, ¿todavía va al colegio?

–Qué va. Remoja barbas en la barbería ambulante de su padre. En Asturias cuidaba vacas con los abuelos, pero sabe muchas cosas, hizo dos cursos de bachillerato. Tiene un tío que es guardia urbano y le deja limpiar la pistola… Quiere meterlo en la Guardia Civil, pero a Paulino lo que le gustaría es tocar las maracas en una orquesta tropical. Toca las maracas la mar de bien. ¿Te gustaría oírle un día?

–¿Por qué no?

–Oye, madre, ¿dónde vamos a poner la cunita del pequeño Víctor?

–No tenemos cuna todavía.

–¿Y la mía?

–La tuya dónde estará. Se la di a una vecina hace años. Anda, ayúdame a hacer la cama antes de irte.

Los sábados en el cine Delicias, si la platea está a tope y toca sentarse detrás de la columna, puedes acabar con tortícolis o con la cabeza apoyada en el hombro del vecino de butaca. No hay mal que por bien no venga, pensaría Paulino Bardolet, que alguna vez se había excusado en el estorbo de esa columna para arrimarse al acompañante. Pero con David no le vale el truco, pues David prefiere sentarse en las primeras filas y cerca de los urinarios.

Sabu es un embusterillo listísimo de piel cobriza, el technicolor es de ensueño y los labios rojos de la princesa, para comérselos. A su debido tiempo habría yo de enterarme de todo eso.

¿Quién sois vos?, dice la princesa en su jardín, y Paulino mueve los labios uniendo puntualmente su voz a la suya, calcando sus mismas palabras en la pantalla con la vocecita estrangulada:

Vuestro esclavo, dice el príncipe escapado de su reflejo en el lago.

¿De dónde habéis venido?

Del otro lado del tiempo, para encontraros.

¿Desde cuando me buscáis?, susurran la princesa y Paulino al unísono.

Desde el principio de los tiempos.

Y ahora que me habéis encontrado, ¿hasta cuándo pensáis quedaros?

Hasta el fin del tiempo. Para mí ya no puede haber en el mundo más belleza que la vuestra.

–Qué emocionante, ¿verdad, David?

–Chorradas.

–¿Te aburre la peli? ¿Qué te juegas que adivino lo que llevas en los bolsillos tocando sólo por encima del pantalón? –susurra Paulino mientras desliza la mano en la sombra.

–Ahora no, Pauli. Me silban los oídos.

–Venga, hombre.

Un débil gemido escapa de sus labios inflados. No es la primera vez que se presenta en el Delicias en ese estado, con la mirada bizca trabada en un espanto y un hilo de sangre saliendo de su nariz, deslizándose sobre el labio superior hasta alcanzar la comisura y meterse en la boca. Más adelante, mediada la película, el arrogante Conrad Veidt también sabe apreciar la belleza de la princesa con su mirada de hielo azul y con palabras emocionadas que, ahora sí, paralizan a David.

...sus ojos son ojos babilónicos, sus cejas rivalizan con la luna brillante del Ramadán, su cuerpo es recto y erguido como la letra A... Se pierde el resto porque Paulino tose tres veces y escupe en el pañuelo. Su respiración suena como un fuelle. David se sacude la cabeza febril y pelona apoyada en su hombro y le suelta un codazo en las costillas.

–¡Ay, que me duele! –da un respingo Paulino.

–¿Otra vez con esa gaita, mamoncete?

–¡Ay ay ay, que me muero!

–No seas quejica, que ni te he tocado.

–Ponme la mano en el costado, aquí, por debajo de la camiseta. ¡Pero suave suave!

–Te veo venir.

–No es eso... ¿No tocas la costilla rota? ¿No la notas?

–Noto la piel de niña tan fina y preciosa que tienes, guercho puñetero.

–¿Por qué te burlas de mí? También tengo un diente roto, ¿sabes?

–Entonces qué pasa, ¿otro puyazo del cafre de tu tío? –susurra David–. Pedazo de melón, te dije que no te acercaras más por su casa.

–¡Y qué puedo hacer! Mi padre quiere que lo afeite cada sábado. Así vas aprendiendo, dice, y agradece que se preste sin miedo a que lo desolles vivo.

–Rebáñale el gaznate. Yo ya lo habría hecho.

–Si lo vieras como yo, no dirías eso. Con el paño atado debajo de la barbilla parece un muerto que se deja afeitar (su negra bocaza abriéndose ante el filo de la navaja al pinzar la nariz con los dedos: un diente de oro, un olor corrupto). Se queda con los ojos cerrados y muy quieto, y no protesta si le rebaño algún granito o le hago un corte sin querer. Se va al espejo y restaña las heriditas pacientemente con trocitos de papel de fumar, pero después cierra la puerta con llave, pone música en la gramola y venga a darme de hostias. Eso para empezar, porque luego me agarra del pelo y de los huevines, aquí y aquí, mira, y me dice que lo mío es una enfermedad, una maldición del demonio, pero que de todos modos nunca lo dirá en casa porque si mis padres lo supieran se sentirían muy desgraciados, dice –la voz de Paulino en la oscuridad se apelmaza con mocos y sangre–. Que esto tuyo es una vergüenza antinatura y te la sacaré del cuerpo a bastonazos y a patadas, dice, aunque tenga que matarte... Y entonces me obliga a besar la sirenita tatuada que sonríe como una furcia asquerosa, de esas que te clavan unas purgaciones con sólo mirarte...

–¿Tatuada? –dice David–. ¿Dónde?

–Dónde crees. En el culo. Si lo vieras (y si vieras su polla, guapín, tiene más mierda que el palo de un gallincro), cada sábado se monta el mismo circo, y a veces el domingo también, si no está de servicio regulando el tráfico con su uniforme blanco y su salacot en el cruce Gran Vía-Rambla de Cataluña...

Las consabidas lamentaciones susurradas siempre tan de cerca, y el olor zorruno del miedo y el cálido aliento pegado a la mejilla, pero todo eso a David no le hace perder de vista la deslumbrante explosión de color y de música bajo el cielo azul de Bagdad. Ahora la princesa cierra los ojos ofreciendo sus labios rojos al beso traicionero de la negra boca de Conrad Veidt, y él siente una repentina dulzura en el espinazo, un gusanito de miel subiendo despacio desde el ojete hasta el cerebro, y no acierta a saber si esa dulzura rampante la provoca la hermosa boca de June Duprez abriéndose como una rosa de fuego o la mano juguetona y temblorosa del amigo, baldado una vez más por el bestia del ex legionario. Porque el tonto de

Pauli, piensa, que ha visto la película tres veces y se la sabe de memoria, sólo presta atención a las escenas en las que aparece Sabu con su moreno torso lampiño y su taparrabos. Y, habiéndose aliviado un poco de su pena, ahora prefiere jugar:

–A que adivino lo que llevas en los bolsillos del pantalón.

–¿Otra vez?

–A que sí. Anda, déjame –su mano empieza a palpar–. Esto es un pañuelo, esto la cajita de pastillas Juanola, esto el cortaplumas de mango verde –la voz se va haciendo un susurro pastoso–, esto un tronquito de regaliz... ¿Y esto? ¿Qué es esto, una salchichita, un gusanito...?

–¡Que me haces cosquillas, cabrito!

–Aún tienes el arañazo de la Pili.

–Fue la pezuña de Chispa. Esto me pasa por llevar pantalón corto –se lamenta David, y lo mismo hace cada dos por tres ante la pelirroja y con las mismas palabras. ¿Hasta cuándo, mamá? Ya soy muy ganapia, tú misma lo dices siempre, y todavía me haces llevar pantalón corto.

Y lo que te queda –está diciéndole ella sentada en su sillón de mimbre con los pies hinchados y descansando en el agua caliente de la palangana.

Ya lo has oído, hermano. ¡Y lo que te queda!

¡Tú cállate, sietemesino, contigo no hablo!, farfulla David. ¿Qué me contestas, mamá? Catorce años ya...

Todo este verano por lo menos, así vas más fresquito, dice ella cosiendo con la cabeza gacha y las gafas sobre la nariz. ¿De dónde íbamos a sacar el dinero para un pantalón largo? Podrías arreglar alguno de papá, sugiere David. Papá sólo tiene dos y no quiero tocarlos; y además, no se puede hacer. ¡Pues me pondré faldas! De eso nos sobra, pero tu hermano aquí dentro me está diciendo que primero deberás quitarte la roña de las rodillas. ¡Mentira, no es roña, es arena del torrente! ¿Seguro? Pues claro, no le hagas caso al enano chupón, ¿que no ves que no discurre una mierda, todavía?

¿No sabes, ignorante, que al cumplir cuatro semanas ya tenemos cerebro, y que también soñamos, y que el sueño más frecuente es el de volar?

–Y esto... esto... je je –se ríe Paulino en la sombra–. ¿Será el rabo de Chispa?

–No quiero bromas con mi perro, chaval.

–Sí, perdona.

El creciente desasosiego de la mano, yendo de un muslo a otro ingrávida y ligera como una araña, a ratos insidiosa y rastrera, demorándose en la entrepierna, le deja indiferente. La mano gigantesca del Genio de la botella deposita a Sabu en la entrada del templo.

–Te vas a perder lo mejor –dice David con la voz dormida y los ojos fijos en la pantalla–. Sabu entra en el templo de la Diosa-Que-Todo-Lo-Ve.

–Ahora tú. ¿A que no adivinas lo que hay en mis bolsillos?

–¡Y dale con el palpo! ¡Qué tostonazo!

–Por favor.

David acaba por aceptar el reto porque sabe muy bien, sin necesidad de palpar, lo que su amigo lleva en los bolsillos: el canutillo de sidral Bragulat, el pañuelo con mocos y sangre reseca, un rodete de hilo de coser negro, la navaja que le regaló su padre, quizás el rabo cercenado de una lagartija, y briznas de pelusilla y de miedo. Paulino se deja resbalar en la butaca y cierra los ojos. Cercada por la oscuridad y algo torcida, la pantalla devuelve a la platea bocanadas de luz cegadora y sueños de profecías.

...se dice: aunque Alá sea más prudente y más compasivo, hubo en tiempos pasados un rey entre los reyes. Este Señor del tiempo y del pueblo era un gran Opresor, y la tierra era como brea en el rostro de sus súbditos y sus esclavos...

Sabu escucha la profecía del anciano sabio con los ojos muy abiertos, y David cierra los suyos para entender mejor.

...y el pueblo gritó: le buscaremos ciertamente entre las nubes. Pero si los jueces no tienen valor para salvarnos de este tirano, ¿cómo podrá hacerlo un hombre sin importancia? Y el encantador de los astros contestó: Tened fe, confiad en Alá, pues algún día, en el azul del cielo veréis a un mozalbete, el más insignificante de los muchachos, montado sobre una nube, y desde el firmamento destruirá al tirano con la flecha de la justicia.

Poco antes de que termine la película, un hombre convertido todo él en sombra sin apenas contornos y oliendo a acetona se sitúa a su lado en el pasillo de butacas. El fantasma del señor Augé, piensa David, dado que unos dicen que el viejo acomodador está en la cárcel y otros en el hospital muriéndose. Esgrime la linterna en la mano, pero no la enciende. En la otra mano lleva un sobre marrón cerrado y muy arrugado.

–Escóndelo debajo de la camisa y no lo saques hasta llegar a tu casa.

–¿Es de papá?

–No preguntes y dáselo a tu madre –dice la sombra.

–Usted no es el señor Augé... ¿Quién es usted?

–Nada de preguntas –insiste la sombra, y dando media vuelta se va.

–¿Con quién hablas? –dice Paulino Bardolet.

–Con nadie.

AMANDA

La abuela Tecla está sentada en una butaca roñosa al lado de su cama y mamá le está cepillando el pelo. Debió ser guapa la abuela. Labios gruesos y extrañamente rosados, ojos claros, el derecho semicerrado, cabello amarillento y ralo, la sombra de un bigote sobre las comisuras de la boca. Clava la barbilla en el pecho y sonríe, pero con el ceño fruncido, como si desaprobara su propia sonrisa. El lado derecho de la cara se le cae y el ojo de ese lado soporta un párpado que más parece una cáscara de almendra reseca. Y con todo, se ve que era guapa. Sobre la cama recién hecha, el ramo de margaritas que le ha traído mamá.

—Ya no me dan vino en las comidas, hija.

—Vaya —dice mamá—. Hablaré con las monjas.

Las manos arrugadas no paran de moverse en su regazo, como si estuvieran desliando constantemente un enredo de hilos entre los dedos. Mamá le había explicado a David que la abuela aún cree estar desenredando las redes de pesca que solía remendar con hilo de algodón frente a su casita en la playa de Mataró. En la misma habitación del Asilo hay tres ancianas más en otros tantos camastros, pe-

95

ro David no quiere mirarlas. Mamá siempre tiene para ellas unas palabras de aliento y de cariño al entrar.

–David, no te quedes ahí parado sin decir nada. Dile algo a la abuela.

–Hola. Aquí estoy, abuela. Soy David.

No obtiene ninguna respuesta. Prueba otra vez:

–Abuela, tengo un perro que se llama Chispa.

Tampoco. Sabe que la abuela Tecla está muy pirada. A veces le da por hablar mucho y a veces no abre la boca. Siempre, en algún momento durante estas visitas, por lo general mientras mamá la peina y le sujeta el moño con las horquillas, la abuela da un respingo, como si repentinamente se acordara de algo:

–Rosa ¿has puesto el bacalao en remojo?

–Sí, Tecla.

–Dos días en remojo, por lo menos. Y sin piel. Recuérdalo.

–Sin piel, no me olvido.

El cepillo ingrávido en las manos blancas y ligeras de mamá sacando lustre a las mechas canosas, la horquilla entre los dientes, los brazos desnudos arriba y abajo y el aroma afrutado en las axilas, pelirrojas, inclinada sobre la cabeza de la abuela con una paciente y devota concentración.

–Me haces el moño un poco más alto –dice la abuela. Y casi en el acto modula la voz llena de tristeza y suelta la extraña pregunta–: ¿Dónde está Amanda, la paciente peligrosa? ¿Tampoco hoy ha venido Amanda? ¿Qué le pasa a mi niña, por qué ya no viene a verme? –Se echa a llorar, mamá procura calmarla y ella añade entre sollozos–: Siempre he sabido que las cosas son como son, Rosa, pero me he callado por respeto. Que te lo diga Amanda.

Jamás hubo nadie llamado Amanda en la familia ni en el vecindario, y tampoco entre las amistades de la abuela en Mataró, al menos a mamá no le consta. Las monjas que la cuidan, y que la oyen gritar de noche ese nombre, no sabían al principio qué hacer ni qué pensar, pero ahora ya no le dan importancia. Y es inútil preguntarle, indagar sobre la tal Amanda. Debe ser un extravío de la memoria, la ceniza de un sueño o de una emoción remota, el aroma tal vez de una vivencia juvenil o de un secreto deseo. En cualquier caso, esas expectativas siempre renovadas de la abuela sobre Amanda tienen fascinado a David.

–Por favor, Tecla, no llore. Mire quién ha venido a verla –dice mamá mientras se dispone a cortarle las uñas con todo el mimo–. Acércate más, hijo, y háblale.

Al acercarse a la abuela le viene a las narices el olor salobre de redes expuestas al sol.

–Hola, abuela. Soy David.

Ella nunca le hace caso. No parece verle ni oírle, sus ojos de agua le traspasan el pecho. Parado ante esa mirada que no le alcanza, David no se siente nada bien dentro de su cuerpo, y ésa podría ser quizás la primera vez que tuvo conciencia de ese malestar. Retrocede dos pasos y pregunta a mamá:

–¿Por qué no me ve?

–Claro que te ve. No tendrá nada que decirte, eso es todo.

–No, la abuela no quiere verme. Yo sé que no quiere verme.

–Debes tener paciencia con ella, hijo. La pobre no sabe dónde tiene la cabeza. Prueba otra vez a decirle algo, anda.

David da nuevamente dos pasos, se planta ante la abuela e insiste. Hola, abuela, soy yo. Soy David. Y el silencio por respuesta, y los ojos líquidos que no le tocan. Poco después la abuela pregunta al aire:

–¿Conoces el cuento de la Reina desnuda?

–El Rey –dice David–. Era un Rey, abuela.

Como si no le oyera, ella prosigue:

–Me lo contaron de niña y aún me acuerdo. En ese cuento, todo el mundo ve pasar por las calles del pueblo a la Reina vestida con ropas muy bonitas, y la única persona que la ve desnuda es una niña que va en bicicleta...

–Un niño –corrige David, interrumpiendo el relato–. Y no va en bicicleta. Y no es la Reina desnuda, abuela, sino el Rey desnudo.

–¿Quién anda por ahí? –inquiere la anciana.

–Es su nieto David –sonríe mamá con tristeza, mientras frota suavemente la frente y las sienes de la abuela con el pañuelo mojado en agua de colonia–. Qué bien huele y qué fresquita, esta colonia, ¿verdad, Tecla?

–¿Cómo se te ha ocurrido montar en una bicicleta de hombre, niña? –dice la abuela–. Te vas a caer y te harás daño.

Y así todo el rato. Y en las visitas siguientes acompañando a mamá, más de lo mismo, la abuela cada vez más acabada y más ida y David más desconcertado y más transparente. Y después siempre, ya cuando él y mamá se han despedido y se alejan por el pasillo, durante un trecho oyen todavía su voz repitiendo el sonsonete, ¿y Amanda, por qué no viene Amanda?, dirigido ahora seguramente a sus ancianas compañeras de habitación, tan fuera ya de este mundo como ella.

Algunas noches un viento que viene del lado del barranco bate furiosamente puertas y postigos que ya nunca se abren en casa del otorrino, despierta chirridos de goznes herrumbrosos y de maderas que han muerto y trae rumores de árboles y frondas que fulminó el rayo o arrasó la expansión de la ciudad hace años; se oyen remolinos de hojarasca, sirenas de barco en la niebla y silbos en todas las esquinas heladas del mundo. Y las aguas insomnes y remotas que labraron el torrente vuelven a pasar lentas y silenciosas y llevan ojos muertos y manos cercenadas, brazos y piernas de celuloide y ropita de muñeca, zapatos viejos y aparatos de radio con las tripas fuera.

David se despierta en su camastro gritando, y en el acto ese grito se instala en sus oídos, alborotando, y ya no se va. La luz de la luna entra por el ventanuco y baña la oreja del doctor P.J. Rosón-Ansio. David se incorpora sobre un codo en el lecho, entorna los párpados y se encara a Joe Louis que le mira desde la pared, agazapado detrás de sus guantes de púgil y de sus gruesos labios negros.

Yo también tengo las orejas machacadas, también a mí me silban, dice Joe Louis. Aguanta, chaval.

Después David consulta la gran oreja sonrosada y los textos explicativos del entorno, cada cual con su bonita letra cursiva de color rojo y con su flechita indicando una zona del apéndice acústico, pero no hay la menor referencia a su extraña percepción, ninguna explicación a esa maldita y sensitiva dolencia.

Con los ojos aún semicerrados, ve entrar en el antiguo laboratorio al especialista cordobés con su bata blanca, la montera en la cabeza, el espejito en la frente y el capote doblado en el brazo, tapándose la cornada del vientre.

¿Por aquí le entró la tremenda cornada?, se oye preguntar David.

¿De qué tremenda cornada me hablas?, dice el otorrino con la voz afilada de los toreros.

La del toro.

¿Qué toro, muchacho?, inquiere el doctor mirándole ahora con expresión severa.

Cuál va a ser. El toro que lo cogió a usted en la plaza. Usted era un torero que llamaban «*El Otorrino*» de Córdoba, y una cornada limpia lo mató en la plaza de Badajoz.

El doctor P.J. Rosón-Ansio frunce el ceño y sus fúnebres cejones negros se despliegan en posición de vuelo.

¡Qué torero ni qué narices! ¡¿Serás idiota, niño?! ¡¿Tú crees que ningún matador en sus cabales se haría llamar «*El Otorrino*»?! ¡Pues vaya, qué poco respeto! Has de saber que a mí no me mató ninguna cornada de ningún toro.

¿Ah no? Usted perdone...

Ocurre que yo serví en el ejército republicano y los nacionales me encerraron en la plaza de toros de Badajoz, y allí me pusieron este capote y esta montera y me cortaron las manos, y luego el 8 de agosto del 36 me ametralló un oficial del general García Valiño junto a varios cientos de desgraciados como yo. ¡Así que basta de bromas y más respeto!

Con gesto repentino y furioso el otorrinolaringólogo se desprende de montera y capote arrojándolos al suelo y enfoca el espejito frontal sobre la cara entre soñolienta y pasmada de David para preguntarle:

¿Has visto por aquí mis guantes de gamuza?

Se dispone David a responder que los guantes todavía deben estar sobre el velador del salón, en la parte deshabitada, y que precisamente papá pensaba probárselos mientras bebía una copa de coñac sentado allí cuando la bofia lo fue a buscar y escapó por los pelos, añadiendo que el otro día al verlos el inspector Galván creyó que esos guantes eran de papá; pero observa que el doctor esconde apresuradamente en los bolsillos de su bata las manos cortadas, y se compadece y calla, prefiere no hablar de guantes. De pie junto al camastro, el otorrino hunde los muñones en los bolsillos hasta casi romper la tela, mirándole con una mezcla de afecto y curiosidad.

¿Por fin me va a auscultar, doctor?, dice David.

Vamos a ver, vamos a ver...

Por favor, auscúlteme bien. Me gustaría tener una buena salud, una salud de hierro, porque tengo muchas cosas que hacer en esta vida, y el puñetero zumbido...

Hum. Veamos. Intenta describir ese zumbido. ¿Cómo es?

No sé... Yo me lo imagino como un escape de gas en la espita abierta de una farola.

¿Has oído alguna vez el silbido de un escape de gas en una farola?

La verdad es que no, ahora que lo pienso...

Entonces ¿por qué te lo imaginas así?

Será por eso, porque nunca lo oí. A veces también me lo figuro como un rumor de lluvia muy fina, y otras veces como una moto que corre muy lejos muy lejos.

Humm. ¿Cuándo empezaste a hablar solo, muchacho?

Fue después que se me metió el grillo en la cabeza...

Sabes muy bien que no es un grillo. Cuéntame exactamente qué te pasó.

Primero fue igual que si me entrara el mar en los oídos, dice David excitándose al poder contarlo. Como cuando acercas una caracola a la oreja y oyes el mar de verdad. No pensé que era nada malo, doctor, no me asusté ni nada. ¡El mar en mis oídos! Pero lo segundo que sentí fue peor. Le cuento. Estaba yo ese día agachado en el fondo del barranco, donde los desperdicios, en compañía de Paulino, y tenía en cada mano la mitad de un disco roto que acababa de encontrar, *Arrullos de amor* por Rina Celi, y me lamentaba de que no tuviera arreglo la voz rota, esa que dice cuando escucho tu voz que parece un arrullo de amor etcétera, encajaban bien las dos mitades del disco, pero ni modo de pegarlas, joder, ¿ni con sinteticón?, dijo Paulino, ¿ni con pegamil?, ni con pegamillones, gordi, le dije yo, y fue una lástima porque quería regalárselo a mi madre, que siempre está cantando esta canción tan boba y además el disco parecía nuevo de trinca...

Me estabas hablando del zumbido en los oídos, dice el doctor P.J. Rosón-Ansio con la barbilla sobre el pecho y la expresión ceñuda.

Ah, sí. No es como el de Juan Centella, se apresura a aclarar David. Ojalá fuera como el suyo, que le avisa de los peligros...

Al grano. Qué pasó con el disco.

¡Pues que tuve que soltarlo porque de pronto me dio como un calambre! Tenía una mitad del disco en cada mano y sentí la voz estrangulada de esa cantante que me subía por dentro de los brazos y se metía en mis orejas, en algún rincón del caracol auditivo, como el de esta oreja que tiene usted pintada ahí de color rosa. Solté los trozos del maldito disco y me tapé los oídos con las manos, ¡hostia puta, qué es esto!, grité, ¡qué cosas más raras pasan dentro de mis pobres orejas! ¿Se me habrá metido una abeja, o un grillo? ¿Será la sirena que anuncia otro bombardeo? ¿Un caza Spitfire cayendo en picado? ¿El silbido atomicio sobre Hiroshima? Pero mucho antes de oír todo eso, me entró el silbido de otra clase de bomba. Cuando era pequeño. Fue el silbido de aquella bomba al caer lo primero que se me metió en los oídos, doctor, y ya nunca se fue. Desde aquel día, los ruidos no han cesado. A ratos es como si rasgaran una seda dentro de mis orejas, o como hace una ola cuando se retira suavemente de la arena y vuelve al mar. O el zumbido de un ventilador.

Ahora ya conozco todos los ruidos. Y luego tiempo después un día se me metió un grillo en cada oreja, o mejor, un enjambre de abejas. Hay días que tengo una pajarería en el coco, doctor. Eso en el mejor de los casos, cuando esa puñeta se hace más o menos soportable, porque a veces se produce bruscamente un cambio, una subida de tono, llega de forma imprevisible y entonces lo que tengo en la cabeza es un estruendo, una pesadilla. Nunca sufro nada de eso en medio del griterío del Campo de la Calva, por ejemplo, cuando estoy con la pandilla de la calle Verdi, o en el cine con Paulino dándome la tabarra, o escuchando sus maracas o la música de la radio; rara vez la subida de tono me sobreviene cuando más la temo y la espero, por ejemplo con los petardos de la verbena de San Juan o yendo en tranvía o en el metro, y no sabía por qué hasta que un día lo comprendí, fue el día que mi jefe, el fotógrafo de bodas y bautizos, me estuvo gritando un buen rato porque le había extraviado unas fotos y acto seguido yo me encerré en el silencio rojo del cuartito del revelado, y allí dentro me di cuenta: no es que el cabrón del grillo se calle a ratos, ocurre simplemente que un ruido más fuerte anula su chirrido, lo ahoga. Por eso el silencio de la noche me aterra, doctor. Ahora por ejemplo, estoy fatal. Y por eso empecé a hablar solo.

Humm. Tú crees que hablas solo, pero en la mayoría de los casos no es así, dictamina el otorrino. Estas patologías de oído engañan al más pintado. La causa podría estar en las cervicales, aunque yo no creo en los diagnósticos demasiado complacientes con la realidad. Hay en esta dolencia un componente misterioso que debemos respetar. Te enseñaré unos ejercicios muy sencillos de cuello y hombros.

¿Es grave, doctor?

No es hereditario. También podríamos considerar una terapia de silencio bajo control en la cavidad timpánica, pero éstas son sutilezas que ya han sido estudiadas con resultados poco satisfactorios…

¿Qué es lo que tengo, doctor?

Una flor venenosa crece en tus oídos, muchacho. No hay remedio conocido para esos ruidos y zumbidos, debes aprender a convivir con ellos y a domeñarlos, a manejarlos, a trampearlos. Debes engañarles y confundirles, o ellos acabarán contigo. Haz como que no oyes. Atiende a otras voces y llamadas, recoge otros vientos, otros ecos. Ahoga el silbido de la serpiente con otro ruido más soportable. Porque ya para siempre, hasta que mueras y el plomo de la nada se funda en tus oídos y te regale una eternidad de silencio, esos ruidos irán contigo y perforarán tus días y tus noches como los gusanos barrenan la tierra bajo el verde césped. Habrás de defenderte con uñas y dientes, muchacho. Recuérdalo siempre que mires mi oreja colgada en esta pared. Buenas noches.

La siguiente visita del inspector Galván es tan inesperada como extraña, primero por la hora, casi de noche, y segundo porque dice encontrarse de paso y llevar algo de prisa, sólo quería saludarla, no se inquiete, alega como excusa al plantarse ante ella con la mayor pachorra y ninguna prisa. El encuentro tiene lugar en la pequeña explanada entre la puerta de noche y el barranco, mamá ha terminado de recoger la ropa en el tendedero y, antes de cargar con ella, se ajusta el albornoz sobre la barriga y ve acercarse el inspector. Su pelo color rojo zanahoria recién lavado y el blanco albornoz se distinguen entre las primeras sombras de la noche, pero lo más llamativo, según el posterior comentario de una vecina que andaba cerca, sería el trato que le dispensa al policía, su comportamiento tan atrevido, tan sorprendente en una mujer discreta como ella. Lleva el cesto de la ropa en la cadera y el inspector se ofrece a cargar con él, pero la pelirroja rehusa, se para en los tres escalones, se vuelve y mira a su acompañante con los brazos en jarras.

–¿Sabe usted doblar sábanas?

El hombre se queda mirándola, indagando en el rostro de la gestante alguna señal que le aclare el sentido oculto de su pregunta.

–Celebro que esté de broma, señora…

–De acuerdo, usted celebra que esté de broma. Pero, ¿sabe usted doblar sábanas?

Otro silencio del inspector y más fijación en su mirada inquisitiva y tranquila, casi risueña.

–Por supuesto –dice por fin–. Mi madre me enseñó.

–Entonces –dice ella inclinándose sobre el cesto–, no le importará echarme una mano –saca una sábana, le tiende al inspector dos puntas y retrocede de espaldas agarrando las otras dos–. Ya hablaremos de las fechorías del señor Bartra otro día, si es que ha venido para eso. ¿Le parece?

Agitada con fuerza entre ambos, la sábana ondula y se tensa, luego va plegándose poco a poco y juntándoles, va acercándoles el uno a la otra hasta rozarse las manos. Cuatro veces, por lo menos. Había cuatro sábanas en el cesto.

Lo haría tal vez por simple curiosidad frente a los extraños signos de la demencia senil, por ganas de bromear o quién sabe si por compasión, nunca sabré por qué lo haría, pero el presentimiento del mañana que siempre asoma a sus grandes ojos rubios, esa pulsión secreta de su alma que habría de fatigarle hasta el fin de sus días, ese deseo de perfeccionar el inevitable acontecer anticipándose a él mediante un retoque, un subrayado que lo haga más evidente, un domingo del pasado mes de junio lo empuja decididamente hacia el Asilo y lo planta ante la abuela Tecla con un ramillete de margaritas en la mano.

–Hola, abuela. Soy Amanda.

La anciana está postrada en la cama y desde allí le observa durante unos segundos. Cierra los ojos y sonríe ligeramente. Luego fija la mirada en el arañazo de la rodilla y guarda silencio.

–Tu nieto dice que no quieres hablar con él –dice David.

–Yo no tengo ningún nieto. ¿Por qué no has venido antes a verme?

–Dice tu nieto que no le quieres.

Ella no aparta los ojos de la rodilla rasguñada y tintada de yodo.

–Te has caído de la bicicleta. Te lo dije. Te previne.

–No es nada –responde David. Observa que dos de las tres ancianas que comparten la habitación con ella no están en sus camas–. Mira, he traído unas margaritas.

–Has vuelto a caerte de esa dichosa bicicleta, a que sí. No me mientas.

David piensa la respuesta un rato.

– Bueno, pues sí.

– ¿Qué le pasó a ella?

– ¿A quién?

– A la bicicleta. ¡A esa bicicleta de hombre!

De nuevo David medita la respuesta.

–Ah –dice finalmente–. Se pinchó una rueda y se rompió el sillín, pero ya lo arreglé. Normal, abuela.

–¿Es normal que se rompa el asiento de una bicicleta?

–Pues sí. –David piensa rápido y añade–: El asiento y el plato y los pedales y lo que sea. Yo pude saltar a tiempo, pero la bici chocó contra una alambrada de espinos y se rajó el cuero del sillín.

Prodiga esos pormenores porque ha observado que, cuantos más detalles adornan el suceso, mayor es la atención que le dispensa la abuela.

–La próxima vez ten más cuidado, podrías haberte quedado coja. Eres muy traviesa, Amanda.

–Qué va, yo sé cuidarme.

–¡Y una puñeta, sabes tú! Recuerda el dicho: se coge antes a un cojo que a un mentiroso.

–Se dice al revés, me parece...

–¡No me contradigas! –clama en medio de alguna dificultad para respirar–. Te pasa lo que te pasa por montar en una bicicleta que no es para ti. Porque es una bicicleta de hombre. ¿Lo sabes, verdad, niña, que vas por ahí montada en una bicicleta de hombre?

–Lo sé, abuela.

Inmóvil a su lado, David se deja mirar. Ya no se siente transparente ni anónimo ni indefenso ante su mirada, y aunque intuye muy próximo el fin de la abuela y le impresiona bastante su rostro decrépito en el hueco de la almohada, no puede evitar un vago sentimiento de plenitud, una súbita conciencia de futuro. En realidad la abuela lleva días muriéndose y él jamás habría imaginado que los ancianos se podían morir así, parloteando y embrollando y saboreando quién sabe qué ensoñaciones y recuerdos.

–Siéntate aquí, a mi lado –tantea su cara y sus cabellos, coge su mano y añade–: Llevas el pelo muy largo.

107

–Me han dicho que cuanto más largo lo lleve, menos me silbarán los oídos.

–Mentira. Te has vuelto no sé cómo, niña –dice la abuela con la voz melindrosa–. ¡No bajes los ojos, mírame! ¿Adónde ibas con la bicicleta de tu padre, sentada en ese sillín tan alto y enseñando lo que las niñas no deben enseñar? Contesta.

–No me acuerdo, abuela.

–Pues yo sí. –Se le pone una bruma azulada en el ojo semicerrado, y añade–: Se oía la música de un organillo al otro lado del torrente, o al final de la calle, ahora no sabría decirte. A mi edad, la mitad de las cosas se me olvidan y la otra mitad resulta que las he soñado, eso me dicen las monjitas... Toda mi vida no he sido más que una remendona de redes secándose al sol en la playa. Que no las rompieron los delfines, no, sino las hélices de aquel gran avión que cayó al mar delante de casa. Ese día, tú ibas en bicicleta a ver la música del organillo...

–Abuela, la música no se ve.

–¡No me interrumpas! Sé lo que me digo. Y otra cosa: esta blusita que llevas no me gusta. Tienes la azul, que es más fina y está casi nueva. El azul es un color de confianza, es el mejor en estos tiempos, tenlo presente... ¿De qué color es la bicicleta?

Observa David una pupa negra en el labio superior de la abuela.

–Es de color rojo.

–Píntala de otro color. Es un consejo que te doy. La boina roja puedes llevarla, una boina es una boina, pero ojo con los colores naranja y rojo para según qué cosas. Amarillo, pinta la bicicleta de color amarillo y nunca te caerás al suelo ni te harás daño ni te pasará nada malo.

–Nada malo ha de pasarme, abuela –sonríe David–. Tengo piernas atomicias y ojos heterodinos. Soy una niña superheterodina, ¿sabe?

–Anda ya, no seas presumida.

No es una pupa lo que ensombrece el labio, es una mosca y emprende el vuelo. Su rostro palidece y de vez en cuando tiene hipo. A la abuela le crecen pelos en las orejas. ¿La visión y la proximidad de estas pequeñas miserias repugnarían a Amanda, o quienquiera que sea la persona que debería estar aquí, arrugaría esa niña fantasmal la nariz ante la suave catipén del camisón de la abuela, se pregunta David, ante el olor rancio de sus cabellos amarillentos y de su piel ajada, puesto que hoy mamá no está a su lado para frotarle el cuello y las sienes con agua de colonia?

–En qué piensas, Amanda.

–En nada.

–Te aburres.

–No, abuela.

–Ya te puedes marchar, si te aburres. Pero antes de irte, moja el pañuelo con unas gotas de colonia y dámelo.

–Claro. Deja que yo lo haga, abuela.

Ignoro si mi hermano advirtió a tiempo que quién visitaba a la abuela Tecla no era él, sino su imaginación: era un simulacro, una mezcla de travesura infantil y de gentileza, la encarnación fugaz de un espejismo que empezó como un juego, un estar allí con ella sin estar, complaciendo un desvarío mediante otro desvarío.

Por iniciativa propia y solo, sin que mamá se entere, acudirá al Asilo dos o tres veces más, vestido de Amanda. Algunos domingos irá en compañía de mamá, pero en estas visitas se siente menos que nadie, pues metido en la piel de David, la abuela sigue empeñada en no verle ni oírle. Sin recobrar el escaso conocimiento que le queda, a finales de mayo, poco antes de que el inspector Galván diera señales de vida, la abuela sufre otra embolia y fallece.

Tres días después, cazando lagartijas a pleno sol con Paulino y con Chispa, David encuentra entre las basuras del barranco los pedales rotos y el sillín de una bicicleta. El sillín es puntiagudo y estrecho, de bici de hombre, y el cuero está rasgado. El soporte metálico y el tubo están oxidados y la herrumbre tiñe las manos pero el cuero, a pesar del desgarro, permanece lustroso y conserva su color de cobre bruñido.

Volvamos un poco atrás, hermano. Este recorte de una revista que has clavado en la pared de tu cuarto, esa foto del piloto de combate junto a su avión estrellado, ¿de dónde salió, y qué tiene que ver con mamá?

Deberías saberlo, ranita asquerosilla. ¿No dices que siempre vas con ella a todas partes, no presumes de estar siempre tan cerquita de su corazón y sus secretos, de sus ansias y temores? ¿Lo ves como te pasas el día chupándole la sangre a la pelirroja y no te enteras de nada? ¿Lo ves como eres un chulito y un pardillo, y acabarás igual de cenizo y mentiroso que ese poli que nos persigue?

Lo que veo ahora son pequeñas fogatas en la noche. David quemando papeles en el lecho pedregoso del torrente, al atardecer. ¿Por orden de mamá? Ocurrió la víspera de ese día que dejamos que el inspector se nos colara en el chalé hasta el fondo y viera la foto del aviador y dijera oiga, señora, no debería usted permitirle a su hijo adornar las paredes de su cuarto con escenas de guerra y con muertos, algo así dijo. La hoguera fue por orden de mamá, en efecto.

El día anterior, después de hacer limpieza en el armario ropero de su cuarto, al caer la tarde, la pelirroja está sentada en el borde de la cama con tres cajas de zapatos rebosantes de fajos de cartas y postales, viejos cuadernos escolares y recortes de diarios y de revistas junto con algunas fotografías ovaladas y amarillentas de abuelos y bisabuelos y parientes que nunca vamos a conocer. Durante más de dos horas se dedica a remirar y a releer y a romper fotos y papeles pacientemente, con gesto cansado y melancólico, a ratos obstinadamente crispado: algunos papeles los deja en cachitos. Después remete todo en las cajas, apretujándolo con el puño. Queda una tercera caja, pero ya se ha cansado y no llega siquiera a abrirla, y llama a David.

–Toma, hijo, llévate todo esto y quémalo ahí afuera.

–¿Qué es? ¿Temes que el guripa lo encuentre? ¿Crees que puede comprometer a papá?

–Creo que en esta casa hace falta una limpieza a fondo. Eso es lo que creo.

Fuego devorando papeles: una imagen recurrente en la memoria familiar. La abuela Tecla quemando documentos y libretas y billetes de banco en la casa de Mataró, frente al mar, papá quemando libros y revistas en el barranco, carpetas y carnets y folletos, y también la tía Lola y el tío Pau en el patio de su casa en Vallcarca... Fogatas en la noche, fogatas y caras serias reflejando una luz diabólica. David se agacha de espaldas al flanco oriental del barranco, la caja de cerillas en la mano y sobre su cabeza las raíces al descubierto, resecas y enrevesadas, de una higuera muerta. Acaba de amontonar el contenido troceado de las dos cajas, y encima arroja el de la tercera que mamá no ha tocado. Antes de raspar el fósforo recoge algunos cachitos de papel rayado que se habían esparcido y por curiosidad descifra restos casi ilegibles de palabras, coletillas de afanes y sentimientos tronchados por los desgarros del papel y con dos caligrafías distintas, una en tinta azul y otra en tinta violeta: *volver a verte... noche sin fin... el espigado y simpático aviador... aquellos besos... the invisible worm... única esperanza... a la mierda con las banderas y a la mierda con el país del alma... That flies in the night...* Imposible leer una línea entera y David abandona.

En el instante de acercar la cerilla encendida a los papeles, el habitual zumbido en los oídos se convierte en el ronquido de un avión de caza cayendo en barrena. Brota el fuego y David advierte en el acto la mirada displicente del piloto antes de ser alcanzado y devorado por las llamas; está el hombre incorporándose en lo que parece la portada de una revista gráfica cuidadosamente plegada que ahora se despliega por efecto del calor, mientras un fuerte olor a gasolina se esparce en el aire. Con riesgo de quemarse la mano, David rescata la imagen del incendio y sopla rápidamente los bordes chamuscados de un cielo de plomo donde se alza una columna de humo negro. Ante él se convierte en cenizas el montón de palabras, mientras observa al piloto aliado ya puesto en pie delante del fuselaje de su Spitfire en llamas: ni la menor señal de sentirse a punto de morir, ni herido ni amedrentado, ni de que vaya a encogerse para esquivar las balas. La cazadora de cuero es formidable. En las comisuras de la boca sostiene una corta boquilla de marfil, y las manos, chulescamente apoyadas en la cintura, lucen la piel negruzca y humean un poco; aún sujeta los guantes de piel que acaba de quitarse. El gesto relajado y la mirada insumisa y tranquila que dirige al objetivo parecen querer desentenderse del mundo arrasado de aquí abajo, del sombrío entorno sembrado de ruinas y de la crispada violencia contenida en la escena misma de su apresamiento, esas metralletas a punto de vomitar fuego sobre su pecho. La impresión gráfica de la foto, con sus colores tiernos, no revela un excesivo paso del tiempo. Presumiblemente derribado en suelo francés –se lee en un poste roto: *Roubaix 12 Km.*– y enfocado por un fotógrafo de guerra en el instante de ser apresado, permanece junto a su maltrecho avión, detrás de una alambrada, con su flamante cazadora de cuero abrochada y las gafas en lo alto de la frente, y mira al que le mira con ojos burlones y la cara tiznada y una sonrisa que es la sonrisa de alguien que todavía está volando, piensa David al guardarse la foto entre el pecho y la camisa, alguien cuyo avión ha sido abatido, pero no su ánimo ni su confianza en la victoria, no su espíritu combativo que sigue volando en lo más alto, por encima de las nubes y más allá de las tormentas con relámpagos y la artillería, donde siempre brilla el sol...

–Así fue como encontré al piloto de combate.

–¡Ondia, qué emocionante! –exclama Paulino al serle mostrada la foto–. Hay que ver las cosas que te pasan desde que tienes averiada la trompa de Eustaquio. ¿Me dejas que te la examine?

No sabría hablar de ti sin hablar contigo, hermano. Me cuesta mucho desenredar tu voz de la mía, y solamente lo consigo a ratos, cuando tu verbo golpea imprevisible y airado y se impone veraz y urgente, testimonial y único, por ser la resonancia cabal de un tiempo que ya para siempre será un refugio imaginario para los dos.

Ya le tenemos aquí otra vez. Ahí viene.

Le tengo mucha tirria a ese guripa, dice David. ¡Se hace el longuis, pero es un fullero!

113

¿Y qué dice mamá? Juraría que ella no opina lo mismo, hermano. ¿Cómo crees tú que lo ve?

Ella lo que ve es un policía cuarentón y bastante bien parecido que a veces se comporta como si andara despistado y que no parece muy contento con sus obligaciones, un hombre alto y de hablar pausado, que a ratos intenta ser amable. Así es como ella ve al guripa, según David. Un tipo malcarado, tristón y solitario, seco en el trato y cargante y a saber si con muertes en la conciencia, pero no se le ve un animalote como tantos otros, me dijo ella un día, no debes tenerle ningún miedo.

–¿De veras dijo eso tu santa madre? –entona Paulino Bardolet agitando las maracas.

–Sí. Entonces le comenté lo del tranvía, pero dijo que eso fue una desgracia, y que lo había olvidado.

–La pelirroja hace buenas migas con todo el mundo.

–¡Que lo había olvidado, fíjate! ¡Grrrr...!

Hay caras que, si no las quieres olvidar, conviene mirarlas con mal ojo –responde quién y dónde? La voz de humo de nuestro padre en el barranco? La voz de la abuela Tecla aconsejando a mamá desde su lecho de muerte? La voz de rana de Chester Morris o de Paul Muni en la penumbra del Delicias? La del propio David previniendo males mayores?

En cualquier caso, la jeta del inspector Galván no merece tal vez esa percepción tan aviesa y cautelosa. Pero mi hermano lo había sentido así desde la primera vez que, plantado en la puerta de la noche, se había enfrentado al hielo azul de su mirada y a la espuma de su voz, una salivación del habla que atenuaba una persistente ronquera. Y ahora otra vez, en mitad de la calle:

–Tú, chaval. Tú, sí. El de las melenas. Atiende un momento.

Envarado y parsimonioso, con una lastimera condescendencia en la mirada, con largas pausas antes de cada pregunta, un silencio negligente que puede resultar más temible que las preguntas, así es como el inspector indaga en las caras medrosas de la gente buscando señales del pasado, la marca de los desafectos; pero tanto si capta esas señales como si no, no deja entrever ningún sentimiento que altere su talante aplomado. Siempre con su traje marrón bastante sobado, sus gastados zapatos de dos colores y el nudo de la corbata negra flojo bajo la nuez prominente, a veces con el sombrero en la mano y abanicándose, su perfil aguileño husmea en las tabernas el rastro etílico y verboso de Víctor Bartra, ciertamente facilísimo de detectar, vaya, cómo negarlo, quién no vio alguna vez al cantamañanas de Bartra en este mismo mostrador soltando carcajadas y trasegando coñac y blasfemando más de la cuenta, quién no le oyó despotricar temerariamente contra todo, no sabría decirle, oiga, contra esto y aquello y lo de más allá, pero ya hace tiempo de eso, sí señor inspector adiós que usted lo pase bien. Era el verano de la bomba de Hiroshima y toda la mañana una llovizna pringada iba calando las azoteas grises y los solares yermos y poniendo marrón la blancura de la colada sobre las matas de ginesta al otro lado del barranco, las vecinas comentan verás tú cómo se va a trastornar el tiempo y la atmósfera y las frutas y verduras, dicen que afectará a las embarazadas y a la menstruación de las niñas, mira tu perro, muchacho, esta lluvia pequeña y caliente y erizada de luz lo está matando al pobre, le está royendo el alma y los huesos, mira cómo se arrastra debajo de la mesa.

–Sal de aquí y defiéndete, Chispa.

Resoplando, el perro deja caer la cabeza entre las patas.

–Pierdes el tiempo, hijo. No le quedan fuerzas ni para morirse

–dice mamá–. Con el favor que me haría. Hay que ver cómo me está poniendo la casa, cómo me hace la santísima el pobre animal.

–¡Te va a oír! ¿No tenías que ir al mercadillo a por ropa? Si para de llover te acompañamos, madre. ¿Verdad que sí, Chispa?

Diariamente David le lava los ojos al perro con agua de tomillo hervida, le da una cucharada de leche condensada, le cepilla el pelo y le susurra a la oreja dulces mentiras, qué bien hueles, qué buena cara tienes hoy, perrito valiente, mañana iremos al mercadillo y a correr al parque Güell, y mientras estés conmigo no tengas miedo que no te vas a morir, aquí estamos seguros, aquí nunca llegará el hongo venenoso de la bomba atomicia ni su onda expansiva y achicharrante, nuestro barranco es un buen refugio.

–¡Que te crees tú eso, guapín! –dice Paulino–. ¡Millones de megarratones vienen ya por el aire y lo arrasan todo! ¡Ni la sombra de tu perro quedará! A mí no puede pasarme nada porque soy un niño superheterodino...

–Cierra el pico, gordi. ¿No ves que te puede oír?

–Ostras, chaval, tienes un corazón de oro.

–Y tú un culo de porcelana y te lo van a romper cualquier día.

–Calla, calla, no digas eso, que mañana me toca afeitar al tío Ramón.

–No pensarás ir. No serás tan capullo.

–Qué remedio. ¡Jolín, me mata si no voy!

–Tienes que escapar de esta ratonera, Pauli.

–Sí, pero cómo. Dime qué debo hacer.

–¡Córtale una oreja con la navaja! ¡Métele el salacot por el culo!

–Qué cosas tienes. ¿Sabes qué te digo, niño? –canturrea Paulino al son de las maracas–: Tú sigue el camino de las baldosas amarillas, que yo seguiré el mío...

–Estás hecho un buen capullo.

Mi hermano David. La cara pequeña, los ojos grandes y redondos color miel, el mentón suave, los cabellos de trigo y el corazón de oro. Está parado en la esquina frente al mercadillo de Camelias y sujeta la correa de Chispa con más delicadeza que sujetaría su propio cordón umbilical, y no digamos el mío si mamá se lo pidiera en una emergencia, Dios no lo quiera. Paulino se guarda las maracas entre el pecho y la camisa, a modo de tetas. El perro se echa jadeando a sus pies, sobre la acera mojada. Un poco más lejos, erguido en el bordillo, con la trinchera sobre los hombros y las manos en los bolsillos del pantalón, el inspector Galván observa a distancia el trajín de las mujeres, la pelirroja entre ellas, en torno a los tenderetes de ropa barata para niños. Ha dejado de lloviznar, pero el aire de la tarde está impregnado de humedad y aumenta el bochorno.

–Mírale –gruñe David–. Es él.

–Está mirando a tu madre con ojos de besugo…

–Fíjate en su cara. Tiene una cara como si acabara de recibir alguna hostia.

–Parece un vendedor de plumas estilográficas y relojes falsos –dice Paulino, primera vez que le ve.

–Y un huevo. Se dedica a espiar a mi madre de noche y de día. La sigue como un perro. Y mató a un hombre por ella, yo lo vi.

–¡Córcholis!

Sólo acierto a ver a Paulino Bardolet como una especie de barrilito con patas y cabeza pelona, cachazudo y afectuoso, un poco bizco y de manos blancas y jabonosas.

–Lo lleva escrito en la cara –dice David.

–¡Cuidado, que ahí viene!

Su trinchera verde llena de cintas y hebillas y botones, que tanto gusta a David, huele suavemente a ceregumil.

–Tú, chaval. Tú, sí, el de las melenas. Atiende un momento.

–Qué quiere. No hemos hecho nada malo, sahib.

El poli enciende un cigarrillo con su mechero.

–No empieces con tus gansadas. A ver, dime una cosa.

–¿Por qué no invita, sahib?

–Si te portas bien.

–Gracias, sahib.

–No he dicho que te lo dé.

–No, sahib. A sus órdenes, sahib.

–Basta de bobadas. –Mira el cigarrillo entre sus dedos fijamente, como si por un instante no reconociera sus propios dedos ni el cigarrillo–. Dime una cosa...

–El capitán Vickers cabalga al frente de sus lanceros hacia las colinas de Balaklava –dice David–. Media legua, media legua, media legua. Qué más quiere saber.

–Su alteza real Surat Khan –añade Paulino sin recochineo, sin énfasis alguno–, poderoso Emir de todas las tribus del Suristán, es salvado de las garras de un tigre gracias a un certero disparo del capitán Vickers.

–La ponen en el cine Delicias esta semana –aclara David.

–Ya está bien de chunga. Quiero preguntarte algo –dice el inspector apartando la vista para fijarla de nuevo en la pelirroja y seguir sus movimientos al otro lado de la calle–. ¿A tu madre le gusta el café?

–¿Cómo dice el sahib?

–Si toma café. Si puede tomarlo, vaya.

–Ya me preguntó eso, ¿no se acuerda?

–Pues te lo vuelvo a preguntar.

David lo mira sin saber qué responder. Sin duda el guripa sabe que la pelirroja está delicada de salud, que ha tenido problemas con la presión sanguínea y quizás había pensado invitarla a un café-café. Sigue mirando al otro lado y calla, pero David observa que sus labios se mueven aún sin hablar, y que la punta de la lengua asoma en ellos con frecuencia, como si buscara o eliminara restos de algún sabor. Tiene el labio superior musculoso y bien dibujado, con una diminuta cicatriz vertical, un pliegue oscuro que le da un aire desdeñoso a la boca. Permanece David sin responder cuando Chispa, despatarrado sobre la acera, suelta todo el aire retenido en la barriga, o quién sabe dónde, y parece que se ríe. El aire sale por la boca y suena como el pitido de una cafetera, debilitándose poco a poco hasta acabar en una especie de maullido.

–¿Lo oye usted? Mi perro maúlla como los gatos. Mírelo. Marramiau...

–Te he hecho una pregunta.

–¡Pues vaya una pregunta, oiga! Ningún poli haría una pregunta como ésa, ya se lo dije una vez...

–Contesta.

–Bueno, ella dice que el médico le prohibió el café y el azúcar. Pero la verdad es que, cuando tiene café, lo toma, y cuando no, pues achicoria, como todo quisqui. Así de sencillo. Café de recuelo, no se vaya usted a creer que somos ricos. Churritos calientes, nata y cosas por el estilo es lo que más le gusta a la memsahib, ya se lo dije... Y ahora perdone, pero mi perro quiere mear... ¡No, qué haces, bonito, no debes oler los zapatos del sahib guripa!

Es casi inaudible el aullido del animal al recibir la patadita suave del inspector, más para sacárselo de encima que otra cosa, y ra-

119

biosa y clara la voz de David al tirar de la correa, ¿no ve que el pobre está casi ciego, hombre?, y placentera, dulce y grávida la silueta de la costurera pelirroja examinando con parsimonia unos retales en el tenderete, allí está mi madre, alta, blanca, sofocada por el calor y risueña con su ligero vestido floreado de tantos veranos, el borde de la falda un poco levantado por delante y el paraguas negro plegado bajo la axila, el pañuelo malva ceñido a la cabeza dejando escapar unos rizos rojos en las sienes, todas esas cosas que, una por una, con precisión fotográfica, la mirada persistente del inspector Galván ha registrado ya cuando David le ve dar media vuelta y alejarse, y en el suelo Chispa deja escapar aire nuevamente como si fuera un pellejo.

LA MENTIRA DE LA PELIRROJA

Una porfiada estridencia se va desenrollando como una cinta en los oídos, llevándose el sueño e instalando en su lugar el desasosiego. Las manos bajo la nuca y los ojos en el techo, tumbado en su camastro, David convoca otros ruidos y hace por figurarse e imitar devastadores huracanes silbando en palmeras que se doblan abatidas frente a olas rugientes, Varsovia bajo las bombas, o el terremoto de San Francisco atronando en el Delicias con potencia, siempre una octava más alta para silenciar la olla de grillos que acaba siendo su cabeza a estas horas. Finalmente recibe el ronroneo penoso del Spitfire al caer abatido, es un zumbido que esta noche se abre paso de forma más persistente y rabiosa que de costumbre. Enciende la lámpara de flexo sobre la silla y mira la pared frontal. El ventanuco está abierto y entra en el cuarto la noche sofocante con el chirrido de los grillos en el barranco.

Hola, amigo.

Como siempre, empieza admirando la cazadora de cuero y las gafas y el foulard, pero enseguida su atención se desplaza hacia la actitud del piloto frente a la muerte. En medio del páramo calcina-

121

do, rodeado de humeante chatarra bélica y seguramente de cadáveres, el aviador permanece de pie con los brazos en jarras y apretando la boquilla de nieve con los dientes, la cazadora incólume, las gafas por encima de la frente y las orejeras del gorro colgando junto a su poderoso y esbelto cuello. Rompiendo tras él la línea dentada del horizonte que sugiere las ruinas de una cota, la columna de humo negro sigue elevándose hacia el cielo desde un amasijo de hierros retorcidos. Si le viera desde el aire algún compañero de escuadrilla, suponiendo que haya alguien de su escuadrilla volando cerca, piensa David, podría intentar una pasada rasante disparando una ráfaga y librarle así de los dos soldados alemanes que le retienen encorvados y tensos con sus metralletas, uno a cada lado y parcialmente visibles, sin acabar de introducirse en el encuadre y de espaldas al objetivo. Del fuselaje del avión sale un crujido metálico, un lamento postrero de hojalata y derrota. David deletrea nuevamente en el costado de la carlinga: *The invisible worm.* El piloto de caza derribado ladea ligeramente la cabeza y entorna los párpados, como si esquivara un retortijón del humo que se le viene a la cara.

Hello, boy, dice aproximadamente.

¿Todavía no te han matado?

Se lo están pensando. Estos boches son algo lentos de mollera. Como tarden un poco más estallará el depósito de combustible y la palmaremos los tres. ¿Qué te parece?

Bien. Morir matando, por lo menos.

Estos ojos que le miran dormir todas las noches desde ámbitos remotos y devastados expresan confianza y coraje, a pesar de todo, y siempre hay en ellos una chispa de pitorreo. Y eso es extraño, porque cuanto más mira al prisionero más convencido está David de que los alemanes se disponen a coserlo a balazos ahora mismo.

En el conjunto de la escena anida una tensión que anuncia el desenlace fatal. El cabrón de poli tenía razón, es hombre muerto. El avión, a su espalda, ha estado a punto de capotar.

El año pasado vi caer un avión en la playa, murmura David.

¿De veras?

La abuela también lo vio, pero no se lo pudo creer, o le daba miedo creérselo, y siempre lo negó. Pero yo lo vi con estos ojos. Era un bombardero B-26.

Esa difusa nubecilla blanca que flota sobre la cabeza del piloto es que acaba de estallar en mil fisuras lo que resta del parabrisas de la carlinga, seguramente por la acción del calor. El timón de cola envuelto en llamas se ha desprendido, está cayendo, pero aún no ha llegado al suelo. Te estoy hablando de tu cazabombardero, aclara David, no del bombardero. Juraría que la luz de navegación de estribor, bajo este cielo emborrascado, todavía parpadea. Lo de la nubecilla blanca sobre la cabeza podría ser que los soldados hayan empezado a disparar; si así fuera, cuando esa efusión termine de diluirse, tú ya estarás muerto. Retumba a lo lejos, como en una cueva, la artillería antiaérea.

Las grandes manos quemadas y tranquilamente posadas en la cintura, una de ellas sujetando todavía los maltrechos guantes de piel, le traen a la memoria otra mano todavía más negra, agarrotada y con las uñas calcinadas, meciéndose entre dos orlas de espuma blanca cerca de la rompiente de la playa de Mataró. En una mar sofocada de espejismos, flotando fuera del tiempo, la marea alta ha estado a punto de depositarla en la arena como si fuera un pájaro mordisqueado por los peces, pero finalmente el suave oleaje de la resaca la lleva mar adentro. Segundos antes de que David la pierda de vista, la mano cortada emerge en el agua con la palma abierta como solicitando atención, haciéndole señas. Hace más de año y medio de eso, todo empezó cuando estaba leyendo una novela de Bill Barnes, el aventurero del aire, sentado junto a las redes de pesca apiladas en la arena, la espalda apoyada en el costado de una barca. *Pero la alegría fue breve y, de repente, Cy Hawkins palideció al ver cómo el aparato de Bill vacilaba un momento y, por fin, caía como un pájaro herido de muerte.* Hace apenas dos semanas que a David lo han expulsado del colegio, mamá aún no sabe qué hacer con él, y en cuanto a mí ni siquiera me lleva en el pensamiento: papá no para en casa nunca, apenas una vez cada seis meses. Aquí en Mataró, el abuelo Mariano sigue en la cama muy enfermo y ya no volverá a levantarse ni a subir nunca más a una barca. No quiere ver a papá ni oír hablar de él. La abuela Tecla desvaría de vez en cuando, pero aún tiene energías para cuidar del abuelo y de la casa. Viven en una ruinosa casita de pescadores de la calle San Pedro, frente a la playa, y mamá les visita con frecuencia en compañía de David, al que a veces deja aquí un par o tres de días para que ayude o al menos les haga compañía. Dice David que los abuelos decidieron un buen día plantarse para siempre de cara al mar y de espaldas a la tierra, y que sólo saben el nombre de los peces y de los vientos y nada de nada de lo que pasa en el mundo, y menos aún dónde está papá y qué hace o deja de hacer, porque prefieren no saberlo.

Es el 29 de marzo, sábado, David ensaliva el pulgar y gira página con gesto impaciente, pues necesita verificar cuanto antes que la mano mutilada y chamuscada que flota en la orilla del mar no pertenece a Bill Barnes, sino al rabioso piloto suicida que se ha estrellado contra su avión al iniciar éste un amerizaje temerario con el motor incendiado y el timón roto, y justo en ese momento otro rugido, en el cielo azul de verdad, llama su atención. Un bombardero cuya imponente silueta reconoce al instante, pues lo tiene en docenas de láminas recortables, vuela a baja altura sobre el mar, a menos de un kilómetro de la rompiente. Es un B-26 Marauder de la RAF. Inclinado sobre el ala de estribor, describe círculos por encima de un buque de carga que navega rumbo norte. David se incorpora y no da crédito a sus ojos. ¿Qué hace frente a la costa de Mataró un bombardero de la segunda guerra mundial? En cierto momento cree oír una fuerte detonación, aunque no sabría precisar si proviene del avión o del barco. El bombardero lleva pintada en el costado del fuselaje una chica en traje de baño y la leyenda *Forever Amanda*. Rugiendo, como si una carraca le atrancara los motores, describe otro extraño círculo y se interpone entre el sol y la mirada atónita de David, y en ese instante centellean los cristales de la cabina de mandos. Mientras se ladea un poco más sobre el ala, David distingue claramente el rostro ensangrentado y el brazo del piloto colgando inerte por fuera del parabrisas lateral, justo encima de la palabra *Amanda*, y también las llamas y el humo negro en el interior de la cabina. Enseguida el avión se eleva un poco y de pronto cae en picado sobre el mar, no muy lejos del buque mercante, que sigue su ruta tranquilamente. En el agua, el bombardero suelta una columna de humo discontinua, como las señales de los indios, y tarda un poco en hundirse.

David mira a su alrededor buscando a alguien que también haya visto el prodigio. La playa está desierta a esta hora. La mano de la abuela Tecla agarra la suya y tira de él para casa.

¡¿Lo has visto, abuela?! ¡¿Has visto caer el avión?!

Yo no he visto nada. Y tú tampoco. A casita.

Más tarde, desde el paseo de la playa, ya que no le dejan acercarse más, ve los cuerpos quemados de cinco tripulantes tendidos

125

en la arena. Han sido rescatados por los pescadores. Son colocados en un camión del ejército y tapados con mantas. Bajo una de las mantas asoma la bota de un cadáver cortada por la mitad junto con la mitad del pie. La brisa trae las voces de un joven suboficial y algunos pescadores. Falta uno, dice el militar, en estos aviones van seis tripulantes. ¿Seguro?, dice un pescador. Se lo habrá llevado la corriente. No irá muy lejos. Vete a saber, tercia otro pescador más viejo, el comportamiento de un cadáver en el mar es imprevisible. ¿Y qué me dice usted del comportamiento del capitán del carguero?, dice el suboficial. No se dio por enterado, no hizo nada por auxiliarles, y siguió su ruta... ¿Sería un barco de guerra camuflado?, dice el viejo.

La Guardia Civil obliga a circular a los curiosos que se acercan al Paseo Marítimo, no hay nada que ver, circulen, vuelvan a sus casas, cierren puertas y ventanas y déjense de comentarios. En los días siguientes la noticia del avión caído al mar no viene en ningún periódico y la radio tampoco dice nada. La gente de Mataró se hace preguntas. ¿Será que los aliados están llegando, será que le vamos a dar la vuelta a la tortilla? No sea usted majadero, hombre, haga caso de la autoridad y cállese, que aquí no pasa nada. Majadero lo será usted, oiga. Cuidadito, ¿eh?, que tengo un primo que es de Falange y subcabo del somatén de Arenys... Al atardecer, David zascandilea por la playa con su novela de Bill Barnes bajo el sobaco. Un agente de la Guardia Civil se le acerca.

Vete a casa, chico.

¿Por qué?

Porque es mejor.

¿Por qué es mejor, señor guardia?

¡Porque yo lo digo! ¡Andando!

David remonta la playa y enfila el Paseo, donde otro guardia está bebiendo agua de una fuente con el naranjero a la espalda. Es muy joven, tiene los ojos verdes y luce una cicatriz en forma de estrella que le frunce hermosamente la barbilla. David se planta a su lado con la cabeza gacha y las manos a la espalda.

Oiga, señor guardia, tengo que decirle una cosa importante.

¿Mi compañero no te ha dicho que te vayas a casa?

Es que yo he visto caer el avión. Lo he visto.

Qué dices. Aquí no hay ningún avión.

Está sumergido, aquí cerca. Es un…

No me vengas con historias, chaval. ¡Lárgate!

…un bombardero B-26 Marauder con seis tripulantes y dos motores radiales Pratt-Whitney R-2800-5 Double Wasp de 1.850 caballos de potencia, dice David de corrido, poseído repentinamente por una extraña melancolía. Sus pies firmemente asentados sobre el suelo del Paseo registran un remoto temblor que proviene de la entraña de la arena o del fondo del mar. El avión venía tocado, añade David, seguramente estuvo bombardeando Berlín y después ha cruzado media Europa ametrallado y en llamas, con un solo motor, seis cadáveres en la cabina y los mandos bloqueados…

¡Ya estás corriendo para tu casa si no quieres que te lleve al cuartelillo!, amenaza el guardia.

¿Todavía no han encontrado al sexto aviador? Pues sepa que acabo de ver una mano achicharrada cerca de la orilla.

Lo habrás soñado, niño, replica el agente, y le mira en silencio unos segundos. ¿Dices que has visto qué?, ¿dónde has dicho?

Ahí mismo, en la orilla, una mano de hombre cortada, toda negra negra…

Bueno, está bien, ahora vete a casa. No quiero volver a verte,

¿entendido? Se interna en la playa para reunirse con su compañero, y se vuelve. ¡¿No me has oído?! ¡Lárgate!

Echado en una esquina del camastro, Chispa se remueve y gime presa de otra quimera, quizás aún más fantasmal e inexplicable que la suya. Adormilado, David le acaricia el lomo con el pie y el perro se calma.

En la orilla, los dos guardias hablan y seguidamente se separan yendo cada uno por su lado a lo largo de la rompiente, el naranjero al hombro y la vista fija en el suave oleaje y en la espuma que lame la arena, procurando no mojarse las botas. Entonces qué pasa, jolín, por qué lo niegan, si están buscando...

Abuela, ¿de verdad no has visto al avión inglés cayendo al mar? ¿Y el abuelo tampoco lo ha visto?

Aquí nadie ha visto nada y te prohíbo que andes por ahí hablando del avión inglés.

Poco antes de dormirse, fija de nuevo la mirada en el piloto y distingue tras él, sobre el asiento descalabrado de la cabina, una rosa con su largo tallo envuelto en papel de estaño y los pétalos contraídos por efecto del fuego cercano, como un puño diminuto y lívido consumiéndose en su propia rabia.

Una nebulosa de polvo rojizo lleva toda la tarde suspendida en el aire, vagando inmóvil y a ras del sendero que bordea el barranco, y de esa nube sale inesperadamente el inspector con las manos en los bolsillos del pantalón y el gesto envarado. Viene hacia la puerta de noche caminando despacio, cuando ya David se ha sentado en los tres escalones y guarda el cortaplumas en el cinto.

–Sahib, por un real le enseño una foto muy extraña de mi padre en Montserrat con un cirio en la mano, por dos reales le cuento lo del bombardero caído en el mar frente a Mataró, y por una miserable pela le digo la tienda donde ahora mismo mi madre se está probando unos zapatos, que han de ser de suela de corcho porque le descansan mejor los pies...

–Así que no está en casa –dice el inspector Galván.

–Hoy tampoco tener usted suerte, sahib.

–Si sólo ha ido a eso, volverá enseguida.

–Quién sabe. Se ha llevado un libro, ese que perdió en la calle y usted tuvo la amabilidad de traerle, así que igual ahora mismo la tenemos leyendo sentada tranquilamente en un banco de por ahí, pero a saber dónde...

Mientras le oye hablar, el inspector se afloja el nudo de la corbata y apoya el pie en el tercer escalón. David observa que el bolsillo izquierdo de su americana soporta un peso que abulta bastante.

–Si trae algo para mi madre, puede dármelo a mí. –Hace una pausa y añade–: Seguro que trae usted algo bueno de comer para la memsahib. ¿Verdad que sí?

La verdad aún no existe, pero David ya la dice. No encuentro una forma mejor de explicar esa extraña facultad de mi hermano, la certera puntería de su malicia, esa flecha intuitiva, envenenada de presagios y vigilias que le proporcionan una visión supletoria, una especie de segunda oportunidad de la mirada para anticiparse a lo por venir, como alguna vez le había pasado callejeando por el barrio con la belicosa pandilla de charnegos del Carmelo: antes de lanzar la piedra a la farola, ya ha visto en el suelo los añicos del cristal.

Sea lo que fuere ese bulto en el bolsillo, un bote de leche condensada o un par de latas de sardinas en aceite o medio kilo de azúcar blanco, el poli guarda silencio y observa a Chispa viniendo a echarse a los pies de David jadeando y con la lengua fuera.

–Yo tengo una mirada que atraviesa las paredes y la noche más oscura, sahib, soy como Garú-Garú el Atraviesamuros y además tengo los ojos misteriosos de Londres –entona David viéndole indeciso–. Es una lata de melocotón en almíbar.

El inspector está pensando qué debe hacer, si esperar o irse. Enciende un cigarrillo con su Dupont dorado. El movimiento preciso del pulgar en torno al mechero, la rosca girando y el chasquido de la tapa al caer, ¡clinc!, fascina a David.

–¡Ondia, qué encendedor más fermi!

–Dile a tu madre que volveré mañana.

–Si no trae usted noticias frescas de mi padre –escupe David un salivazo que va a parar, rebozado en polvo, junto al zapato del poli–, no hace falta que venga.

–Tú dile que he venido –inicia la retirada, pero se vuelve un momento y lo apunta con el dedo para añadir–: Y cuidado con liar las cosas. Con la verdad por delante seremos amigos. ¿Conforme?

–Sí, bwana.

Le ve irse con paso lento y el aire mohíno por el senderillo de ceniza y meterse de nuevo en la espiral de polvo rojo quieto en el aire.

Regresando del lado oscuro y deshabitado de la casa, escapando de su propia aprensión a los muebles que crujen y a las paredes desconchadas que rezuman salitre y señales de mal agüero, a los espejos heridos de azogue y a las cortinas mohosas donde reptan arañas y asoman puntas de zapatos, David camina de puntillas hacia su cuarto. Sabe que mamá está allí haciendo la cama o barriendo y se dispone a gastarle una broma de las suyas. Pero no sólo piensa en ella:

Agárrate a la placenta, ranita venenosa, que tú también te vas a llevar un buen susto.

¿No ves que tus gansadas le causan sobresalto y podría abortar, animal?

Más angustias y retortijones le causas tú.

Llegado al umbral del cuarto levanta los brazos y se dispone a lanzar un ¡Ahhhhhhh…! con voz de Hombre Lobo: ¡El señor Talbott se quiere comer a la pelirroja! ¡Ahhhhhhh…! Pero se inmoviliza bruscamente al verla contemplar tan ensimismada la foto del aviador clavada en la pared; está sentada al borde del camastro, la escoba en el suelo y las manos yertas en el regazo, y algo en la inclinación melancólica de su cabeza y en el leve movimiento de sus labios, como si rezara, conturba a David y lo paraliza. No es el temor, siempre latente, de otro desfallecimiento, es la absoluta inmovilidad del cuerpo, el bisbiseo inaudible de los labios y, sobre todo, esa mirada que traspasa los límites de la simple curiosidad y establece un pacto con algo que, si está verdaderamente en lo que contempla, se encuentra más allá del mero testimonio gráfico y del interés que pueda despertar una estampa de la guerra, más allá de la chatarra bélica y la desolación del paisaje, del humo negro y las ruinas y la muerte.

¿Le has atizado algún patadón, macaco?, susurra David para sus adentros.

No me he movido, hermano.

¿Está hablando contigo?

No está hablando conmigo. Ahora no.

Pues canta en voz baja para ti, como suele hacer cuando está triste.

No está cantando para mí.

Finalmente David desiste. Retrocede dos pasos, carraspea y entra sin aspavientos.

–¿No te encuentras bien, madre?

De todos modos se sobresalta, un poco azorada, como pillada en falta.

–Estaba mirando… –se interrumpe, y enseguida añade–: Estaba pensando lo aburrido que ha de ser eso, tanto tiempo ahí metido en la portada de esa revista sin poder moverse… ¿No te parece? Ven a darme un beso, hijo.

Lo estrecha en sus brazos y le devuelve el beso, los ojos fijos todavía en el piloto. Tiene a su lado, sobre el lecho, algunas prendas de ropa sucia. Recupera la escoba y se incorpora apoyándose en ella, coge unos pantalones de David con cierto apresuramiento y los examina, volviendo del revés el forro de los bolsillos.

–¿Qué llevas en los bolsillos que siempre están pringosos, David?

–Ah, eso. Es por los rabos de lagartija. No es sangre, ¿sabes?, es otra cosa… No tienen ni una gota de sangre esos bichos.

–¿No eres un poco grandullón para andar todavía con estos juegos?

–Lo hago por Pauli…

–Mira tus manos –dice ella, indicando la piel manchada con el líquido del revelado–. Mira qué uñas. ¿Es que no hay manera de quitarle ese color amarillo a tus uñas? Y otra cosa –señala la foto del aviador clavada en la pared–: Te dije que lo quemaras todo. Todos los papeles que había en las cajas.

–Y lo hice. Sólo me quedé con esto. ¿Te importa?

–Lo más prudente habría sido quemarlo todo. Esta foto también.

–¿Pero por qué?

–Porque sí. Sé lo que me digo, hijo.

Ahora es David el que se sienta a los pies del camastro, mirando al piloto, preguntándose si hace bien diciendo lo que va a decir:

–¿Por qué has mentido, madre? ¿Por qué le dijiste al poli que la foto era mía?

–¿Yo le dije eso?

–¿Es que ya no te acuerdas?

–Bueno, tú lo salvaste del fuego, ¿no?, tú decidiste quedarte con él en vez de quemarlo con todo lo demás, tal como te ordené.

Pero la foto no era mía. ¿Por qué le has dicho al inspector que era mía? –dice David–. Estaba en aquella caja de zapatos llena de papelotes que me diste para quemarlos, y yo nunca la había visto, no fui yo quien la guardó allí, ni la recorté de ninguna revista ni nada de eso…

–Está bien, está bien, qué más da –corta ella impaciente–. La policía no tiene por qué saberlo todo acerca de tu padre.

–Entonces ¿eran cosas de papá, lo que había en la caja?

–Sí.

–¿Y la foto también? ¿La recortó él?

–Papá conocía a este hombre.

–¿En serio? ¿Conocía personalmente a un aviador de la RAF?

–Sí –de espaldas a David, mamá sigue examinando las raídas prendas con aire de desconsuelo–. Dios mío, esta camiseta ya no aguanta más…

–¿Y por eso le mentiste al poli, porque no querías que lo supiera?

–Porque a tu padre no le convienen más líos. Con el expediente que tiene ya va servido.

–¿Y eran amigos, papá y ese piloto? ¿Dónde se conocieron?

–Uf. ¿Nunca te habló de cuando él y sus amigos guiaban a los aviadores pasando la frontera, y aquí les proveían de documentación para viajar a Lisboa o a Gibraltar?

–¿En serio? Cuéntame.

–Creía que la abuela ya te lo había explicado en Mataró, el año pasado…

–Ya estaba muy pirada, la pobre abuela.

–Bueno, pues que te lo cuente tu padre cuando vuelva a casa, si es que vuelve algún día… Y basta de preguntas. Vete a lavar las manos y siéntate a comer. Y harías bien quitando esa foto de ahí, a papá no le gustaría que la vieran… ¿Quieres escuchar lo que te digo, hijo?

–Madre, lo que yo quiero es aprender idiomas. Eso es lo que quiero.

Poco después David está en el comedor-recibidor sentado frente a un plato de garbanzos hervidos y una gota de sangre cae en su plato.

–Papá se encuentra mal –dice llevándose rápidamente la mano a la nariz–. Ahora mismo está muy malito.

–No digas tonterías y echa la cabeza atrás.

Mamá moja una servilleta en la jarra de agua.

–Está perdiendo mucha sangre… –añade David.

–Y tú la perderás toda si no haces lo que te digo. Ponte eso en la nuca y quédate quieto un rato, así. Y a ser posible calladito. No es nada, no te asustes.

–Quién está asustado. Chispa, ven aquí, valiente.

David y Chispa unidos por la correa bajo el sol implacable, abriéndose paso en medio de un enjambre de abejas, remontan despacio el cauce del torrente pisando tobas y escombros, piedras limosas y lenguas de arena como espadas, voces de agua, presagios e intuiciones. Media legua, media legua, media legua más arriba y de espaldas a la ciudad, allí donde el cauce reseco se ensancha y ya no es tan pedregoso, y sí mucho más arenoso y húmedo a causa de la proximidad de las huertas, David percibe claramente el raspado de un fósforo. Se vuelve y le ve prendiendo la colilla sentado de costado en una roca y doliéndose, en una mano la botella y la cerilla, y en la otra el pañuelo ensangrentado que aprieta contra la nalga.

Se te va a infectar, dice David. ¿Por qué no le echas un poco de coñac?

El coñac es para otra clase de heridas. Son cosas que ya deberías saber, hijo.

¿Todavía no has encontrado un sitio mejor para esconderte?

Aquí me tienes, caído en esta sima de iniquidad, de infección y de mugre, masculla papá con una veta de herrumbre en la voz.

David reflexiona viendo avanzar a Chispa con la lengua fuera.

Papá, ¿es cierto que el comportamiento del cadáver de un piloto en el mar es imprevisible?

Si te refieres al cadáver que pienso, en el mar no lo sé, pero lo que es en casa su comportamiento resultó perfectamente previsible. Si no, pregunta a tu madre.

Me refiero al cadáver del aviador que no encontraron los pescadores.

Yo también. A ese cadáver me refiero, a ése.

Habla mirando a un lado por encima del hombro, en un gesto precavido y altivo a la vez, como si escuchara otra voz en otro lugar, más allá de la de David y de la suya propia. Va descalzo y con los faldones de la camisa fuera del pantalón. Como oscuras serpientes enroscadas en el aire, las raíces de la higuera muerta coronan su cabeza surgiendo del flanco escarpado del torrente.

Mamá me ha mentido, dice David.

Este perro está para el arrastre. Deberías acabar con él.

¿Tú también con esta monserga?

Mírale. ¿Es que no tienes corazón, hijo? Piensa un poco.

Yo pienso con el corazón. Y ella nos ha mentido a mí y al poli. Primera vez que le oigo una mentira, lo juro. Tampoco le pidió la orden de registro, pero eso es lo de menos…

Tu madre nunca miente, refunfuña papá. Pero ya que en estos tiempos la verdad discurre a ras de suelo, como el turbio estiaje de este torrente bajo la neblina del amanecer, lo veo todos los días y te aseguro que de poético no tiene nada, pues a veces hay que utilizar la mentira para recuperar la dignidad perdida. A ver si me entiendes.

Mamá le dijo al guripa que la foto del piloto la recorté yo de una revista. Y no fui yo.

Fue ella, dice papá con expresión de perdonavidas. Ella en persona.

¿Ah, sí? Pues entonces ha dicho dos mentiras, porque después me ha dicho que fuiste tú.

¿De veras te ha dicho eso?, inquiere desdoblando el pañuelo empapado, doblándolo de nuevo cuidadosamente y aplicándolo a la nalga a través del roto del pantalón. Joder con la raja, no para de sangrar. Si vuelves por aquí más despierto tráeme un par de pañuelos limpios… Fue tu madre la que vio por casualidad esa foto en la portada de la revista *Adler*, estaba en una comisaría, y la arrancó, la metió en su bolso de amagatotis y se la llevó a casa.

¿Y por qué hizo eso? ¿La cogió para ti?

¿Para mí? No caigo…

Ella dice que tú conocías al aviador. Haz memoria, papá.

La memoria es un cementerio, hijo, dice el fugitivo con la voz lúgubre. De todos modos me acuerdo… David había imaginado que la voz podría provenir de su estómago lleno de coñac y hacerse oír como una carraca empapada de alcohol, pero no; salía de su atractiva boca de labios robustos y sonaba desvertebrada, sin timbre, pastosa y rápida y con algo de chunga. Cómo no voy a acordarme del teniente Bryan O'Flynn, prosigue papá. Un tipo alto y rubio, muy simpático y dicharachero. Tenía el brazo tatuado: un corazón con un gusanito en su interior. Era australiano de origen irlandés y sonreía por un lado de la boca de un modo que a tu madre le hacía mucha gracia. Tenía las manos pecosas y siempre decía itismailaif y…

¿Qué significa?

…pilotaba un Spitfire.

Ocho ametralladoras de ala, se apresura a decir David de corrido, monoplaza, puede elevarse a 3.500 metros en cuatro minutos y ocho segundos y su techo son los 10.000, alcanza una velocidad de 587 kilómetros horas y carga 2.610 kilos.

Vaya, sí que estás enterado.

Eso lo sabe cualquiera, padre.

¿Y quién clavó a ese bravo teniente en la pared de tu cuarto, tú o mamá?

Yo. ¿Por qué lo preguntas?

Te pareció un tipo interesante, ¿verdad?

Me gusta su cazadora de cuero. Pero no es sólo por eso… Sabe que lo van a matar, y sonríe. ¿Quién es capaz de sonreír, sabiendo que la va a palmar?

No lo mataron, dice papá después de echar un trago de la botella. Consiguió escapar.

¿Cómo lo sabes?

Siempre sospeché que las cosas son como son, pero me callé por respeto.

¿Respeto a qué, padre?

A mis mayores. Y a las mujeres. Hay que ser precavido. Las mujeres andan toda la vida con algún asunto sentimental pendiente, así que conviene tomar precauciones… Ay ay ay cómo duele esta maldita raja. ¿Cuándo parará de sangrar, por las barbas de Lucifer?

Te has alejado mucho de nosotros, padre. ¿Por qué?

Porque debo reflexionar, hijo.

Piensas mucho en mamá, ¿verdad? Sigues muy enamorado de ella, ¿verdad?

El amor es para los hombres que no miran atrás. Y yo no hago otra cosa que mirar detrás de mí, ahí está ese desdichado culo… Pero háblame de tu madre. Cómo está nuestra costurera pelirroja, qué hace.

Ya sabes, labores de confección para los mercadillos de Camelias y de la Travesera. Vestiditos tobilleros, falditas plisadas, toreritas y todo eso, confecciones para muñecas baratas. Lo hace con patrones de la misma fábrica de muñecas, que son una birria.

¿Y cómo le va con el bebé que espera?

Mal. Es un feto muy cotorra. Un día le oí gritar.

David se tapa los oídos con las manos, pero el zumbido no cesa. Lleva en el bolsillo del pantalón dos pastillas de chocolate terroso que ya estarán deshaciéndose, las ha cogido de casa por si encuentra a papá, pero no se atrevería a ofrecérselas. No es eso lo que necesita, está bien claro. Lo único que necesita es darle al trago.

Echado a sus pies, Chispa suelta un resoplido ronco y descontrolado, como un pellejo que vaciara un aire hediondo. Una nube de abejas sobrevuela el barranco modulando su zumbido, recomponiendo una y otra vez su simetría compulsiva. Pero la percepción más inmediata y persistente, paseando en compañía del perro, consiste siempre en una especie de náusea submarina, la sensación de caminar bajo las aguas muertas que un día pasaron por aquí devorando los márgenes, viniendo de muy lejos, arrastrando árboles y fango y animales y soldados muertos. Chispa no puede ya de calor y fatiga, y David se da cuenta, se agacha y lo coge en brazos. Y cuando se incorpora recibiendo cálidos lengüetazos en la cara y se vuelve diciéndose el matón del poli debería ver esto, debería ver cómo me quiere y me necesita y qué lejos está de querer morirse, y mi padre también debería verlo si estuviera aquí sentado bajo las raíces de la higuera con su culo rajado y su pañuelo manchado de sangre y su botella. Podrían ver sus ganas de vivir y la compañía que me hace y cómo entiende con quién estoy hablando aunque no le vea, de qué modo escucha y mira con sus ojos mansos lo que ni el guripa ni la pelirroja ni nadie sabría mirar ni escuchar...

De todos modos, esta misma tarde le asaltaría a David alguna duda respecto a las ansias de vida de Chispa al verlo parado al borde del tajo, mirando el fondo con una angustia y una fijación desconocidas, realmente como si el anciano perro estuviera considerando la posibilidad de acabar de una vez con sus males tirándose al vacío. ¿Pero cabe en la cabeza de un chucho, por grandes que sean sus dolores y aflicciones, la idea del suicidio? Poco antes había estado dormitando despatarrado en los escalones de la puerta de noche, calentando sus huesos al sol, y de pronto se levantó dirigiéndose en línea recta, muy despacio y cabeceando, hacia el barranco. Los pájaros posados en los alambres de la colada ni se movieron al verle, tan aca-

139

bado iba el pobre. Se paró en el borde y estiró el cuello, sus patas delanteras provocaron un pequeño corrimiento de tierra y pedruscos, y entonces se inclinó aún más sobre el vacío. Acaso no pensaba en matarse al mirar abajo, hermano, pero lo que es seguro es que pensaba ya en otra vida. Seguro. ¿Cómo saber lo que piensa un perro, tontolhaba? ¿De verdad has creído que se iba a tirar? ¡Serás capullo!

–¿Qué estás refunfuñando, David? –dice mamá cosiendo en la mesa camilla.

–Nada. Es que me zumban los oídos… ¿Tú crees que Chispa se podría querer morir tirándose al barranco?

–Pues quién sabe. Una vez, estando en casa de tu tía Lola, vi a un perro tirarse desde el puente de Vallcarca.

–Pero Chispa está ciego –dice David–, no puede orientarse. No sabe dónde está el torrente, ni siquiera sabe volver solo a casa…

–Tal vez, hijo. Pero debemos considerar la posibilidad de que el pobre esté deseando acabar con su sufrimiento. Y creo que tú harías bien teniéndolo en cuenta, apiadándote de él… Ya sabes que el inspector Galván se ofreció para ayudarnos.

–¡No y no! ¡¿Cómo va mi perro a querer matarse ni que lo maten?! Me lo habría dado a entender.

Mamá clava la aguja en el cojín y endereza la espalda con gesto de dolor. Pero sonríe.

–Es posible, hijo. Pero mira, cuando uno quiere morirse de verdad, no suele decírselo a nadie. ¿Me haces el favor de traerme la palangana con agua y sal?

Los puños prietos sobre las cuencas de los ojos, todavía en posición fetal y, la verdad, sin demasiadas ganas de abrirme camino hacia el sangriento resplandor de este mundo, me complace ver a David tumbado en su camastro y convocando en sus atormentados oídos el terapéutico rugido del motor del Spitfire. El techo de su cuartito en penumbra acaba de abrirse y aparece en lo alto el espacio infinito y azul con nubes alargadas teñidas de rosa que viajan despacio por encima de la temeraria, arrogante cabeza del piloto bien pertrechado en su carlinga, con las solapas de la cazadora alzadas, con su gorro y sus gafas, con su mirada puesta en el horizonte y su atractiva sonrisa ladeada. Suavemente el avión se inclina sobre un costado y el sol espejea cegador en el parabrisas, luego gira majestuosamente y se sumerge en la alborada roja y esmeralda.

Aquí abajo, en este sombrío callejón sin salida, delante de casa, una mariposa negra suspendida en el aire agita sus alas aterciopeladas sobre la mata de margaritas, acechando la secreta intimidad del rocío.

Abre la puerta de día con las manos ensangrentadas, la izquierda sosteniendo por las patas traseras un conejo desollado. Frente a él, parado en el umbral, la trinchera abierta y la corbata negra floja en el cuello, el inspector Galván lo mira severamente.

–¿Está tu madre en casa?

–Hoy tampoco es su día de suerte, bwana.

–¿Sabes dónde está?

La frente humillada y los ojos en el suelo, pero el brazo estirado con el conejo sanguinolento en alto como si exhibiera un trofeo, o más bien como si estuviera empeñado en mostrar la prueba inmediata e irrefutable de una crueldad que no le es ajena, David ensaya su sonrisa meliflua.

141

–No tiene usted chamba, no. Pero le diré a la memsahib que ha venido. ¿Qué más quiere?

–Que te portes, mamarracho. Tu madre se merecía algo mejor.

–Mi madre, señor, ¿es que no se ha enterado...? Debería usted saberlo, ya que la sigue a todas partes.

–Eso a ti no te incumbe. ¿Adónde ha ido?

–Déjeme que le cuente. Mi madre, señor, ha tenido un aborto. Se cayó en la cocina cuando se disponía a matar este conejo. Y con la lluvia...

–¿Qué diablos estás diciendo?

–Lo que oye, bwana. Una ambulancia se la llevó desangrándose. Ahora mismo la estarán operando de urgencia con transfusiones y con la anestesia y una mascarilla. He tenido que liquidar el conejo yo solo, un golpe de karate en el cogote, así, mire. ¡Listo! Lo hago muy bien, un solo golpe, limpio y rápido y sin compasión, ¿sabe?, no hay que dejarse llevar por la compasión cuando matas un conejo, eso decía la abuela Tecla. Después lo he desollado y le he arrancado las entrañas.

El inspector lo mira sin pestañear. El lado más inconmovible de su cara, con la pátina levemente sedosa y los rasgos deprimidos, con el ojo de acero más pequeño e incisivo que el otro, parece afectado por un tic nervioso. Reflexiona durante unos segundos.

–¿Qué vamos a hacer contigo, muchacho?

–No lo sé, bwana. Usted verá.

–Ya tienes casi quince años. Qué puñeta hay que hacer contigo.

–Me gusta su trinchera, ¿sabe? De verdad se lo digo. Es fermi. Yo, una trinchera como ésta, no me la quitaría ni para dormir.

Mirando al frente como si fuera a embestir, mientras el guripa sigue ahí plantado como un pasmarote, David tiene ocasión de apreciar muy de cerca las grandes solapas y las presillas, los muchos botones y hebillas que tanto le gustan, y ahora su olfato, o tal vez un soplo de su imaginación, percibe en la tela impermeable de color verde el aroma que los pinos mojados dejan caer sobre el barranco después de llover, cuando él y Pauli con la navaja en la mano acechan inútilmente alguna palabartija.

El inspector se desprende de la trinchera y la sacude, se la echa sobre los hombros y vuelve a quedarse quieto y pensativo, las manos cruzadas delante del vientre con el sombrero cogido del ala. Parece acostumbrado a permanecer así, mirándole a uno en silencio, como si esperara ver en su cara algo especial, algo que tiene que ver con lo bueno o lo malo que tú puedas pensar de un perropoli de la Brigada Social, o con algo inconveniente que hayas podido hacer o decir. Tan cerca de uno y tan lejos, tan encima y envolvente con su mirada de agua y al mismo tiempo tan ajeno y distante que no sabes nunca si su actitud esconde la consabida amenaza o tal vez algún secreto deseo de ofrecer amistad y protección.

Este hombre es un policía que a veces se comporta como si no lo fuera, diría la pelirroja poco tiempo después. Por consiguiente –habría podido contestarle papá–, es menos de fiar todavía, cariño.

Abierto en canal, el conejo no está limpio del todo y le cuelgan tripas sanguinolentas.

–¿Te importaría apartar este jodido conejo de mis narices? –dice el inspector.

David agacha más la cabeza y estira el brazo hacia atrás, pero no lo bastante como para ahorrarle al inspector la visión de la carne macerada y humeante.

–Una miserable perra gorda nos da el trapero por la piel. Porque somos pobres, que si no… Un día le voy a timar. Conozco un chaval del Carmelo que caza gatos, los ahorca y los vende como conejos.

–Vaya. Otro que promete.

–¿Ha sabido algo del hombre que se ahorcó en la calle Legalidad? ¿Ya se sabe quién era y por qué se colgó? Yo sí, tengo unos amigos en la calle Verdi que lo saben todo…

El inspector lo acalla apuntándole con el dedo, sin el menor asomo de impaciencia en el gesto ni en la voz:

–El otro día te previne, muchacho. ¿Recuerdas lo que te dije?

–Sí, bwana. Dijo que voy por mal camino –susurra David–. Pero ya se iba usted, ¿no? ¿O trae una orden de registro? –sin alzar apenas la cabeza observa cómo el policía enciende un cigarrillo con su mechero Dupont, ¡clinc!, y lo vuelve a guardar en el bolsillo–. Porque si quiere registrar la casa otra vez ya puede usted darse prisa, mamá puede morir de un momento a otro por culpa del aborto. Y ahora que lo pienso, no me extrañaría que la bomba atomicia, que decía mi abuela, tenga que ver con eso, porque la verdad es que mamá empezó a sentirse mal el mismo día que el hongo gigante venía fotografiado en el periódico, y debe ser por la radiactividad. A diez mil grados subió la temperatura ese día. El señor Roig, el padre de mi amigo Jaime, tiene una droguería y entiende mucho de química, y dice que la bomba es como una llufa de aire venenoso, y que al estallar lanza como una especie de baba de caracol despanzurrado que primero sube y se mete en las nubes y luego cae del cielo juntamente con la lluvia, y que matará a mucha gente en todo el mundo, a los tísicos y a los que padecen de asma y de bronquitis los primeros…

El inspector le deja hablar y sigue fumando. Observa con desdeñosa indiferencia el movimiento de sus labios, pero no parece escucharle. Habla David con la voz queda, sin inmutarse, y podría seguir así durante horas, empalmando trolas una detrás de otra. El conejo desventrado que sostiene en alto con el puño prieto suelta un tufillo cálido y persistente, y el inspector mira en silencio y alternativamente a ambos, al charlatán cabizbajo y al conejo desollado.

–Ya basta. Levanta la cabeza. Vamos, arriba. Y mírame, no te voy a comer. ¿Le diste a tu madre de parte mía…? ¿Es que no te atreves a mirarme cuando te hablo? ¡Mírame!

–Me duelen los ojos y los oídos, bwana.

–¿Le diste la bolsita de torrefacto que traje el otro día?

–Sí, bwana.

–¿Dijo algo?

–Dijo qué se habrá creído este hombre, no deberíamos aceptarlo, pero nos viene muy bien.

El inspector lo mira en silencio mientras se pone el sombrero. De los dientecillos del conejo, que asoman en la boca abierta, se escurre una gota de sangre que cae entre sus zapatos. El brazo que sostiene el conejo acusa la fatiga, pero la cabeza mantiene su esforzada parodia de sumisión con los ojos tercamente en el suelo.

Muchos años después de haber contado él mismo este encuentro, aún veo chisporrotear en su mirada que barre el mosaico aquella malicia burlona y temeraria que habría de cultivar hasta la hora de su muerte, y veo todavía los dientecillos sanguinolentos del conejo desollado que su puño enarbola como una bandera, mientras el inspector Galván gira sobre los talones y lanza por encima del hombro una última mirada, pesarosa y fría, a David y a su presa.

Paulino Bardolet irrumpe con lágrimas en los ojos en la oscuridad de la platea y busca el brillo dorado de los cabellos de David entre las butacas. La película hace rato que empezó.

…la matanza de Chucoti quedó grabada en la mente de los lanceros del Vigésimoséptimo de la Brigada Ligera como una herida que jamás se cerraría.

Brota repentinamente una llama en el dulce rostro de Olivia de Havilland, la llama se extiende y devora sus grandes ojos oscuros y su boca y la peli se esfuma, dejando el Delicias a oscuras. Nada más sentarse junto a David, envolviéndole con su olor a tintura de yodo, su mano temblorosa ha buscado la del amigo, que le rehuye.

–Llegas tarde, chaval –dice David.

–Mi tío no me dejaba salir.

–¿Otra vez afeitando al ex legionario?

–Sí, ahora también cada jueves.

–¿Y siempre para lo mismo, para que hagas de criadita de la casa y le limpies el correaje y el salacot y el uniforme?

–¡Qué remedio! –lloriquea Paulino.

–Toma del frasco, carrasco. Y luego le tienes que enjabonar la jeta de gorila y afeitarle… Y encima estarle agradecido. ¡Vas bien, nano! ¿Dices que se deja para que aprendas a manejar la navaja? ¡Y un huevo! Yo que tú le endilgaba un buen tajo en la yugular, y hala, a sangrar como un cerdo. Eso haría yo.

–También me deja desmontar y limpiar su pistola y tenerla un rato. Es una Star auténtica… Bueno, podrían encender las luces, por lo menos –añade Paulino removiéndose en la sombra, y en este momento se reanuda la proyección y David le dice cállate, déjame ver la peli, y le clava el codo en el costado–. Ahí no, por favor, creo que tengo una costilla rota. ¡Ay ay cómo duele!

–Tienes mucho cuento, Pauli.

Pero al rato percibe a su lado la ansiedad de las aletas de la nariz, la resonancia gangosa de la respiración y el fluido rencoroso de los pómulos machacados y del labio tumefacto, y presiente, más que verlo, porque no se atreve a mirarle todavía, la ceja partida y el párpado hinchado tapándole el ojo casi por entero. Ahora la pantalla repele un resplandor plateado casi cegador, que proviene de la vasta llanura entre las colinas de Balaklava, y el galope de los lanceros del Vigésimoséptimo se expande por la platea casi vacía. Los seiscientos cabalgan por el Valle de la Muerte. Paulino se encoge en la butaca y se anticipa a la mirada escrutadora de David y a sus reproches, musitando:

–Ya no me duele. No te burles más.

David busca en la sombra la mano del amigo, la que antes había esquivado, y permanece un rato en silencio. El capitán Vickers cabalga al frente de sus lanceros hacia las colinas de Balaklava. Media legua…

–Vamos ahora mismo a tu casa a hablar con tu padre.

–¡Ni se te ocurra! –dice Paulino–. El tío Ramón me mataría.

–Entonces mátalo tú, al hijoputa. Clávale la navaja en el pecho y escapa a la Montaña Pelada. ¡Traspásalo con una lanza, como a ese canalla de Surat Khan!

Media legua, media legua, media legua. Por el Valle de la Muerte cabalgan los seiscientos.

–Qué peli más buena, ¿verdad, David?

–¡Mátalo! ¡Mátalo!

EL SPITFIRE EN LLAMAS

Sin descomponer la mueca ligeramente burlona de sus labios, el teniente Bryan O'Flynn descuelga las manos de la cintura, salta ágilmente la alambrada de espinos y se sienta al pie del camastro de David cruzando las piernas con lentitud y elegancia. El cinturón amarillo del paracaídas aún le ciñe el muslo izquierdo.

Si no me hubiese arrancado los guantes tan deprisa y de manera tan atolondrada, se lamenta mirándose los dedos renegridos, no me habría despellejado las manos.

No parece afectarle el calor de esta noche de agosto, no se quita la cazadora ni las gafas de la frente ni la boquilla de los labios. Sus pantalones lucen un desgarrón y desprenden un agradable olor a aceite. Visto de cerca, su aspecto es distinguido. Tras él, entre los restos de la carlinga, algo en el panel de instrumentos del Spitfire todavía ronronea.

Yo también tengo las uñas de color marrón, dice David solidariamente.

No es lo mismo. Tú no sabes cómo las gasta la Luftwaffe, muchacho.

Y mi padre también tiene un roto en el pantalón.

Que no es lo mismo, chico. Que no.

También él tuvo que escapar, insiste David. Como usted. ¿Escapó usted de los alemanes así, como acaba de hacer ahora, saltando la alambrada y echando a caminar tranquilamente por los campos arrasados de Francia?

Well, lo mío fue algo más complicado. Tu padre te contará. Él me puso en el camino de regreso a Biggin Hill, mi base de operaciones. Pero no creas que hizo gran cosa más, aparte de provocar en tu pobre madre cierta mala conciencia… Pregúntale.

Mi padre se fue de casa hace tiempo.

¿Ah sí? El teniente O'Flynn se sube un poco las gafas sobre la frente y añade: Un culo de mal asiento, tu querido papá. Well, entonces tendrás que decidir tú solito quién es aquí the hero y quién the villain, muchacho.

La policía lo anda buscando, masculla David, y su mirada soñolienta se prende de la cazadora que ciñe el torso esbelto. Percibe o sueña otro olor más dulzón, a cuero quemado o a bellotas asadas. La mano izquierda de O'Flynn aprieta los guantes que todavía exhalan un ligero vaho.

¿Por qué lleva usted pintada a babor esa inscripción, *The invisible worm*?, quiere saber David. ¿La llevan todos los Spitfire de su escuadrilla? El teniente O'Flynn se mira las manos abrasadas y no responde. David apoya el codo en la almohada y la mejilla en la palma de la mano, escrutando el silencio y la felina gestualidad del piloto con los ojos entrecerrados. ¿Por qué no saltó en paracaídas, teniente?

Creí que podría aterrizar. Y casi lo consigo.

¿Qué pasó?

En realidad no me derribaron. Siento decepcionarte, pero no hubo ninguna caída en barrena, ninguna espiral de la muerte. Tomé tierra en condiciones muy precarias, y el avión capotó.

El otro día, recuerda David al cabo de un rato, mi madre se sentó en mi cama, donde ahora se sienta usted, y se quedó mirándolo mucho rato.

Me di cuenta.

Estaba mirándole a usted así como muy recogida, como si rezara...

Well, digamos que hacía algo más que eso, muchacho.

¿Qué quiere decir?

Ejem, well. El piloto recela y le dedica a David su famosa sonrisa ladeada. Right or wrong, it is my life. Ya debes saber que yo soy un héroe de la RAF.

Y qué. Mi padre también. David piensa un momento y opta por bajar el tono: Claro que si alguien le viera ahora...

Oh, yes, arrastrándose por ahí con esa herida tan fea en el culo, sin afeitar y descalzo y empinando el codo, vaya, la verdad, no da el tipo.

Saldrá de ésta.

Oh, sure, es un hombre de recursos. Pero no comparemos, ¿eh? Yo soy un as de la aviación. Al menos eso es lo que dicen... ¿No me crees? En la Batalla de Inglaterra llegué a enfrentarme al mismísimo Werner Mölders, el as de la Luftwaffe. ¿No me crees?

A David, lo que más le llama la atención del piloto es que habla como si le importara muy poco estar o no estar en posesión de la verdad. Chispa también se ha despertado o sueña que se ha despertado, echado junto a la pared, debajo de la oreja del doctor P.J. Rosón-Ansio, y ahora se acerca renqueante a husmear los pantalones del piloto chamuscados y sucios de grasa. O'Flynn le acaricia la cabeza.

Es mi perro, dice David. ¿Le gusta?

Oh, no, por favor, no preguntes si me gusta este dog. Lo que más deseo en la vida, fíjate, no es reunirme otra vez con mi escuadrilla y pilotar, sino volver a mi casa de Chelsea y encontrarme un perrito como éste que me espera.

¿Le gustaría llevarse a Chispa?

Oh, please, no hablemos más de eso. Mira, tengo el cuerpo molido por el batacazo, las manos desolladas y muy pocas ganas de hablar, no estoy in the mood, ¿entiendes?, así que me vas a permitir ahora que me ocupe un poco de mi avión, o de lo que queda de él.

Es un Spitfire MK IX, ensaliva David las palabras dormidas en su paladar y las escupe suavemente por un lado de la boca. Spitfire significa escupefuego. Motor Rolls Royce Marlin 61 de 12 cilindros, cuatro ametralladoras Browning 7,7 milímetros, 350 disparos cada una, dos cañones Hispano 20 milímetros, hélice cuatripala Rotol, parabrisas blindado y cubierta deslizante.

Ahora no es más que un montón de chatarra, ya ves, dice el teniente. Y con una sonrisa desmesurada, que se le sale de la cara, añade: Well, it is my life. Supongo que eso fue lo que impresionó a tu madre...

No era solamente eso. Tiene que contármelo usted.

¿Yo? ¿Quién entiende el corazón de una mujer? Well, ahora tengo que irme. Buenas noches. Se despide y al levantarse de la cama añade: ¿Sabes?, traía en la carlinga tres pijamas de seda que compré en Burdeos y quisiera recuperarlos, si no se han quemado, y también una rosa blanca...

Después que el teniente Bryan O'Flynn se ha ido, Chispa se encarama trabajosamente en el catre y se acurruca a los pies de David, enroscado en el hoyo que conserva un cierto calor humano, el perfume de la aventura, o algo parecido. El piloto vuelve a ocupar su lugar en el páramo masacrado. Su mirada insumisa sobre el extenso Valle de la Muerte alcanza hasta nuestra remota colina en la ciudad cautiva.

–Buenas tardes, señora Bartra. ¿Puede atenderme unos minutos?

No han pasado ni tres días desde su última tentativa, y aquí está de nuevo el poli. Persiste el bochorno en la atmósfera y a ratos un amago de llovizna apacible empapa las calles y se funde con sus rumores de mansedumbre y abandono. Pero el silencio en las esquinas melladas no tiene nada de apacible. Plantado junto a las margaritas mojadas y pimpantes, la trinchera doblada sobre el brazo y el sombrero impermeable en la mano, el inspector Galván ha mantenido los ojos clavados con fijeza en la puerta hasta que se ha abierto.

–Qué desea.

–He venido esta mañana, pero no había nadie en casa. Se trata del asunto de su marido.

–Usted dirá.

El inspector levanta los ojos al cielo gris mientras pasa la trinchera al otro brazo.

–Menos mal que ha parado de llover –dice.

–Eso parece.

Mamá esconde una mano en la espalda, como si fuera a desatar el delantal y quitárselo. Pero no hace nada de eso, sino que adelanta más la barriga apretándose los riñones. Es la tercera o cuarta vez que se dispone a ser interrogada, en el mismo sitio y a la misma hora, con la misma resignada fatiga y la misma fría e indulgente entereza. David no está en casa y ella piensa que es mejor así. Sujeta el canto de la puerta con una mano, y con la otra, posada sobre el vientre, que empieza a dolerle, constata mi sobresalto.

–Date la vuelta, por favor.

–¿Cómo dice?

–Hablo con mi hijo. Y tú échate o te vas a caer, alma en pena.

Ha bajado los ojos a sus tobillos hinchados, en los que el hocico caliente de Chispa husmea buscando compañía familiar, tambaleándose sobre las cuatro patas y con la negra pelambre llena de nudos. El inspector se agacha a acariciarle.

–Hola, camarada. Aquí me tienes otra vez, dando la tabarra a tu ama. Que ya veo que no se decide a poner fin a tus sufrimientos…

–Convenza usted a mi hijo.

–No hay quien convenza de nada a este chico –gruñe el inspector incorporándose de nuevo.

Entre sus zapatos enfangados y las zapatillas verdes de mamá, Chispa parece dormir de pie. Levanta la cabeza y el inspector baja la suya y le apunta con el dedo, y el perro se tumba en el suelo. Detrás de la pelirroja y a su derecha, en la penumbra del comedor-recibidor, el inspector distingue los dos sillones de mimbre y la mesa camilla bajo la ventana. Después de un silencio, mientras se limpia las manos en el delantal, ella deja escapar un suspiro y cierra los ojos.

–Hace seis meses que no sé nada de mi marido, ya se lo dije.

–Lo sé. Me gustaría evitarle estas molestias, y más en su estado. Pero hay una orden de busca y captura.

—Él no hizo nada malo.

—Yo no le juzgo, señora. Eso no es de mi incumbencia.

—Oiga, inspector, a ver si nos entendemos. Usted ha sido atento con nosotros, por lo menos no ha venido con malos modos ni avasallando, y le estoy agradecida… Pero pierde el tiempo.

—Es posible. Aunque usted no lo crea —asoma un amago de sonrisa en sus labios— perder el tiempo forma parte de mi trabajo.

—Yo no me lo puedo permitir.

El inspector reflexiona unos segundos.

—Bueno, lo cierto es que en este asunto habría que precisar algunas cuestiones… Para su información, sobre todo.

—No sé a qué se refiere.

—Veamos. ¿Conoce al amigo de su hijo, ese gordito de cabeza rapada y un poco guercho?

—Suele venir por aquí. ¿Por qué lo pregunta? ¿Qué tiene que ver con mi marido? —Mientras el inspector medita una respuesta, ella añade—: Entiendo. Usted habrá pensado que podríamos ser amigos de la familia y que Víctor se esconde en su casa…

—No, no pensaba en eso.

—Este chico es el hijo del barbero de la plaza Sanllehy.

—No hay ninguna barbería en la plaza Sanllehy —dice el inspector.

La pelirroja sonríe.

—No he dicho que la hubiera. Usted siempre tan perspicaz, ¿verdad? El señor Bardolet es un barbero sin establecimiento. Afeita a los enfermos del Cottolengo del Padre Alegre y de la Clínica de la Esperanza, y también a los ancianos del Asilo de la calle San Salvador. Es un hombre viejo y asustado que se gana la vida como puede y le dejan, después de pasarse dos años en la cárcel, ustedes sabrán por qué…

–Yo no sé por qué ha estado preso este señor, ni si merecía estarlo –dice él en tono sereno y pausado, imperceptiblemente dolido–. Yo no soy juez, señora Bartra, le ruego no se confunda conmigo. No –menea la cabeza, reflexiona unos segundos y añade–: Mire, dejemos eso. ¿Quiere un consejo? Si tiene usted algún medio de comunicarse con su marido, que supongo lo tiene, hágale saber que lo mejor es que se presente voluntariamente. Se lo digo en confianza. Saldrá ganando. Los cargos no parecen muy graves.

–¿Ah, no? ¡Ésta sí que es buena! –mamá sonríe ahora abiertamente y su voz es una caricia, una brisa–. ¡Lo que me faltaba por oír!

–Además –dice el inspector–, me consta que el gobierno prepara un decreto por el que se concederá el indulto a los implicados en delitos de rebelión militar.

–De modo que a usted, un policía del régimen, no le parece grave que un hombre sostenga ideas contrarias al nuevo estado, como ustedes llaman a esto. ¿En qué quedamos entonces? ¿Me va a decir ahora que no persiguen a mi marido precisamente por sus ideas? ¿O es que usted no piensa como ellos?

–Yo sólo soy un funcionario, señora. Lo que yo piense, a nadie le importa.

–Ya. De todos modos, no tengo medio de comunicarme con él. No sé dónde está. Por el amor de Dios, ¿cómo quiere usted que se lo diga? ¿Cuántas veces hemos hablado de eso, inspector?

–He visto la ficha de su marido. Algunos cargos parecen cosa de broma.

–Tendrá un expediente muy malo, seguro, de lo contrario no le mandarían a usted tan a menudo por aquí... ¿O es iniciativa suya?

El inspector no parece haber oído la pregunta.

–El problema, señora Bartra –dice después de un breve silencio–, estaría en ese trajín de propaganda subversiva y demás que le tuvo tan ocupado a principios de este año. Pero lo de cinco años atrás, sus actividades en el contrabando de la frontera y en la red de evasión a favor de los aliados, eso no creo que le perjudique. Hoy en día el gobierno ya mira estas cosas de otra manera.

–¿Dice eso su expediente, que hizo contrabando?

–Bueno, no se extrañe, muchos lo hacen –admite el inspector–. Y cosas peores. Sabemos de algunos que han acabado convirtiéndose en auténticos rufianes, viviendo del cuento de la resistencia. Podría contarle y no acabar.

–Usted no conoce a Víctor. ¿Qué más dice el expediente?

–Hay algunas imputaciones bastante confusas… Entre otras cosas, su marido participó en una reunión clandestina, aquí en Barcelona, acerca de la cual se inventó un cuento chino. Su confesión es un rosario de mentiras, una payasada, leyéndola uno no sabe si echarse a reír o llorar. Es un buen fajo de folios mecanografiados y manuscritos, unos treinta o cuarenta, con muchos disparates.

–¿Por qué no me deja ver ese expediente, inspector?

–No puedo, señora. No estoy autorizado.

–No me diga que no puede. ¿Un funcionario del Estado, un policía como usted, tan eficiente y decidido, no puede sacar un documento de Jefatura, o del juzgado, o de donde sea? Venga, hágame ese favor…

–Lo único que conseguirá es angustiarse más… –la mira fijamente y añade–: En fin, veré qué se puede hacer. Pero no le prometo nada.

Nuevamente se cambia la trinchera de brazo y dirige una mirada al interior de la casa por encima del hombro de mamá. Le gusta-

157

ría que la pelirroja tuviera el detalle de invitarle a pasar, vaya si le gustaría, pero ella mantiene la puerta entornada y apoya el hombro en la jamba en una actitud relajada y amistosa, pero que no deja lugar a dudas: de ahí no pasa usted, al menos de momento. A su espalda, Chispa regresa lentamente a la fresca penumbra del hogar, hacia la mesa camilla que contiene retales, una taza de café, un libro abierto, que el inspector reconoce, y un cenicero donde humea una colilla. Se desploma bajo la mesa y espera, mirando aviesamente al poli.

–Lagartija, qué bonita eres, lagartija. La naturaleza ha sido buena contigo y no te dio sangre, lagartija, ni una gotita te dio –recita Paulino furtivamente, ensimismado, enroscado en su propia débil voz, reverencialmente inclinado sobre una roca y con la navaja abierta en la mano, esgrimiéndola con el dedo meñique desplegado en un gesto airoso y delicado de auténtico barbero profesional.

Por arriba, entre las nubes descolgadas y apelotonadas, se abre un nicho de nácar y asoma una espada de sol que se apoya en diagonal en el lecho del torrente. Sobre el chalé cuelga la nube más baja con una efusión cárdena en la panza. Alertado por los pasos y el extraño parloteo, el inspector Galván se asoma al barranco achicando los ojos grises, esquivando un destello que no sabe si proviene del cráneo afeitado del chico o de la navaja barbera.

–¿Qué andas buscando ahí abajo, muchacho?

–Estoy esperando a David Bartra.

–¿Tu padre no te dijo que no queríamos verte por aquí?

–Tengo que darle un recado a David...

–¿Qué haces con esta navaja?

–Está inservible, es una birria, mire –dice Paulino con la voz estrangulada–. Mi padre la había tirado a la basura. La llevo sólo para cortar rabos de palabartijas.

–¿Y eso qué coño es?

–Una especie rara de lagartija, tiene la panza amarilla y verde y duerme mucho… Palabartija de Ibiza, la llaman. Le gusta comer tomate y toda clase de libretas del cole.

–¿Cómo te llamas?

–Paulino Bardolet Balbín, para servir a Dios y a usted.

El inspector consulta su reloj, dirige una mirada al chalé y seguidamente su atención se centra de nuevo en Paulino. Pero permanece callado. Con las manos en los bolsillos del pantalón, parece no tener prisa, estar allí haciendo tiempo.

–¿Qué tienes en la cara? Levanta la cabeza, que yo te vea.

–No hay muchas palabartijas por aquí…

–Contesta. ¿Quién te ha puesto la cara así?

–Me picó una avispa. Bueno, dos o tres avispas a la vez…

–Tú eres el sobrino de un ex legionario, que ahora es guardia urbano… cómo se llama. Balbín.

–Sí, señor. El tío Ramón.

–Entonces lo que te ha picado es una avispa con salacot, desgraciado. A que sí.

–Está bien –dice Paulino–, le diré la verdad. Me han pegado unos kabileños del Carmelo.

–¿Por qué será que tu tío te zurra con tanta saña, muchacho? ¿No será porque te quiere enderezar, por culpa de lo que tú ya sabes?

–No soy un chivato acusica que la rabia le pica, ¡ea!

–No te hagas el chulo conmigo. Sabes muy bien de qué hablo, puñetero.

–Le prometí a David que nunca sería un soplón…

–¿Y tampoco se lo has dicho a tu padre?

–En casa mi tío manda más que mi padre. Pero de verdad que me han pegado unos charnegos malparidos, señor inspector. Por eso David y yo cazamos lagartijas… Pero no crea que les hacemos nada malo, ¿sabe?, ya no jugamos con ellas como hacíamos antes –añade Paulino con resabiada parsimonia, viendo al poli como distraído, consultando nuevamente su reloj y mirando luego la puerta del chalé–, ya no las ahorcamos ni las ponemos en los raíles del tranvía con las patas cortadas, ni les hinchamos la barriga de vinagre con el porrón pequeñito, ni las hacemos fumar… Ya no hacemos estas salvajadas, ¿sabe usted?, solamente les cortamos el rabo. Y cuando tenemos muchos rabos, los cocemos en agua de tomillo con hojas de margaritas blancas y tres alas de mariposa negra y una de mariposa amarilla y un gusanito de seda, y con todo eso se hace un ungüento muy bueno para flemones y magulladuras, y sobre todo para las almorranas y los golondrinos. La receta me la dio un enfermo muy viejo del Cottolengo mientras le enjabonaba la barba, le puse perdido de espuma sin querer, me distraje y mi padre me regañó… Es que las barbas del Cottolengo son puñeteras, ¿sabe?, hay que manejar la brocha con mucho tiento porque los abueletes tienen la cara torcida por la parálisis y todo eso, y no dejan de moverse…

–¿No deberías estar en la escuela? –dice el inspector con indiferencia, lanzando otra mirada a la puerta de noche–. Dime una cosa. ¿Has visto salir de casa a la señora Bartra?

–No, señor.

–Te he preguntado por qué no vas a la escuela.

–Es que estoy aprendiendo el oficio de barbero. Los domingos voy a afeitar a mi tío y me quedo a comer en su casa, es lo que quiere mi padre, que aprenda el oficio. Pero mi tío quiere que de mayor sea guardia civil. Él no tiene hijos, es soltero… Quiere hacer de mí un hombre de provecho, para servir a Dios y a la Patria.

–¿Y qué dice tu padre?

–Que muy bien.

–Sube aquí y dame la navaja.

–De verdad que sólo la llevo para cazar. Se lo juro.

–Haz lo que te digo.

Paulino trepa por el flanco y se planta frente al inspector, que se queda mirando el ojo tumefacto y cerrado, el párpado furioso como un furúnculo a punto de reventar. Le quita la navaja de las manos y examina la hoja mellada. Además del ojo a la virulé, Paulino tiene también la napia inflada y no para de sorberse una agüilla sanguinolenta.

–Hace dos años –dice el inspector cerrando la navaja–, David y tú ibais juntos a una escuela del Ayuntamiento, en el parque Güell. ¿Viste alguna vez a su padre por allí?

–Sólo una vez. David estuvo muy poco en la escuela, enseguida lo echaron.

–¿Por qué lo echaron?

–Se bajó los pantalones en la clase de Formación del Espíritu Nacional. Él dijo que se le cayeron, pero yo sé que se los bajó…

–Su padre fue a protestar y armó un buen escándalo, ¿no es cierto?

–No, señor. Fue su madre.

–¿La señora Bartra?

–Sí, señor. Le tiró un tintero al director del cole y le llamó borrico y meapilas. Y David a la calle.

–¿Y luego qué pasó?

–Nada. La señora Bartra le dio clases a David en casa. ¡Vaya una suerte! En verano no tenía exámenes y se iba a la playa, con sus abuelos... Pero después que su padre se fue, ya no es el mismo, no sé qué le pasa en los oídos. ¡Es la caraba! Lleva como antenas en las orejas, en serio, calculo que deben tener una potencia de quinientos megahercios, por lo menos. Si entras en su campo magnético, te coge hasta el ruidito que haces tragando saliva, me ha dicho...

–Ya vale –gruñe el inspector abriendo otra vez la navaja muy despacio–. No quiero volver a verte por aquí. ¿Entendido?

–No estoy haciendo nada malo.

–¿Qué pensarías si te ordeno que te la desabroches ahora mismo?

–¿El qué, señor?

–No te hagas el longuis. La bragueta.

–Mi pantalón corto no lleva bragueta, señor.

El inspector hace saltar hábilmente la navaja de una mano a otra, sonriendo con los ojos, como si bromeara.

–¿Y si te dijera que la saques por un lado? ¿Comprendes lo que podría pasarte? ¿O prefieres que hable con la señora Bartra...? Quieto, no voy a hacerte nada. Pero escucha bien lo que te digo: ten por seguro que alguien te la cortará en rodajas como no te reformes. ¿Has entendido?

Paulino baja la cabeza.

–Devuélvame mi navaja, por favor.

–Toma. Vuelve a casa y que te pongan algo en esa alcachofa que llevas por nariz.

–Tengo mi medicina, señor –dice Paulino sorbiéndose la napia,

162

alejándose de costado por el sendero hacia la Avenida Virgen de Montserrat–. Tengo mis colitas de lagartija.

–Ya veo que sigue adicta al cigarrillo –dice el inspector.

–Y al café. Y al azúcar y al pan blanco, sí señor. Los no adictos al régimen tenemos muchos vicios –la voz de la pelirroja no oculta cierta aspereza.

–No debería bromear con eso, señora Bartra.

–No debería hacer muchas cosas que hago.

–A propósito –dice el inspector, sacando del bolsillo de la americana una bolsita de celofán azul–. Le traigo otro poco de torrefacto. He pensado que siempre viene bien…

–¿Por qué se molesta? Creo que no debería aceptarlo…

–Es del economato, me sale barato.

Mamá mira el obsequio, luego al policía, de nuevo el obsequio. Tampoco esta tarde lo invitará a entrar en casa, todavía no, aunque él entrará de todos modos.

–Ande, cójalo –el inspector vuelve bruscamente la cara hacia el lado del barranco, como si de pronto una voz allí hubiese llamado su atención–. Yo tengo de sobra.

Ella coge la bolsita y la guarda en el bolsillo del delantal.

–La verdad es que sí, me viene muy bien. Hoy todo escasea… ¿Qué hay del expediente de mi marido?

–Ya veré el modo, tenga paciencia. ¿Le ha dicho su hijo que vine ayer, y también el sábado?

–No.

–Ya. Creo que debo decirle algo respecto a este chico. No sé si tiene usted idea de las mentiras y barbaridades que se le ocurren.

163

–Bueno, es un poco fantasioso…

–¿Fantasioso? Es un muchacho embrollón y pendenciero.

–A veces tiene ideas lúgubres y extrañas, no lo niego. Es un niño que ha tenido que crecer deprisa. Puede parecer algo tarambana, como su padre, pero es todo lo contrario. Convive con la soledad, conversa con ella. Es un chico que tiene fe. En muchas cosas se parece a mí.

–¿Fe? ¿Quiere decir que le han enseñado a ser piadoso, de misa…?

–Nada de eso. Tiene fe en algunas cosas importantes. Pero es bastante nervioso e inestable, lo admito. Un chico especial. Ya lo era antes de nacer. Su padre no lo quería, ¿sabe?, andaba por aquel entonces en otras querencias, y quizá por eso yo sentía el niño dentro de mí como… como una cosa escondida. Lo sentía como si quisiera ocultarse. No sé por qué le cuento todo eso, perdone.

–No hay de qué. La comprendo.

–No me va usted a creer, pero antes de parirlo ya sabía que este hijo era una señal que nos enviaba el cielo, el anuncio de muchas cosas que luego iban a suceder…

–¿Acaso cree usted en el designio de los astros, señora Bartra?

–Quién sabe. ¿Le interesa mucho? –y sin esperar respuesta, incongruentemente, añade–: Los niños no tienen la culpa de nada, ¿no le parece a usted?

–Yo juraría que hay bastante malicia en esta cabecita, señora Bartra –titubea el inspector y añade–: Trabaja con un fotógrafo de la parroquia, ¿no es así? Un tal Marimón…

–¿Qué pasa con él? ¿También lo tienen fichado?

–Sólo sabemos que era amigo de su marido. ¿Usted lo conoce bien?

–Lo suficiente para confiarle a mi hijo. ¿Por qué?

–Alguien le denunció hace un año. Nada importante, parece que había trabajado en una publicación libertaria, haciendo fotos…

–Mentira. El señor Marimón hace retratos de bodas y bautizos, en toda su vida no ha hecho otra cosa. Apenas lo traté, pero sé que es un buen hombre…

El inspector medita unos segundos.

–De todos modos, creo que a su hijo habría que atarle corto. Temo que un día pueda cometer un disparate.

–¿Dice usted que es algo malicioso? Pues no pienso quitarle ni una pizca de esa malicia –dice mamá serenamente.

–Una mujer como usted no debería decir eso…

–Una mujer como yo no debería discutir con un policía. La verdad es que no sé por qué lo hago.

–¿No tiene amigas? –dice el inspector después de un silencio, y se arrepiente de la pregunta en el acto–. Quiero decir… habrá alguna chica que le guste.

–¿A David? Creo que le gusta una muchacha muy guapa que suele pasar por aquí en bicicleta.

–¿Quién es?

–No lo sé. Nunca la he visto.

–Será otra de sus fantasías.

–¿Por qué iba a serlo? ¡Hay que ver cómo es usted!

El inspector parece que va a decir algo, pero se deja envolver en otro silencio.

–Yo lo único que veo –dice finalmente– es cómo su madre se sacrifica trabajando. Usted mira de ganarse honradamente unas pesetas cosiendo en casa. Pues bien, ¿sabe lo que hace su hijo con sus confecciones…?

165

–Siempre le gustó disfrazarse, si se refiere a eso. A mí también me gustaba cuando era joven, haciendo teatro, o en época de carnavales. Ahora el carnaval está prohibido, claro. Mi hijo, de mayor, será artista. Los artistas, sabe usted, son personas diferentes de nosotros, hacen cosas raras. Además, el pobre sufre de los oídos.

–Su amigo Paulino me ha comentado que habla solo todo el rato.

–David dice que tiene voces en los oídos…

–¿Y usted se lo ha creído?

–¿Por qué no? Yo, inspector, también hablo con este niño que espero. ¿Por qué no voy a creer que David se entiende con sus ruidos y sus voces? –Chispa aparece de nuevo en el portal viniendo del interior y se sienta acogotado, lamiéndose una pata. El inspector Galván gira el rostro con media sonrisa aplomada de paciencia y deja escapar un suspiro que no controla y que acaba en resoplido–. Mi hijo es muy inteligente, inspector… ¿Por qué se sonríe?

–Por nada.

–Yo a eso le llamo tener fe.

–Resulta extraño oír hablar de fe a una persona que no cree en Dios.

–¿Quién le ha dicho que no creo en Dios? Perdone, pero se está pasando de listo. –Sonríe la pelirroja al añadir–: Tampoco quiero que me tome por una humilde feligresa de la parroquia… Me parece que se confunde conmigo una vez más, inspector. Soy esposa y madre día y noche, qué remedio, pero en el momento menos pensado, yendo por la calle, por ejemplo, la mirada de un desconocido puede hacerme soñar… ¿Me comprende? No, supongo que no –sonríe nuevamente con aire de tomarle el pelo–. Usted no me conoce.

–Creo conocerla un poco.

–En fin, no dispongo de tiempo para discutir.

El inspector asiente en silencio.

–Una cosa más antes de irme –insiste, hablando a su manera apacible y un poco rebuscada, como si impostara la voz y las palabras, pero no el sentimiento que las anima–. Comprendo que defienda usted a su hijo. Pero creo que debo hacerle saber lo del otro día. El angelito me dijo muy seriamente que había tenido usted un aborto. Así como suena.

–¿Eso le dijo? Vaya.

–Y que la habían llevado de urgencia a la Maternidad, o al Clínico, no sé qué diablos se empatulló.

–Mal hecho. Me tendrá que oír. ¿Algo más?

–¿Le parece poco? Este chico dice mentiras como si fabricara churros…

–Estuvo muy feo. Pero mire, no crea que erraba del todo. Me encontraba muy mal ese día y fui al médico. He tenido mareos y dolores de cabeza muy fuertes. Es verdad que últimamente David se comporta… no sé cómo decirlo. Hace un par de meses vio a un hombre que se ahorcó en una glorieta de la calle Legalidad, no lo conocía de nada, pero le afectó mucho. Parece que él y sus amigos lo habían seguido el día anterior por las calles de Gracia, seguramente para reírse de él, dicen que iba como sonámbulo y llorando, pobre hombre. Bueno, pues a mi hijo le causó una impresión tremenda. Pero usted ha venido a hablarme de mi marido, buscando saber algo más de él, y yo… Vaya…

–¿Qué le pasa, señora Bartra? ¿Se encuentra mal?

Algo ha ocurrido, no sé si relacionado conmigo, algo más que la punzada o el vahído habitual y pasajero; creo que aún percibo, flotando desde siempre y para siempre en mi cálida burbuja, la brusca alteración de la luz y del flujo de la sangre, un cambio de ritmo en la respiración de la gestante y en el pulso sosegado de la tarde. Se va a desmayar otra vez. Chispa, siempre a su lado, se incorpora y se aparta un poco, como si lo supiera. Una subida brusca de la temperatura en el líquido amniótico y acaso otro desconsiderado revolcón de un servidor la obligan a apoyarse en el filo de la puerta con ambas manos, muy pálida, cerrando los ojos y girando toda ella de costado. El inspector tiene el tiempo justo de abalanzarse y rodear su cintura con el brazo evitando la caída. La coge en volandas y viendo que no reacciona entra con ella en casa, cierra la puerta con el pie, rodea la mesa del recibidor-comedor y la deposita suavemente en uno de los sillones de mimbre junto a la mesa camilla. La pelirroja tiene la cabeza ladeada sobre el respaldo del sillón, la boca entreabierta y los ojos cerrados. Lleva el cabello rojo recogido en una cinta negra, un botón de la bata desabrochado sobre el pecho, y oigo su corazón latiendo con fuera. Todo eso lo sé perfectamente y lo vivo todavía, lo que no podría asegurar es si ese desfallecimiento junto a la mata de margaritas ha ocurrido durante la tercera entrevista o bastante después, cuando ya Chispa tenía la bala alojada en la cabeza y estaba deshaciéndose enterrado en el lecho del torrente y David empezaba a maquinar su venganza, más o menos cuando el poli ya llevaba viniendo regularmente un par o tres de veces a la semana, siempre con algún obsequio, botes de leche condensada, medio kilo de azúcar, una tableta de chocolate…

–Señora Bartra. Señora –llama el inspector inclinando sobre ella su cara afilada con los ojos oblicuos y fríos de párpado sobrado, pesaroso, una cara en la que, en ocasiones, el ave de rapiña y el reptil se confunden, no para hacerla más sombría ni amenazante, sino más atractiva.

Unos suaves cachetes en la mejilla y coge su mano y la frota repetidas veces con energía, ella sigue sin reaccionar, le toma el pulso y luego pone la mano grande y oscura sobre su vientre. Aunque presumiblemente lo hace con suma cautela y la mejor de las intenciones –no quiero ahora dejarme llevar por los prejuicios, después de tanto tiempo–, me gusta pensar que yo estoy en ese momento cabeza abajo y muy quieto en mi cueva febril, y por tanto esa mano supuestamente enamorada y presuntamente asesina no detecta ningún latido, ni la menor señal de vida. Me gusta pensar que, por lo menos, ya que otra cosa no podría hacer, le doy esquinazo al poli y hasta quizá consigo angustiarle y asustarle un poco sin necesidad de mover un dedo.

Pero se muestra sereno y diligente, está haciendo lo imposible por reanimarla llamándola respetuosamente por su nombre de casada y frotando el dorso de su mano, piensa darle un vaso de agua pero sabe que el lavabo y la cocina están en la otra zona de la vivienda y opta por una solución más inmediata y radical, un poco de coñac de la petaca que lleva en el bolsillo trasero del pantalón. Suavemente desliza la mano bajo la nuca y levanta la cabeza acercando el brocal de la petaca a los labios, pero ella no llega a beber. Le basta el olor del alcohol para abrir los ojos.

–Dios mío. Ha vuelto a suceder…

–¿Se encuentra bien?

–Creo que sí.

–Me ha asustado usted.

–Ya pasó. Ha sido el calor. No debe asustarse, me ocurre a menudo.

–Está muy pálida. Beba un sorbo de coñac.

–Eso sí que no –sonriendo aparta la petaca con la mano y prueba a levantarse, pero desiste–. En cuanto se me pase el mareo…

–¿Toma algún medicamento? ¿Quiere que se lo traiga?

–No, no. Gracias. Tomo un diurético, pero no es la hora... Ya puede irse, si quiere. Estoy bien, no se preocupe.

–Me quedaré a su lado un minuto, si no le importa.

La pelirroja calla y permanece recostada en el sillón con los ojos cerrados. Al cabo de un rato los abre.

–No se quede ahí de pie. Siéntese. Habrá sido el niño, que no para... Aunque a veces lo noto tan quietecito que me da miedo.

–¿Quiere que le traiga un vaso de agua?

Ella no contesta y vuelve a cerrar los ojos. Y los mantiene cerrados cuando, al poco rato, insiste:

–Siéntese o márchese, haga el favor. ¿No me oye?

El inspector se sienta muy tieso en el otro sillón de mimbre frente a la pelirroja, que parece dormida, y entonces, déjame adivinarlo, hermano, entonces sí es verdad que siente por ella algo más que respeto y admiración, se quedará quieto observando con cierta íntima impunidad y durante un buen rato la tersa y hermosa frente y su sueño desvalido bajo los párpados de cera, la boca gruesa y dolorida, el pelo rojo y rizado y las manos blancas abandonadas sobre el vientre.

En la expresión fatigada de su rostro, ahora que ella no le mira, en su confiado reposo y en el humilde entorno, en ese remedo de calor hogareño conseguido con esfuerzo en una vivienda realquilada y pobre, los ojos de este hombre buscarán secretamente durante unos segundos, me gusta pensarlo, algo que su corazón perdió en algún momento de su vida.

Al abrir nuevamente los ojos, esperando tal vez encontrarse con la mirada grave y solícita del policía, lo ve agacharse ante ella y acariciar el lomo del perro echado a sus pies, aunque lo que está mirando son sus tobillos hinchados. El inspector se incorpora, recupera su petaca y se la guarda en el bolsillo.

–Me iré cuando usted me asegure que se encuentra bien.

–Estoy bien. Gracias.

Cuando le hicieron esta fotografía tan chula, con su legendario Spitfire derribado y su famosa sonrisa, dice papá, esa que todas las noches te hipnotiza desde la pared de tu cuarto, el teniente Bryan O'Flynn y yo habíamos corrido no pocas aventuras.

Claro, por eso te guardaste la foto de la revista. De recuerdo, dice David.

Te repito que no fui yo, insiste papá restregándose deplorablemente la pelambre del pecho con la mano que empuña la botella. Su aspecto no ha mejorado. Apura una colilla inmemorial recostado en el tronco reseco de un castaño, pelado y blanco como un huevo, y tiene los pies descalzos metidos en la húmeda serpiente de arena y guijarros. Por alguna razón, de la que no es ajeno el susurro enroscado en sus oídos, David cree firmemente que por aquí han vuelto a pasar las aguas del torrente igual que en otros tiempos. Fue tu madre, añade papá. Su torso y su cuello brillan de sudor, pero el resto de su persona está borroso. Desplegada sobre una mata de romero, la camisa blanca se seca al sol. Tu madre, nuestra costurera pelirroja, repite con la voz deprimida.

¿Y por qué lo hizo?

Pregúntaselo a ella.

¿Es que mamá también le conocía?

No más que yo. Digamos que llegó a tratarle mejor, pero no llegó a conocerle más que yo… ¿No has traído ningún pañuelo lim-

171

pio? ¿Ningún desinfectante, una venda, gasas? ¿En qué demonios piensas, hijo? Porque ya ves cómo estoy, con la botella en las últimas y el culo al aire, chorreando sangre, vertiéndola generosamente por un futuro más digno y por el triunfo de nuestros ideales. En fin, la vieja patraña.

No digas eso. Tú eres un héroe.

Qué va, qué va. El único héroe auténtico es aquel que miente sobre sus intenciones. Nunca fue mi caso.

¿Qué haces de noche, papá, dónde te escondes? ¿Adónde vas?

Del barranco a La Carroña y de La Carroña al barranco.

No, mamá dice que ya no estás allí. ¿Dónde estás?

Ahora mismo ya no sé dónde estoy. Es lo que pasa cuando vives soñando todo el puto día. Tu madre siempre decía vives soñando, Víctor, ya no eres capaz de afrontar la realidad, y ése es tu problema, ése es tu mal vino de cada día. Y yo le decía: pues si estoy soñando, no me despiertes ahora que tengo en las manos una botella de Baron Rothschild auténtico… Nos habíamos divertido mucho, tu madre y yo, con mis sueños. Pero ya ves. Hay en este viejo torrente un tufo a buitre carroñero que tira de espaldas, y ese tufo es mi propio aliento soñador.

Me estabas hablando del piloto de la RAF.

Ese jodido australiano, que se decía irlandés y que vivía en Londres, era un valiente. Los cazas alemanes lo derribaron dos veces en suelo francés, la primera en julio del cuarenta y uno. Cayó cerca del pueblo de Renty, en la región de Calais. Tuvo suerte, echó a caminar por los campos arrasados y fue recogido por uno de los hombres de la red de evasión de Pat O'Leary. Se le procuró asistencia médica y ropa y documentación falsa, y fue conducido a París y de allí a Toulouse, donde se puso en contacto con el grupo de Ponzán

172

Vidal para que le ayudaran a cruzar los Pirineos por una ruta clandestina. Por aquellas fechas muchos prisioneros de guerra evadidos de los alemanes conseguían llegar a la frontera española a través de las redes secretas que se habían creado a través de la Francia ocupada. La Gestapo recelaba, porque muchos de los pilotos cuyos aviones habían sido derribados no eran encontrados, así que había que andarse con cuidado. Yo entonces estaba metido en todo eso, y en mucho más, pero desde este lado de los Pirineos. Más tarde pasé al otro lado colaborando directamente con la red... ¿Me sigues? Ya en Toulouse, nuestro piloto debió esperar dos semanas mientras se preparaba una expedición a España con dos guías conocedores del terreno que le llevarían hasta Osseja, en los Pirineos Orientales, juntamente con un matrimonio judío y su hija de quince años. En Osseja, una joven se hizo cargo de la expedición y los dos guías regresaron a Toulouse. A partir de ahí fue un viaje lento y accidentado a causa del judío, que cojeaba, según O'Flynn me contaría después. El aviador llevaba un pesado maletín del cual no se desprendía ni un instante. A través de las montañas llegaron a Ribas de Fresser y luego emprendieron el descenso hasta un refugio convenido, donde yo les esperaba. ¿Me sigues...?

Aquí estoy, padre.

Mi trabajo consistía en escoltarles a partir de allí, mientras la muchacha que les había guiado regresaba a Francia. Fuimos en autocar hasta Ripoll y de allí en tren hasta Barcelona, la familia judía se despidió y yo metí en un taxi al piloto con su maldito maletín y le dejé frente al Consulado Inglés, donde se le tenía que proveer de documentación falsa para llegar a Gibraltar o a Londres vía Lisboa. A veces la documentación tardaba dos o tres días, y parte de mi trabajo consistía en proporcionar alojamiento provisional a los pilotos, pero en esta ocasión, no sé por qué, no había previsto nada al respecto. Por alguna razón que no llegó a interesarme, el teniente O'Flynn decidió entrar en el Consulado sin el maletín y me pidió que se lo guardara en casa, que iría a recogerlo en cuanto tuviera la documentación en regla. Le di la dirección y vino aquella misma noche, pero todavía sin los papeles...

¿Cómo es que yo no le vi?

Era en agosto, estabas en Mataró con los abuelos... Yo entonces ya chapurreaba un inglés bastante potable, y nos entendíamos. O'Flynn me dijo que no se fiaba de cierto personal del Consulado y prefería que el maletín permaneciera en casa. Alto secreto. ¿Me sigues?, dice papá dándole la vuelta al pañuelo apretado a su trasero, sobre la herida que no cierra ni cerrará nunca. Luego se palpa los bolsillos del pantalón. Maldita sea, se me acabaron los cigarrillos.

Dejaste uno a medias en el cenicero de la cocina, dice David. ¿Quieres que vaya a buscarlo?

Ese cigarrillo es de tu madre, y es el último. A ver si te fijas mejor. Hay que tener los ojos bien abiertos, hijo, vienen tiempos difíciles. Y ahora dime. ¿Qué hace la intrépida costurera? ¿Cómo está?

Cada día lo mismo. Y no está bien.

Mamá introduce muy despacio los pies en el agua de la palangana, primero el izquierdo, luego el derecho. David ha calentado el agua en la cocina, la ha vertido en la palangana, ha echado un puñado de sal, la ha llevado al comedor-recibidor y de rodillas le ha quitado los zapatos a mamá sentada en el sillón.

Más tarde ella está sola en la cocina aventando pacientemente las brasas del fogón, la mano en la barriga con el último cigarrillo y los ojos en el vacío, fijos en nada que pudiera resultar visible para cualquiera. Deja el cigarrillo en el cenicero, la mano tantea las cintas negras en los cabellos rojos y luego vuelve a descansar en la barriga. El grávido perfil de su cara y de su cuerpo, su postura reflexiva y tristona, vista a contraluz en esta cocina oscura y estrecha como un túnel, es la imagen más viva y preferida que guardo de la pobreza cotidiana y puntual a la que ella debió enfrentarse, la imagen más cabal y persistente entre todas las que he ido remendando y reconstruyendo en la memoria. No tiene al piloto delante de los ojos, que sigue clavado en el cuarto de David, desafiando con una sonrisa a sus verdugos y a su destino, pero por alguna razón ella lo sigue viendo aquí en la cocina igual de próximo y sonriente.

Garbanzos, lentejas, boniatos, farinetas. Puedo nombrar estas cosas y olerlas en la memoria con la misma gratitud y respeto con que lo haría mamá, acariciarlas con las manos y la voz de mamá. El bacalao en remojo. El viejo molinillo de café. La grasa de cerdo fundiéndose en la sartén, y tantas otras cosas con su extraña vocación de camuflaje, su terca propensión a estar donde no deben: los terrones de azúcar en la salsera desportillada, las lentejas en una caja de galletas, los boniatos en un barreño de zinc, los ajos en un bote de cacao. La pobreza, acuérdate, hermano, nuestra fiel compañera de estos años, la que asumió con tanto coraje la pelirroja y contra la que nunca despotricó, la pobreza que tiene mil caras y se manifiesta de mil maneras, también significa eso, acuérdate: que a pesar de la limpieza y el orden que ella impone a su alrededor con la mayor presteza y energía, las cosas nunca parecen estar en su sitio, andan siempre por ahí ocupando con una porfía insidiosa el lugar que un día correspondió a otras. Y sin embargo, en medio de su aparente extravío, así dispuestos en su mundo de precarias apariencias, nin-

guno de esos objetos ha sido despojado de su identidad, al contrario, parecen más próximos y necesarios y su trato más cordial, lo
mismo que la imagen chamuscada y borrosa del piloto, que un día
estuvo donde le correspondía juntamente con los recuerdos acaso
más íntimos y mejor guardados de mamá, y que hoy, mucho después de haber paseado su impertinente sonrisa por las portadas de
una revista alemana editada en español, se asoma amigablemente al
dormitorio de un adolescente soñador en un remoto paraje del Guinardó.

Dirección General de Seguridad.
Brigada de Información.
Ficha de *Víctor Bartra Lángara*.
Expedientes F-7 (17-3-40) y F-8 (2-5-45). Resumen para uso in-
terno.
– Nació en Huesca el 4 de abril de 1901. Vivió en Mataró hasta
los 12 años.
– Fue seminarista y después «fámulo» en el Colegio de los Jesui-
tas de la calle Caspe (presumible origen de su exacerbado anticleri-
calismo).
– Se le atribuye participación en el secuestro y asesinato del cu-
ra párroco de San Jaime de los Domenys (Tarragona) el 20 de julio
de 1936. Sin confirmar.
– Durante nuestra guerra de liberación estuvo en el ejército rojo, sirviendo en Sanidad (anestesista) y siendo herido en el frente de
Aragón.
– Al terminar la contienda se amparó en el anonimato y trabajó
en una fábrica de hilaturas de la barriada de Gracia, entre cuyos

obreros intentó inculcar ideas de marcado cariz anarquista revolucionario, instando a sus compañeros a la disconformidad con el actual régimen español.

– Instigador de diversos actos de marcado signo catalanista separatista aprovechando las celebraciones de la Fiesta Mayor de Gracia y del Guinardó, según informes de vecinos.

– En marzo de 1940 es detenido en un piso de la calle Conde del Asalto donde se celebra una reunión clandestina con fines supuestamente altruistas deportivo-sanitarios (en realidad de cariz presuntamente libertario) alegando en su defensa encontrarse allí por error (ver anexo F-7) ya que iba a otra cosa. Sometido a interrogatorio, relata el equívoco con pormenores al parecer convincentes.

– Pasado clandestinamente al sur de Francia a finales de 1942, se le atribuyen misiones de apoyo a la Resistencia francesa, tales como guiar por la frontera a pilotos aliados derribados por los alemanes. Se ha podido colegir por datos y observaciones recogidas, que se relaciona con una organización inglesa clandestina con sede en Marsella, conocida como «Organización Garrow». Vivió en Toulouse en el nº 40 de la rue Limayrac. Hay indicios de que alternaba estas actividades como guía fronterizo con el tráfico de contrabando. Hay constancia de que dio cobijo en su casa, durante varios días, a un aviador inglés que posteriormente pudo regresar a su unidad vía Lisboa provisto de documentación falsa. Por estas actividades, el susodicho percibía una remuneración estimada de 2.000 francos por persona. Cuando se ha tratado de pasar documentos, ha llegado a cobrar hasta 5.000 francos.

– En círculos libertarios se le considera autor de diversos opúsculos editados por la CNT de España en Francia.

– En octubre de 1943 intenta establecer contactos con el llamado «Gobierno Vasco en el Exilio» y al día siguiente está a punto de ser detenido en un merendero de Las Planas después de asistir a una reunión clandestina, bajo el pretexto de una «costellada» organizada por el llamado «Sindicat d'Espectacles Públics de la CNT», al que están afiliadas gentes de teatro y proyeccionistas de cine y acomodadores, entre ellos su amigo y camarada Germán Augé.

– En 1944, y mediante recomendación del párroco de la Capilla Expiatoria de las Ánimas (el Dr. Masdexexart, pbro.) ingresa en los Servicios de Higiene del Ayuntamiento para trabajos de Desinfección y Desratización de salas cinematográficas y demás. Afiliado al clandestino Sindicato de Espectáculos Públicos de la CNT, se encarga de repartir prensa y propaganda subversiva camuflada en las sacas donde se reparten las bobinas de las películas.

– Miembro destacado del MLR (Moviment Llibertari de Resistència) hasta febrero del año en curso, en que fue expulsado por insubordinación y malversación de «fondos revolucionarios», así llamadas las recaudaciones de los afiliados.

– Desaparecido de su domicilio con fecha aproximada de marzo del presente año.

–Si lo que usted quiere saber –dice mamá– es si creo que vivir en paz sin libertad es mejor que vivir libres y en guerra, mi respuesta es no, inspector.

–Nunca hago esa clase de preguntas.

–Por supuesto, para qué. Ventajas de vivir en paz y sin libertad.

–No pienso discutir con usted, señora Bartra, hoy no. Aunque le diré una cosa. No sé quién redactó este informe, pero quienquiera que fuese, está claro que su marido le tomó el pelo.

–¿Por qué lo dice? –inquiere mamá.

–Termine de leerlo, y ya me dirá qué piensa. Lo mejor viene ahora, en la ficha de hace cinco años y en su declaración.

–¿Se refiere a sus actividades como contrabandista? Nunca creí esa patraña.

–No me refiero a eso. Lea usted, lea.

–¿Tiene un cigarrillo, inspector?

–No debería fumar tanto, señora Bartra.

F-7 (17-3-40)

Víctor Bartra Lángara:

Mayor de edad. Auxiliar sanitario. Domiciliado en el Guinardó. Mala situación económica.

Que todo se debe a un cúmulo de circunstancias casuales que propiciaron un equívoco. Que hace unos quince días conoció en un bar de Las Ramblas a una tal madame Carmencita, de unos 45 años, sin saber su verdadero nombre, la cual madame lo confundió indistintamente con un agente publicitario y con un abogado, sin aclarar qué causó la confusión. Que madame Carmencita le presentó a una chica llamada Florita García Nieto, la cual también está detenida. Que la tal Florita le mostró el brazo izquierdo con un tatuaje que hacía alusión a la marca de cigarrillos americanos Lucky Strike. Que madame Carmencita le dijo que había tenido una idea que podría proporcionar algún dinero a su amiga Florita, y también a él, en tanto que abogado, si la idea le parecía factible. Que tal idea tenía que ver con un proyecto de publicidad tipo americano en la piel (fueron las palabras que empleó), que varias amigas suyas estarían dispuestas a lucir con tatuajes, incluso en zonas íntimas del

179

cuerpo que no hay por qué precisar aquí y ahora (fueron sus palabras), siempre y cuando el concesionario de Lucky en España estuviera dispuesto a pagar. Que qué le parecía la idea. Que en este punto el detenido empezó a sospechar que madame Carmencita y la tal Florita, por la pinta y por las intenciones, amén de por algunos subrepticios tocamientos y efusiones más allá del límite que aconsejan las buenas maneras de nuestro recio talante y la unidad de los hombres y las tierras de España (me limito a transcribir el lenguaje del declarante), empezó a sospechar, repito, que sus dos interlocutoras podían tener algo que ver con el negocio del puterío y sus derivados, pero que prefirió mostrarse discreto y dijo que bueno, que era una idea. Que entonces madame Carmencita le dijo que había preparado una reunión de 20 o 30 amigas interesadas en el negocio, y le preguntó si él quería asistir a esta reunión, que tendría lugar en un piso del nº 13 de la calle Conde del Asalto, donde iban a tratar la cuestión de sueldos y asuntos laborales y necesitaban el asesoramiento de un abogado. Que no considerando de mucho interés la oferta, él se excusó de asistir, pero que después de la ingestión de algunas copas y de intimar con la tal Florita García Nieto y mostrarle ésta otra marca comercial tatuada en la cara interna del muslo (Cerebrino Mandri, el célebre reconstituyente), decidió un poco irreflexivamente asistir a la reunión de fulanas (llegado a este punto, el detenido declara que ya no le quedaban dudas acerca de la condición de ambas interfectas) para asesorarlas en el negocio.

Que el día señalado acudió con Florita García Nieto a la reunión convocada en la calle Conde del Asalto, pero que se equivocó de piso y los dos se encontraron inesperadamente en una reunión de presuntos vendedores y viajantes sin trabajo que habían sido convocados allí por un representante de la firma Suco y Hermanos S.A., fabricantes de un «jugo de naranja que lo cura todo automáticamente», fueron las palabras que empleó en su declaración. Que Florita escapó de allí en cuanto se dio cuenta del error, pero que él, al hacer acto de presencia el grupo de la Brigada Social, ya no pudo salir por hallarse en las primeras filas, pero que los que estaban más próximos a la puerta sí lo hicieron. Que no se explica que la verdadera finalidad de esa reunión fuese política, y que él no fue convocado ni advertido.

Tiene antecedentes.

Sugerencia: Multa de 5.000 pesetas.

EL GUSANO INVISIBLE

En cuclillas, David deja escapar la lagartija y coge el rabo cercenado que serpentea soltando su agüilla viscosa sobre el sueño de las piedras. Cierra la hoja del cortaplumas apoyándola sobre la rodilla y abre la palma de la otra mano donde deposita el rabo junto a otro que aún culebrea. No sé qué suerte de soleada inclemencia está cayendo sobre el torrente y sobre las voces sin cuerpo que resuenan aquí. En los recovecos umbríos, algunos cantos cubiertos de musgo parecen estuches. Con sus ínfulas y artimañas de río, pese a no poder exhibir otra cosa que las difusas orillas y el cauce seco desde cuánto tiempo, el torrente simula un rumor de aguas veloces y broncas, empeñadas todavía en manifestarse y arrastrar consigo cualquier desecho que aún quedara enganchado en algún recodo, todo aquello que ya estaba fuera de su sitio, arrumbado e inservible, como la sangre rebelde pudriéndose en el culo de papá.

¿Dónde estábamos, hijo, por dónde íbamos?, inquiere cambiando el pañuelo de mano con el pie apoyado en una roca. Ah, sí. Cuatro días con sus cuatro noches, ése fue el tiempo que nuestro espigado y valiente amigo pasó en casa esperando sus papeles del Consulado. Era en agosto, efectivamente. A pan y cuchillo le tuvimos tu madre y yo en casa durante cuatro días… para enterarme tiempo después que la documentación le había sido entregada a las pocas horas de llegar. Me lo ocultó, el muy pillastre. Sí, lo que oyes. Le veo sentado en el sillón de mimbre junto a la ventana, frente a tu madre, muy formalitos ambos tomando café y conversando amigablemente. Desde un principio se hicieron mucha gracia el uno a la otra. Parecían unidos por una extraña complicidad infantil, una tontuna verbal que les mantenía todo el rato sonrientes y bastante pelmas, y se entendían en un idioma bobalicón que no es de este mundo, unas señas y una lengua que sólo hablan los niños y los locos. Él recitaba versos con su voz nasal e impertinente, y la pelirroja, viviendo como siempre entre dos aguas, la de la fraternidad y la del ensueño, intentaba imitarle en el énfasis romántico y en las ínfulas poéticas y de paso aprender inglés, luego se miraban y seguidamente se echaban a reír. ¿Qué te parece, David? A ver, ¿no crees tú que en situaciones tan extraordinarias, unas personas tan extraordinarias deberían saber estar en su lugar? Ya sé que la vida se compone de momentos insignificantes y de venial palabrería, pero ¡quand même, coño!

¿Qué quieres decir, papá?

Aprende idiomas, hijo. Recuerdo unos versos que el teniente O'Flynn repetía una y otra vez, y que no paró hasta que tu madre se los aprendió de memoria. Por la noche el calor nos sacaba de casa y bebíamos ginebra de garrafa sentados al borde del barranco, bajo las estrellas… En gruesos vasos azules bebíamos hasta la madrugada, aún puedo oler el acre perfume de la ginebra y oír la hermosa voz del teniente.

O Rose, thou art sick!
The invisible worm
That flies in the night,
In the howling storm,
Has found out thy bed
Of crimson joy,
And his dark secret love
Does thy life destroy.*

¿Y qué significa, papá?

Hablaban una jerga extraña, ya te lo he dicho, porque ni tu madre sabía inglés, ni él español. De todos modos he de admitir que era un hombre muy culto... Antes de que se largara con viento fresco le pregunté qué llevaba dentro del maletín, que pesaba tanto. Dijo que era una pieza de un submarino alemán, y que tenía que entregarla personalmente en Gibraltar o en Londres. Se trataba de un metal pesado, valiosísimo, me explicó, que tenía forma cilíndrica y estrías y cifras en un extremo, y en el otro señales de metralla o de fuego. Un cacharro de sumo interés científico y estratégico para el Almirantazgo.

¿Te lo enseñó?

No quiso.

¿Y tú le creíste?

Me parece recordar que fue la única vez que le creí.

¿Y qué pasó después?, inquiere David.

Se fue. And we'll never see you again?, le dije. Y me respondió: Never is a long time.

¿Qué significa?

¡Puñeta, David, estudia idiomas! ¡Que te enseñe tu madre!

Has dicho que mamá no sabe inglés.

185

Algo aprendió, algo aprendió… ¿Por dónde íbamos? Ah, sí. Bueno, pues yo hice un trabajo irreprochable con ese piloto, le di cobijo y le protegí mientras esperaba sus papeles, y luego él viajó sin problemas a Gibraltar y después a Inglaterra, y allí se reincorporó a su escuadrilla. Le fue asignado otro Spitfire y en febrero del año siguiente sería derribado nuevamente, esta vez en la región de Calais. Tal cual quedó, con la cara tiznada y las manos quemadas, apareció en la portada de la revista *Adler* del mes de marzo de hace tres años, exactamente en la edición del 15-3-1942, esa que tu madre se agenció en la salita de una comisaría, mientras esperaba para algún interrogatorio… ¡Menudo vuelo el del intrépido Bryan O'Flynn, desde los horizontes de oro y esmeralda donde habitan los héroes a la pared leprosa de un cuartucho del Guinardó! Bien. Yo entonces ya me había pasado a Francia y actuaba como enlace entre la red de Pat O'Leary y el grupo de Ponzán. Supe que nuestro piloto había conseguido ayuda para escapar y cruzar de nuevo la frontera francoespañola, llegando a Londres vía Lisboa. Con las manos quemadas y deformadas ya no volvió a pilotar ningún caza, y a partir de entonces cumplió misiones de oficial de enlace en África del Norte y en la ofensiva en Alemania. Pasó luego a Servicios Especiales, trabajó un tiempo con un agente del M16 y en Marsella le vi en una ocasión con gente de O'Leary. Recuerdo que llevaba una enorme maleta y le dije en tono de chunga: ¿Qué llevas ahí dentro, Bryan, la proa de un acorazado alemán? Lo último que supe de él, unos meses antes del desembarco de Normandía, es que iba en un bombardero que cayó al Mediterráneo cuando regresaba a su base en el norte de África, seguramente después de alguna incursión sobre Alemania. Había cruzado media Europa con metralla en las alas, y no sólo eso, agárrate, tal como me lo contaron te lo cuento: parece que ese avión volaba con la tripulación achicharrada en sus asientos, seis cadáveres con fuego en la cabina y sin rumbo, planeando a escasos metros del mar, hasta que cayó y se hundió...

¡Yo lo vi caer!, proclama David muy excitado. ¡Yo lo vi! Nadie me creyó, ni la abuela Tecla ni mamá ni la Guardia Civil ni nadie. Y ni la radio ni los diarios dijeron nada, pero yo lo vi con estos ojos. En la playa de Mataró. Era un Marauder B-26, y en el fuselaje habían pintado una chica en traje de baño con la inscripción *Forever Amanda*. ¿Qué quiere decir?

Lo sabrás cuando aprendas idiomas.

Nadie me creyó pero tú has de creerme, papá...

Te creo, corta papá alzando la botella y mirándola al trasluz. Así que alégrate. ¡Hay que desenmascarar la verdad! Ahora escúchame. También a la pelirroja tenemos que darle una alegría diciéndole la verdad desnuda, ¿no crees? ¿Qué podríamos decirle...? Ya sé. Le dirás que las aguas del torrente se me han llevado la botella.

El torrente ya no lleva agua, padre.

Eso no debería preocuparnos. Recuerdo aquel latinajo que una maestra de escuela, tu querida madre, solía decir: fortis imaginatio generat casum.

¿Eso decía mamá? ¿Qué significa?

¡¿Ves lo importante que es saber lenguas, borrico?!

Con la carita abollada como por un pasmo, una muñeca de celuloide asoma entre las basuras que se amontonan junto al estiaje del torrente, la cinta ondulada de arena húmeda, que alguna vez, mucho antes de que él naciera, había sido lecho de aguas sosegadas

* ¡Oh, Rosa! Estás enferma: / El gusano invisible / Que vuela por la noche, / En la tempestad que aúlla / Tu lecho ha descubierto / De gozo carmesí, / Y su amor, sombrío, secreto, / Te consume la vida. (William Blake: *The Sick Rose* – *La rosa enferma*.)

y transparentes. Absorto en la contemplación de la cabeza machacada, todavía con la colita de lagartija agitándose en su mano, David se pregunta cuándo volverá el estruendo capaz de anular la aflicción de sus oídos arrastrando todo a su paso, basuras y troncos carcomidos, fango y animales ahogados.

Nunca he visto pasar agua ni nada de eso por aquí, comenta papá. Banderas y cornetines, sotanas y esencias patrias, mucha mierda de ésa y mucho fanatismo es lo que veo pasar. Desde el primer día esa gente anunciaba esta botella que nunca se acabaría de vaciar, y también me trajeron este extravío, la desmemoria y la mentira en mi propio hogar y en mi mismísima bocaza. Bien. Pasemos página. ¿Qué le decimos a tu madre para levantarle el ánimo…? ¡Ya lo tengo! Dile simplemente que ya no bebo.

Se lo diré.

¿Te acordarás?

Sí. Vamos, Chispa. Levanta.

Pero dile también que desde que no bebo, todas las noches sueño que bebo. Y dile que mientras sueño que bebo lo paso fatal porque soy consciente de que no bebo. Que me explique eso, coño, ella que estudió para maestra.

Se lo diré, padre.

Espabila. Y a ver cuándo acabas de una vez con el calvario de tu perro. Entrégalo al policía ese y que no sufra más, pobre animal.

¿Tú también con esta monserga, padre, tú también…?, farfulla David con una melancolía paródica y abrupta que destiñe la visión: dos rabos de lagartija en la palma de su mano, el uno ya quieto y el otro culebreando todavía, cuando cierra el puño y entorna los ojos, y, en medio de una efusión de polvo y de sol cegador, distingue la borrosa silueta, la cada día más encorvada y cochambrosa figura de papá braceando animosamente cauce arriba con su botella bien cogida por el gollete.

Vuelve a casa, chico. Mamá te necesita.

—Bwana, por una perra gorda le digo ahora mismo dónde está la pelirroja y por dos me chivo lo que usted quiera sobre Víctor Bartra, y encima le regalo un cromo de mi colección Héroes de la Patria, la misma que le regaló el guardia urbano a mi amigo Paulino Bardolet...

—Así que hoy tampoco está en casa —corta el inspector.

Su cara adusta no deja entrever la menor impaciencia ni contrariedad. Revolotea en torno a él un polvillo rojo y el acre olor a raíces arrancadas, el peculiar aroma del barranco que siempre trae consigo.

—Esta semana no tener usted suerte, bwana —los ojos chispeantes de David se demoran en los párpados rugosos y cansinos del poli, dotados de una flema hipnótica

—¿Cómo está? —dice el poli mirándose los zapatos—. ¿Sabes que el otro día se desmayó?

—No es la primera vez.

—¿Te ha dicho adónde iba, si tardará en volver?

David niega con la cabeza y no le quita ojo. Admira su temperamento flemático, a pesar de todo, su manera de llevar en los labios el cigarrillo sin encender, la mano derecha hundida en el bolsillo de la americana, la tan conocida parsimonia en el menor de sus gestos. Hoy lleva sujeta al sobaco una carpeta azul y el brazo izquierdo en cabestrillo, apoyado en un pañuelo marrón de motas grises.

—¿Qué le ha pasado? ¿Lo han herido en un tiroteo?, ¿ha tenido un encuentro con malhechores?, ¿una refriega con forajidos facinerosos…?

–Te he preguntado si tu madre tardará en volver.

–¿Noticias frescas de mi padre?

–Lo sabrás si ella lo cree pertinente –el inspector ha sacado la mano del bolsillo empuñando el encendedor y brota la llama.

–¡Ondia, qué mechero más fermi! –dice David–. ¿Me deja probarlo?

El inspector se lo da, David le enciende el cigarrillo en silencio y cuidadosamente, y luego lo prueba dos veces, demorando la yema del pulgar en la rosca dorada y en la tapa impulsada por el resorte, regalándose los oídos con el clinc al cerrarse. Fantástico, cuando sea mayor tendré uno igual, pero auténtico. ¡Clinc!

–Y bien –dice el inspector, recuperando el encendedor–. Aún no me has contestado.

–Revisión médica. Lo que tardará, quién lo sabe. Depende de cómo encuentre el doctor Isamat a mi hermanito, el que ha de venir. Si quiere esperarla…

–Dile que volveré mañana, tengo algo que le interesa.

–Si me acuerdo se lo diré.

El inspector guarda silencio. No parece tener nada más que añadir y de mala gana inicia la media vuelta, aunque le gustaría quedarse y esperar. De pronto ve algo detrás de David que le va a permitir demorarse un rato más: debajo de la mesa, el chucho que según él ya debería estar muerto y enterrado se dispone a abandonar con gran esfuerzo la manta donde yace, da unos pasos vacilantes y se vuelve a echar sobre las baldosas con un crujido de huesos.

–No te da la gana de entender que este pobre animal es una pesada carga para tu madre, ¿verdad?, no serás capaz de admitirlo ni

190

aunque le veas agonizando, ¿no es eso?, no te sale de las narices. Me consta lo mucho que apena a tu madre verle en ese estado. Si tú no quieres tomar la decisión, deja al menos que otros lo hagan. Lo más conveniente...

–¿Acaso no es lo mismo? –inquiere David–. ¡Ya sé qué es lo más conveniente! ¡Ya sé que ella piensa también en matarlo, se ha dejado embaucar por usted!

–Tu madre y yo creemos que estás prolongando su agonía, porque eres un chico caprichoso y testarudo, sencillamente. Mira al pobre bicho, no puede ni respirar...

Chispa se incorpora y viene a desplomarse a sus pies, apoyando el morro en el zapato. El inspector flexiona la pierna y lo aparta; no puede decirse que le haya propinado una patada, pero la flexión de la pierna, aunque suave y retardada, y el gesto levantisco del pie, llevan el impulso reprimido de la patada y David se da cuenta y piensa mira el hijoputa, ¿cómo puede darle una patada a un perro que dice que se está muriendo? Casi al mismo tiempo se fija en su mano, la del brazo en cabestrillo, en la contracción de los dedos al desentumecerse, un gesto crispado y lento, como si empuñara su arma y apretara el gatillo. Y entonces, como a la luz de un relámpago, David ve la boca del revólver acercarse a la oreja del perro y vomitar la bala que atraviesa su cabeza.

–Una vez más –gruñe el inspector–, y lo digo pensando sobre todo en tu madre, te pido que reflexiones, muchacho.

–¿Y a usted todo eso que más le da? De todos modos –comenta David con tristeza mirando a Chispa– el pobre se me morirá algún día, ya lo sé, porque tiene pulmonía galopante, pero no hace falta que nadie le ayude... La puede diñar mañana mismo, pero lo hará él solito...

–No estés tan seguro. Quién sabe lo que puede durar en ese estado.

–Lo cuidaré hasta que muera.

–No presumas de buenos sentimientos conmigo. Si de verdad tuvieras buenos sentimientos, te ocuparías menos de este animal y más de tu madre. ¿Por qué no la has acompañado al médico? –se inclina sobre David y le golpea repetidamente el pecho con el dedo de la mano entumecida que asoma apoyada en el cabestrillo, añadiendo–: Un día hablaremos tú y yo muy en serio. Ya puedes ir preparándote.

–Me la refanfinfla, oiga.

–Ya lo veremos. Y has de saber que todo eso te lo digo por tu bien. Adiós. Volveré mañana por la tarde, díselo a tu madre.

Morderás el polvo, guripa, masculla David viéndole alejarse por el callejón con su paso muelle y aquel aire entre indolente y alertado en su nuca y en sus hombros altos.

Por la mañana temprano, arrebujada bajo un cielo aplomado y espectral, la ciudad que se extiende allá abajo parece un espejismo chafado reverberando su descalabro de grises frente al mar, un decorado maltrecho que acabaran de repintar los ángeles nocturnos, esos que remiendan nuestros sueños al despuntar el día. A la misma hora, en los precarios alambres del tendedero junto al tajo se posan robustos gorriones y con su pico se expurgan los parásitos y la espuma negra de la noche.

Más tarde ella sale por la puerta principal con la cesta de la colada en la cadera y cruza el jardín abolido, pasando entre rosales y adelfas que su nostalgia cultiva todavía en la memoria, en dirección al barranco donde David, sentado en el borde junto a Chispa, balancea los pies en el vacío y habla solo.

Derramadas glicinas sobre muros derruidos que un día cercaron el jardín atraen su mirada, luego buscan de nuevo a David, que farfulla en voz baja y agita los pies como si chapoteara en aguas remansadas. En tiempos más amables, los hijos de la costurera habrían pescado muchos peces aquí, si no en compañía de su padre, sí del abuelo de Mataró, que tenía cañas y sedales.

Al otro lado del torrente, en la zona no urbanizada al pie de la colina, una muchacha descalza que viste una chaqueta de pijama a rayas, que debe ser de su padre, también pone a secar la colada en campo abierto. David distingue sobre las matas de ginesta una falda amarilla con bolsillos verdes, una blusa de color azafrán y dos braguitas de color rosa. El sol se abre paso entre las nubes y enciende el amarillo de la ginesta y los cabellos dorados de la muchacha.

–Vas a llegar tarde a la parroquia –dice mamá con una pinza entre los dientes, sacando la ropa lavada del cesto–. ¿El señor Marimón no te dijo que esta mañana tenía una boda?

–Voy –dice David mirando como Chispa se esfuerza inútilmente por soltar su cagarruta–. Ayer vino el guripa otra vez. Olvidé decírtelo.

–Está bien.

–Volverá esta tarde. Llevaba una carpeta con papeles.

–¿Una carpeta?

Sí. Una carpeta y mucha mala hostia, bisbisea David para sus adentros. Maldito poli hijoputa y cabrón y mamón y bestia.

–No te oigo, hijo, pero como si te oyera. La has tomado con ese hombre, vaya que sí.

David se incorpora.

–Qué va. Discuto con mi hermanito. Tú también lo haces.

–Yo no discuto con él. Nos entendemos. ¿Y no crees que sería mejor esperar a tenerle aquí, si tanto te gusta discutir con él?

–Un día papá me dijo: aprende a mirar lo que todavía no ha llegado, y entenderás muchas cosas.

–¿Eso te dijo?

Muy cuco, el señor Bartra. Escucha eso. La pelirroja está tumbada bocarriba en la cama y me sostiene en alto con sus manos que ahora son como peces rojos, mientras a su lado David nos mira estupefacto y también Paulino haciendo sonar sus maracas de colores. Mal momento has escogido para venir a este mundo, hijo mío, me siento muy débil y muy sola, he tenido que dejar de trabajar y no sé si me subirá la leche y en casa sólo hay dos boniatos resecos y un poco de bacalao para daros de comer...

¿Por qué no te estrangulas con tu cordón umbilical y nos dejas en paz, feto empreñador?, mascula David caminando con Chispa por el borde del barranco, la correa colgada del cuello y la vista fija en la blusita y la faldita amarilla extendidas como un tierno cuerpecillo en éxtasis sobre la ginesta, al otro lado del torrente. La muchacha ya se ha ido. El perro sigue a David con el hocico pegado al tobillo moreno y fino, husmeando afinidades afectivas.

–Espera, tenemos que hablar de tu perro –dice mamá desplegando una sábana–. Hay que tomar una decisión, hijo.

–Yo no quiero hablar de eso. Ahora tengo prisa.

Deja a Chispa en casa y enfila el sendero hacia la Avenida. Pasado el barranco pasa al otro lado y se dirige hacia la loma donde se seca al sol la colada de la muchacha. ¿Tú qué harías en mi lugar, microbio? Tiene una pulmonía crónica, eso es lo que tiene, sólo eso, y estoy seguro que se podría curar, tampoco es tan viejo... ¿Qué harías, dejarías que lo llevaran al matadero? Yo sí, yo tengo mis sentimientos, chaval. ¿Es que tú no tienes sentimientos? ¿Qué sabes tú de sentimientos, si no has salido del cascarón, gusano peludo que envenena la sangre de mamá? Lo que necesita Chispa son cuidados y compasión. Con tu dichosa compasión lo estás dejando morir de la peor manera que se puede uno morir, poquito a poquito, pasándolas canutas. Lo estás masacrando, hermano, lo estás martirizando con un tormento chino que ni los dakois de Fu-Manchú. Eres peor que ese poli que ronda a la pelirroja, mira lo que te digo. ¡Pues claro que lo soy, piojo de mierda! ¡Qué te habías creído! ¡Soy mucho peor!

Antes de saltar a la Avenida, camino de la parroquia de Cristo Rey, David se para un rato frente a la mata de ginesta para ver de cerca la falda con bolsillos verdes secándose al sol. Es muy corta, de niña, confeccionada con una tela tosca y desleída. Una avispa se pasea por el dobladillo de la falda, y la rodilla de David da un respingo. Lleva metida en el cuerpo esa excitación que tan bien conoce y que anuncia la impostura.

¡Que sí! ¡Que soy peor que la peste!

El inspector Galván ha tocado el timbre y aguarda frente a la puerta de día, pensativo y con la mano yerta hundida en la mata de margaritas. En la otra mano, liberada ya del vendaje y del cabestrillo, lleva la carpeta azul. Se abre la puerta, dice unas palabras, muestra la carpeta, y adentro.

—Tengo que agradecerle la molestia… —empieza mamá.

—Me tiene a sus órdenes, señora Bartra.

—¿Lo dice en serio? —la pelirroja sonríe con la mano en el escote de la bata—. Siéntese, haga el favor.

Ella lo hace en su sillón de mimbre y sin más cumplidos empieza a hojear el expediente con la carpeta en el regazo y el cigarrillo humeando en sus dedos, indiferente a las miradas del inspector, que permanece sentado muy tieso en el otro sillón. Pero enseguida suspende la lectura para sonreír otra vez y disculparse por no atenderle como es debido. Trocitos de hilos de coser de varios colores, adheridos a su bata como finísimas culebrillas, llaman la atención del policía. En uno de los bolsillos asoman los ojos de unas tijeras. Sobre la mesa camilla hay un servicio de café con dos tacitas y un tazón lleno de terrones de azúcar.

–Es que estaba deseando leer esto...

–Lo comprendo.

–Espero que la casa no huela mal –comenta ella mirando a sus pies las baldosas recién fregadas, el perro dormitando en su rincón con un penoso jadeo y a su lado el cubo de zinc con una bayeta dentro–. Me he pasado el día fregando los vómitos del pobre chucho, no sabe usted cómo tengo los riñones. Con decirle que estoy empezando a pensar seriamente en su ofrecimiento de llevárselo...

–Sería lo más conveniente. ¿Habló con su hijo?

Pero ella no contesta porque de nuevo se ha enfrascado en la lectura de los informes. El inspector calla y la observa. La cabeza de mamá, con su hermoso pelo rojo alborotado lleno de cintas negras, se inclina devotamente sobre las supuestas fechorías de Víctor Bartra. Y por debajo de la carpeta, en el regazo, sus rodillas muy juntas y enrojecidas parecen sonreír.

Unos minutos después cierra la carpeta con los papeles dentro, da una última y furiosa calada al cigarrillo y lo aplasta en el cenicero.

–Esta ficha y este expediente son un insulto a la inteligencia de mi marido –dice serenamente–. A su integridad moral y a sus ideales. Es una burla.

–Bueno, a juzgar por algunos puntos de su declaración –dice el inspector–, habría que ver quién se burla de quién. Pero dejemos eso, señora Bartra. Comprendo que defienda usted sus ideas...

–No se confunda conmigo, inspector. Yo defiendo a mi marido y respeto su ideal, pero no soy su bocina ideológica, ni de él ni de nadie; yo soy la mujer que cría a sus hijos, la costurera, la cocinera, la fregona. ¿Le parece poco? Supongo que usted piensa, como todos los de su bando, que me siento vencida y sola, y que lo estoy pasando tan mal que ya no comparto el ideario de Víctor...

–Creo que ha sufrido usted mucho e injustamente, eso es lo que creo.

Ella vacila un instante antes de proseguir.

–Y ustedes ahora se burlan tranquilamente de todo eso, es la consigna nacional, la política de la mirada impasible y centinela y unas manos tranquilas y viriles, bien puestas sobre el pomo de la espada, toda esa parafernalia y esa retórica. Conozco la canción. Pues sepa una cosa: si no fuera por algunos de esos ideales de mi marido, yo creería que nada en absoluto se me ha perdido en esta vida.

–No diga eso. Usted sabe que hay muchas cosas por las que vale la pena luchar...

–Deme un cigarrillo, haga el favor.

–¿Otro? Acaba usted de apagarlo.

–Mire, con el humo se me aclaran mejor las ideas –dice ella con acritud. Y bajando el tono, añade–: Disculpe, no le he ofrecido a usted nada...

Alrededor de las siete de la tarde, antes de que empiece a oscurecer, cuando el sol ya en el ocaso tiñe con un esmalte bermellón sus uñas, siempre amarillas a causa del sulfito de sosa del revelado, David regresa del estudio del fotógrafo y encuentra a Paulino Bardolet esperándole al borde del barranco con las maracas en la mano. Advertido por su amigo de la visita del inspector Galván, se acerca a la ventana pisoteando atolondradamente las margaritas. A través de la celosía lo primero que distingue sobre la mesa camilla es el mechero Dupont y el paquete de Lucky, las viejas tacitas de café con la grafía china y el tazón rebosante de terrones de azúcar, y enseguida ve al inspector sentado muy tieso en el sillón y bebiendo su café a sorbitos. Los ojos de acero asoman por encima de los bordes de la tacita, fijos en la pelirroja. El café es obsequio de la casa y al mismo tiempo obsequio del visitante.

–Así todos contentos –gruñe David poco después en el barranco, esgrimiendo su cortaplumas–. El otro día le oí decir a mamá que gracias a este tío en casa se habían acabado los recuelos y la achicoria. Los terrones de azúcar también son un regalito suyo, los manga en los bares.

–¿Por qué no has querido entrar? –pregunta Paulino.

David calla y piensa. ¿En qué momento de la conversación sentiría la pelirroja la conveniencia de responder a los favores de este hombre, por qué no ha controlado el impulso irreflexivo o el deseo de hacerle pasar y de invitarle a una taza de café? Precisamente acabo de hacerlo, inspector, ¿le apetece una tacita? Siéntese, haga el favor. ¿Cuántos terrones? ¿Sería usted tan amable de ofrecerme un rubio? No debería usted fumar, señora Bartra, y menos en su estado –observando con aire en apariencia distraído el borde de la bata floreada, un poco deshilachada por delante, cuando ella ya le ha servido el café y se sienta con expresión de cansancio.

–No te hagas mala sangre, hostia –dice Paulino, caminando unos metros por delante y haciendo sonar las maracas suavemente, apenas un siseo–. No es la primera vez que el guripa se cuela en tu casa.

–No. Pero es la primera vez que ella lo invita a sentarse y a tomar café. Es muy distinto, chaval.

–Muy distinto –repite Paulino siguiendo el cauce seco del torrente. Coge las dos maracas con una mano, abre la navaja barbera y rodea sigilosamente agachado el tronco hueco y pelado de una encina semienterrada–. Acaba de asomar la jeta, pero ya no la veo. ¿Tú has visto algo?

–El culo de mi padre chorreando sangre. Eso es lo único que he visto.

–Hoy no pillaremos ni una, ya se ha ido el sol. ¿Vamos a la Montaña Pelada? Te enseñaré la cueva del Mianet, el vagabundo que lleva espejitos en los zapatos…

–Bueno.

Antes de irse, David se acerca a la casa y se agacha bajo la ventana. No lo hace por escuchar lo que dicen: lleva metido en los oídos un bosque de jilgueros. Con la punta de las uñas tocadas por una luz sanguínea empuja suavemente los batientes y la ventana se abre despacio, dejando entrar en casa, por encima de las cabezas de la pelirroja y del poli, el antiguo rumor del torrente.

–Larguémonos de aquí, gordi.

–¿Y si rompiera a trocitos toda esta infamia?

–Puede hacerlo. Es una copia –dice el inspector Galván con la voz de terciopelo. Acaba de encender el cigarrillo de mamá con su

Dupont y ahora enciende el suyo. Deja el mechero sobre la mesa y sus ojos se demoran en los calcetines cortos y blancos y en los zapatos de gruesa suela de corcho que calza la pelirroja–. No debería usted llevar esos zapatos.

–¿Qué tienen de malo?

–No me parecen apropiados en su estado. Podría caerse.

Ella cierra la carpeta azul sobre sus rodillas y bebe un sorbo de café. El policía rompe un silencio embarazoso.

–Sabía que se iba a disgustar.

–Casi todo es mentira.

–Permítame decirle que lo más feo del asunto no es el expediente. Creo que el problema de su marido, el que podría traerle complicaciones ante un tribunal, lo tenemos en la ficha…

–Igualmente llena de infundios. Vaya manera de tergiversar la verdad. La revancha, la delación y la calumnia es lo que priva hoy, y usted lo sabe. ¡Y cómo está redactado!

–Usted tiene estudios, ¿no es cierto, señora Bartra?

–¿A qué viene eso?

–No me interprete mal, no la estoy interrogando –se apresura a decir el inspector, enderezando aún más la espalda en su sillón. Cambia el cigarrillo de mano, se alisa los cabellos, se mira los zapatones gastados–. Quiero decir que hay algo en usted, a pesar de su pasado republicano y de las ideas que comparte con su marido…

–Me sé la letanía, inspector, no se moleste.

–Hablo en serio –dice él, tratando de adoptar un tono de indiferencia–. Admiro su ánimo, señora Bartra. No es frecuente en mi trabajo tratar a personas como usted. Es más, considero un privilegio haber tenido ocasión de conocerla y ayudarla en lo posible.

–No sé por qué lo considera un privilegio ni creo que me interese saberlo, pero bueno, se agradece el piropo; acaba de ganarse otra taza de café y otros dos terrones de azúcar… Me tiene un poco asombrada, ¿sabe? –intenta sonreír mamá al añadir–: Antes los policías no eran así. Yo creo que ustedes han sufrido algún tipo de perversión genética.

–¿Cómo debo entender eso, señora Bartra? –dice el inspector. Ante el silencio de ella, añade–: Sé muy bien que la gente nos mira con recelo. Estoy acostumbrado, y no me importa.

–Yo diría que sí le importa.

–Depende de la persona.

Después de otro silencio más largo, la pelirroja mira la carpeta azul en sus manos y la acaricia con aire pensativo.

–Gracias por dejármelo leer. Aquí tiene –le pasa la carpeta–. Todo está escrito con mala fe. Ustedes no saben nada de mi marido.

–¿Qué le pasó realmente a este hombre? –dice el inspector adoptando una actitud más relajada, cultivando el escaso terciopelo de la voz–. Me lo he preguntado muchas veces. ¿Cómo pudo de la noche a la mañana dejarse aniquilar por el alcohol un hombre así, un luchador, con sus ideales, con sus sueños de futuro, como usted dice…? ¿Por qué cayó tan bajo?

–Esta pregunta no me parece pertinente, inspector.

–Tal vez. Confieso que mi interés no es meramente profesional.

–Usted me está pidiendo la verdad sobre un asunto privado. Tendrá que conformarse con la verdad pública, que es ésta: mi marido es desafecto al régimen. Y es un alcohólico.

–Eso ya lo sabemos. No era mi intención…

–Está bien. ¿Le importa que hablemos de otra cosa? Veamos. Creo que antes se ha referido usted a mis estudios.

–Sí. He de completar el informe con algunos datos que me faltan.

–Pues venga. Qué quiere saber.

–Usted era maestra de escuela en la República. O por lo menos lo fue durante unos meses, en Mataró, cuando vivía con sus suegros. Estuvo enferma mucho tiempo, afectada por la muerte de su hijo, y tuvo que dejar el trabajo. Después de la guerra no volvió a la enseñanza.

–No me dejaron.

–No la dejaron –repite el inspector sin el menor tono inquisitivo.

–Así es. Supongo que no le extrañará –dice ella–. Todos conocemos a personas, médicos, abogados, que no han podido volver a ejercer su profesión.

–Ciertamente. ¿Y qué hizo usted, cómo se las apañó?

–Ya vivíamos aquí –suspira mamá–. Me puse a trabajar en una fábrica de hilaturas de la calle Escorial.

–La fábrica Batlló –dice el inspector estrujando la cajetilla de Lucky vacía y depositándola en el cenicero.

–Todavía estoy en plantilla –dice mamá–. Llevo tres meses de baja, ya le hablé de eso. Mi horario era de seis de la mañana a dos de la tarde y la semanada de veinticinco pesetas, y tenía dos telares a mi cargo. Ah, y empecé con dos años de aprendizaje, cobrando quince pesetas a la semana… Qué más quiere saber.

El inspector ha sacado el bloc y, rebuscando en sus bolsillos, ha encontrado un trozo de lápiz algo más largo que una colilla. Pero no toma notas.

–Hizo bien en pedir la baja –dice con la voz neutra y remansada. Ahora es ya una voz vaporosa que no expresa convicción y sin embargo la busca, una voz de humo–. Hay que cuidarse. Hizo bien.

–Fue cosa del médico, no crea usted que es cuento.

–Pues claro, no hay más que mirarla. Usted necesita cuidados.

–Qué más quiere saber. Ah, sí. Confecciono en casa blusitas y faldillas para niñas o para muñecas, me da igual, hace mucho tiempo que lo hago, y prefiero coser que volver a la fábrica. Y eso es todo, creo –ha cogido el Dupont y le da vueltas entre los dedos, sobre la barriga puntiaguda, al parecer sin nada más que añadir. Se fija en las iniciales M.G. grabadas en el mechero, y vuelve a dejarlo sobre la mesa, junto al platillo de la taza de café. Mira el paquete de cigarrillos arrugado, y él adivina su pensamiento.

–Se acabaron –y con algo parecido a una sonrisa, añade–: Y me alegro por usted.

Tampoco el inspector parece tener más preguntas que hacer y permanece callado unos segundos, mientras bebe un sorbo de café y corrige la posición de la carpeta azul sobre la mesa. Al hacerlo, la carpeta desplaza el mechero hasta el borde de la mesa camilla, y de allí, y sin que él ni ella lo adviertan, el mechero cae blanda y silenciosamente sobre la manta doblada en la que hace un momento yacía Chispa. De pronto el inspector cree recordar algo.

–Usted tiene una hermana, que vivió mucho tiempo en un pueblo de Tarragona.

–Lola. Hace por lo menos seis años que se vino a Barcelona.

–No aprecia mucho a su marido de usted.

–Sólo oír su nombre le causa pavor. Tiene ocho años menos que yo, pero siempre fue una viejecita resabiada y beata… No se hace querer, pero es buena.

–He hablado con ella –el inspector consulta su bloc y añade–: Vive en Vallcarca. Eso es. Lola.

La tiene muy presente, no tanto por su aspecto poco agraciado, una mujer flaca abriendo y cerrando su bolso de terciopelo negro con un ruido metálico fortísimo, como un disparo, como por su mal

disimulado rencor hacia su hermana Rosa casada con un sinvergüenza. Le mostró su carnet de una Congregación de Hijas de Ma-
ría y le dijo no saber nada ni querer saber nada del hombre que ha
hecho tan desgraciada a mi hermana, con lo lista que ella se creía,
no señor, no sé por dónde andará ese rojo ni quiero saberlo.

–Casó con un campesino del campo de Tarragona que ahora es
tranviario, el Pau –añade mamá–. Es cobrador en la línea treinta.

–¿Queda algún familiar en aquel pueblo… cómo se llama?

–La Carroña.

–Eso, La Carroña. Vaya nombrecito.

–Más que un pueblo –dice la pelirroja pasando por alto la observación–, es una calle muy corta, no creo que llegue a una docena
de casas. Debe quedar por allí el hermano de mi cuñado. No sé, hace años que Lola y yo no nos hablamos. Y por cierto no dejo de lamentarlo, no por mí ni por ella, sino por David. Mi hermana tiene
una hija de la misma edad que David, quizá un año menos, y desde
pequeños se querían mucho… ¿Por qué me pregunta usted todo
eso? ¿Acaso cree que Víctor puede estar escondido en La Carroña?
Pues olvídese. Aun en el caso de que alguno de los dos hermanos, y
pienso sobre todo en mi cuñado Pau, el tranviario, que está un poco loco pero es un pedazo de pan, pues aunque él hubiese querido
esconder a mi marido en su casa, Lola no lo habría permitido de
ninguna de las maneras. ¡Menuda es mi hermana! Pero ustedes ya
habrán investigado eso.

–Hay un informe de la Guardia Civil.

Chispa abandona el frescor de las baldosas y cabeceando cansi-
namente se dirige hacia su manta, se deja caer y cubre el Dupont
con la pelambre de su barriga. Empieza a gemir. Espatarrado y con
la cabeza ladeada, parece muerto.

–David ya debería estar aquí para sacarlo a la calle –dice mamá. El perro, alzando la cabeza con gran esfuerzo, la mira con una tristeza tan grande en los ojos que ella lo interpreta como una súplica–. En fin, lo sacaré yo.

Quizá porque la idea de dárselo al inspector y que se lo lleve ya le ronda el pensamiento, engancha la correa al collar del perro. Recuerdo ese collar de Chispa como si lo hubiese visto: rojo y muy ancho para un perro de su talla, con estrellitas de latón y la hebilla dorada. La correa está hecha con tiras de cuero trenzadas de color marrón claro.

El inspector ha cogido su carpeta y sigue a mamá y al perro al otro lado de la casa, él mismo abre el portalón y los tres bajan muy despacio los escalones hasta el jardín de cenizas. Todavía aquí escucha mamá del inspector alguna nueva observación acerca de la conveniencia de evitarle más sufrimientos al chucho, pero ella no se decidirá hasta el último momento, cuando ya él se despide.

–Espere –dice de pronto, tendiéndole el cabo de la correa–. ¿Quiere llevárselo ahora? Tenga, y que sea lo que Dios quiera. Ya veré qué le digo a mi hijo… Espero que sepa perdonarme.

–Dígale una mentira –sugiere el inspector–. A veces una pequeña mentira es necesaria, sobre todo si con ella se consigue un bien.

–No estoy segura de que haya mentiras necesarias.

–Déjelo en mis manos, señora Bartra.

Chispa mira al inspector y ensaya un ladrido, que le sale asmático, luego gimotea, escarba el suelo con la pezuña, hace señas, olfatea el peligro.

–Calla –dice mamá, dirigiéndose a la puerta con las manos sobre la barriga–. Te vas con el señor inspector, un buen amigo… Pero que no sufra, se lo ruego –añade mirando al policía.

–No sufren. Es cuestión de un momento...

–No me lo cuente, por favor. No quiero saberlo.

–Piense que para el pobre animal es lo mejor. Vamos, valiente, ven conmigo.

–Tenga paciencia con él, que casi no puede andar... ¿Qué harán luego, dónde lo enterrarán?

–El veterinario se ocupará de todo –dice el inspector con un leve tirón de la correa–. Usted ahora entre en casa y olvídese del asunto. Haga el favor, señora Bartra.

Adaptando con torpeza su paso al del animal, el inspector se lleva a Chispa tirando suavemente de la correa con la mano escondida a la espalda, llevando en la otra mano la carpeta.

Poco después, mirándoles de reojo desde la puerta, ella les ve alejarse muy despacio por la franja cenicienta al borde del torrente, cabizbajos los dos, policía y perro unidos por la correa y por otro vínculo, no por invisible menos perceptible, una suerte de mansedumbre en el paso que les hace extrañamente cómplices o solidarios en la penosa marcha. Lo último que ve la pelirroja es a Chispa echado en el suelo, negándose a seguir, y al poli tirando de la correa con bruscas sacudidas.

En el instante en que ella cierra la puerta, el inspector se revuelve cambiando de mano la correa y la carpeta con cierta mal disimulada impaciencia.

Ya estoy encajado en la pelvis de la historia y percibo aviesos fulgores, pero no tengo ninguna prisa. Desde la burbuja que todavía me preserva del mundo y sus espejismos, escucho los pasos sigilosos en el oscuro corredor del chalé de los muertos al regresar mi

206

hermano a casa con el mal augurio que ya esta tarde, cuando estaba espiando agazapado bajo la ventana, le transmitió la voz del inspector Galván sentado muy tieso frente a mamá, una voz tan inesperadamente aterciopelada y una postura tan atenta… Ahora ella cose en su cuarto. Nada más entrar en el comedor-recibidor, David distingue el apagado fulgor dorado del Dupont entre los pliegues de la manta, como si acabara de caer allí sin hacer ruido y le hiciera guiños, justamente en el mismo lugar donde el perro debería estar esperándole meneando el rabo.

Empieza a llamar a Chispa, pero algo terrible le dice que no debe esperar respuesta. Se inclina sobre la manta despacio, en una actitud entre furtiva y reverencial, se hace con el Dupont de un manotazo y lo guarda en su bolsillo.

Estará llorando la muerte del perro Dios sabe cuánto tiempo. Tanto lo había querido y con tanto cariño lo cuidó procurando aliviar su sufrimiento, tanto lo había acariciado y con tanto mimo, que la palma de su mano guardaría memoria imborrable del pelo ralo y sus meandros en el lomo y en la barriga, de las orejas melladas y del hocico no siempre frío, de los quistes y de las peladuras en la piel. Y fue esta memoria fiel y rabiosa la que engendró la venganza; no tal vez la consecuencia directa, pero sí el germen, la venenosa semilla. Nada de cuanto iba a sucederle a David en el transcurso de su corta e intensa vida, ninguno de sus muchos y privados infortunios, de sus locos empeños y sus penosas claudicaciones tendría para él tanta importancia como el desdichado fin de ese perro; ni el día que, vestido totalmente de luto, llorando y llevándome en brazos, fue acogido en casa de la tía Lola, ni años después, cuando

207

se convirtió en un joven gamberro y la tía tuvo que ir a buscarlo a la comisaría no sé cuantas veces, o cuando la prima Fátima se encaprichó de él y parecía feliz pero en el fondo se sentía muy desgraciado, ningún revés de los muchos que labraron su destino, su soledad y su desmesura, habría de marcarle tanto como la muerte de Chispa.

Cacho cabrón. Cerdo. Maricón. Matarife hijoputa. Polichulo de mierda. Ojalá te metan una rata viva en el culo y te coma las tripas.

Deja de escupir barbaridades, hermano. Esta tarde mamá te ha oído y con el disgusto que ya lleva encima…

Tú calla, boniato peludo. Sigue nadando en tu pecera y no fastidies más.

Está mascullando improperios en un recodo del barranco, pegado en una grieta que frecuentan lagartijas y culebras. A su lado asoma una roca caliza en cuya superficie quedó grabada con toda nitidez la huella de una concha marina con estrías y también la espiral de una caracola. Es que hace un millón de años, le había explicado a Paulino, mucho antes de que esto fuera un río, el mar llegaba hasta aquí y lo cubría todo con sus peces de colores y sus conchas y caracolas. Esta idea de la vida anegada totalmente por las aguas muertas sin orillas le conforta momentáneamente. Agazapado en la grieta, por encima y más allá de la estridencia de grillos reales o grillos meramente acústicos, los que anidan en sus oídos, se siente como en el interior de una caracola y atiende a los ecos de una quimera fluvial que sólo para él discurre aquí, un murmullo estival de insectos y de aguas primigenias y dormidas, de cuando la barranca debía ser todavía un arroyo sosegado y cristalino.

Nubes algodonosas se arrebujan sobre la Montaña Pelada, y al atardecer, bandadas de gorriones buscando cobijo se dejan caer en picado, como grávidas cortinas oscuras descolgándose sobre el resplandor del crepúsculo.

–¡Mi pobre Chispa! ¡Mi pobre perro!

Esta primera noche se la pasará sollozando bajo la sombra protectora de la grande y sonrosada oreja del doctor P.J. Rosón-Ansio, y seguirá mascullando maldiciones y lamentos a lo largo de toda la mañana siguiente, sin querer hablar con nadie salvo consigo mismo. Puños apretados en los bolsillos y cabeza gacha, embistiendo el aire, así permanecerá hasta que, hacia el mediodía, hallándose sentado en los escalones de la puerta principal, al cerrar rabiosamente por enésima vez el puño sobre el mechero del inspector, los ojos se le quedan repentinamente secos. Sorprendido, descubre que ya no desea seguir llorando, y mira frente a él las sábanas que agita el viento en el tendedero.

Hace un rato que mamá ha regresado del mercadillo con su gran capacho de la costura y él sabe que ahora está hirviendo lentejas con arroz. Enseguida saldrá con el cesto a recoger la ropa seca, y David reanuda su letanía de tacos en voz baja.

–¿Todavía con esta monserga? –dice mamá, fingiendo un malhumor–. Tuve que hacerlo, hijo. Tú nunca habrías consentido que se lo llevaran.

–¡Claro que no! ¿Cómo te dejaste convencer? ¿Cómo fuiste capaz de entregar mi perro a ese policía fanfarrón para que lo llevara al matadero...?

–No me hables así, te lo pido por favor... No me encuentro bien, hijo. ¿Me ayudas a recoger la ropa?

–Ahora no puedo. ¿No ves que estoy pensando?

–Está bien. Piensa, pero date prisa.

¿Estás pensando qué, hermano? Ya sabes que te queremos mucho, pero ¡vaya jeta la tuya, chaval! ¿No has oído a mamá, o no quieres entender? Tuvo que decidir por ti. Se armó de valor, hizo de tripas corazón, y ahora te necesita.

Tú te callas, sanguijuela asquerosa. No tengo por qué aguantar tus reproches.

Te diré lo que pienso, hermano: esa bola de carne envenenada ha sido la mejor solución para Chispa.

¿Tú sabes lo que es morir envenenado con una bola de estricnina? ¡Tres o cuatro horas de agonía!

Ya. Pero no se lo digas a mamá, no hace falta. De todos modos, creo que exageras.

Sé lo que me digo.

Vale, está bien.

¡Y déjame en paz, capullo, que parece mentira que seas tan capullo!

Que sí, que vale.

–¿Vienes o qué, hijo? –dice mamá–. Si vas a seguir refunfuñando, mejor que entres en casa y pongas la mesa. Así te entretienes en algo, cariño.

¿Lo ves? Ella te oye y comparte tu pena. ¿Qué más quieres, hermano? Levántate y ayúdala. Tenemos que ser una familia unida en la desgracia…

¡Qué familia unida ni qué hostia santa! ¡Será gilipollas el piojo sentimental ese!

–Levántate y a casa, David. Pero ya –dice mamá–. Venga.

Se levanta, pero en vez de meterse en casa se va al tendedero, carga con el cesto de la ropa y se queda a su lado, susurrando como para no molestar:

–¿Y quién lo ha matado? ¿El guripa no te lo ha dicho?

–Un veterinario amigo suyo.

–No me lo creo. Este poli es más falso que un duro sevillano…
–Despúes de una pausa, añade–: ¿Y dónde lo han enterrado, se puede saber, si es que alguien se ha tomado la molestia de enterrar a mi pobre Chispita?

–Lo enterró el inspector personalmente –dice ella para tranquilizarlo–. No me dijo dónde. Aquí abajo seguro que no, así que no andes buscando por ahí, como hiciste anoche. Y deja de lloriquear. Deja que el tiempo haga su trabajo –repentinamente se quita una pinza de la boca, se inclina y estampa un beso en la mejilla caliente de David–. Y si quieres un buen consejo, no malgastes tus lágrimas, guárdalas para cosas más importantes. O dentro de muy poco no te quedarán, y cuando seas mayor como yo y quieras llorar, no podrás. Recoge esta toalla, ya terminamos.

Los brazos afanosos en alto, la brisa erizando el vello rojizo de sus sobacos y la pelusilla de su nuca, mamá siente la punzada conocida y puntual. A su alrededor, el aire como una miel hierve de insectos heridos de luz. Vuelan aromas de espliego y cacareos de gallina, y una música de radio suena al otro lado del torrente, más allá de los tres robles y del roquedal, en el incipiente polígono de casas baratas, un laberinto de azoteas con jaulas de conejos y palomares al pie de la cuesta. La blusita de color azafrán y otras prendas conocidas se secan sobre matorrales.

–En aquella colina, hace muchos años –dice David señalando al otro lado–, había un campo de trigo con amapolas.

–¿Cómo lo sabes, hijo?

–Lo sé porque lo sé.

Observando detenidamente esos colores y esas formas animadas bajo el sol, David está a punto de atrapar el presagio de una vivencia emotiva, algo que todavía permanece en los dominios de la intuición.

Morderás el polvo, susurra.

–¿Qué te pasa? –dice mamá–. ¿Otra vez hablando solo?

–Es tu barriga, que hace ruiditos. El monito te está pateando las entrañas, mamá.

–No me gusta que le llames monito. Hala, a la mesa.

De pronto, subiendo los tres escalones, a David se le escapa un sollozo que no puede controlar.

–Aquí se echaba para que yo lo curara… ¡Casi estaba curado! Tú lo viste. Le ponía tintura de yodo todos los días y le cepillaba el pelo, y él movía el rabo y me miraba. Estaba tan contento, aunque no pudiera verme… ¡Pobre Chispa, pobre amigo mío! ¡Cómo le habría gustado correr por un campo de trigo y amapolas…!

–Por favor, hijo, no me amargues la vida, que de eso ya se ocupan otros… ¿Te parece bonito que la muerte de un perro te haga llorar más que la desgracia de tu padre?

–Ese poli matarife –dice David– podría por lo menos devolver la correa y el collar, ¿no? ¡Son míos!

–No se me ocurrió –dice mamá–. Se lo diré. Si no se han perdido, te los devolverá. No es una mala persona. No lo es, David.

CAFÉ-CAFÉ CON DOS TERRONES

L o mismo que el recuerdo de algunas vivencias personales que nos habían parecido imborrables, la memoria de aquello que hemos visto con la imaginación, porque no alcanzamos a vivirlo, también se hace borrosa con el tiempo, también se desgasta. Un instante apenas, aquí, junto a la inolvidable y nunca vista mata de margaritas que todavía no se ha marchitado, y ambos se desvanecen en el aire mientras intercambian un saludo convencional, el inspector Galván con el cigarrillo en los labios y una mano apoyada en la pared, la otra en el bolsillo de la americana o tocándose levemente el ala del sombrero, siempre un poco envarado y galante, y nuestra pelirroja con el hombro apoyado en el quicio de la puerta, la mirada lánguida y la mano yerta y paciente sobre el delantal que cubre su barriga.

–Uf. Usted otra vez.

–No la molestaré mucho rato. Hace mucho calor. ¿Cómo se encuentra hoy, señora Bartra?

–Regular solamente. Éste se ha pasado todo el santo día con hipo. Habrá tragado mucha agua –y sonríe al añadir–: En eso por lo menos no se parece a su padre.

–Está de broma.

–¿Usted no sabe que en el útero los bebés tienen sed y tragan y tienen hipo como nosotros? ¿No? Pues ahora ya lo sabe.

–Vaya. Es usted una mujer como no hay otra.

Se preguntará ella por enésima vez si es prudente invitarle a pasar, y me gustaría poder decirle que no, no lo hagas, mamá.

–Chitón y pórtate bien… Hablo con el niño –aclara y añade–: Inspector, usted sabe algo de mi marido que no me quiere contar.

–¿Qué le hace pensar eso?

–Muchas cosas. Su manera de comportarse conmigo… Sabe que estoy en lo cierto. Venga, confiéselo.

Apenas un instante apresado fugazmente, como en un parpadeo premonitorio de los ojos de mi hermano saliendo del oscuro cuchitril de revelado del fotógrafo Marimón con las uñas amarillas y el corazón furioso, mucho antes de llegar a casa y viendo ya la mano del policía removiendo otra vez tontamente las margaritas, oyendo ya el timbre de la puerta del consultorio antes de que el dedo pulse el botón y viendo a mamá abrir esa puerta antes incluso de oír el timbre, todo eso para llegar y quedarse merodeando al otro lado de la casa, entre el barranco y la puerta de noche. Seguro y firme al borde del abismo, solo o en compañía de Paulino y sus maracas, demora lo más que pueda volver a casa porque sabe que el poli ya está aquí obsequiándola por ejemplo con dos pastillas de jabón de olor que acaba de sacarse de un bolsillo de la americana, mientras del otro saca una bolsita de torrefacto, y, haciendo caso omiso de los reparos de ella, que se resiste a aceptar los obsequios, con mal disimulada sequedad dice cójalo usted y haga el favor de callarse, señora Bartra, yo sé lo que le conviene. La vida está muy difícil… Y se queda allí de pie junto a la mesa camilla, alto, corpulento, tieso como si se hubiera tragado una escoba, mirando a mamá como queriendo entender algún enigma en sus palabras o en su aspecto, como deseando ponerse de acuerdo con ella en algo importante o tal vez solamente esperando oírle decir siéntese, haga el favor, precisamente acabo de hacer un poco de café del que usted me trae... ¿Dice que no hay novedad? No puedo creer que una policía tan eficiente como la que tenemos, con su reconocido olfato para cazar peligrosos anarcosindicalistas y rojos separatistas, no haya avanzado nada en este asunto, y que usted todavía esté en Babia.

Trae del aparador otra taza con su platillo, la deja en la mesa camilla junto a la suya y se sienta frente a él, dispuesta a sacarle lo que sepa del asunto que a ella le interesa. Después de llenar su taza, se sirve nuevamente.

–Debería usted controlarse un poco con el café –opina el inspector–. Es un excitante. No sé si hago bien proveyéndola de tanto café...

–La verdad es que me viene de perilla. Hay días que al levantarme de la cama, si no puedo tomarme una buena taza de café, no valgo para nada, no carburo, que dice mi hijo.

–La creo. A mí me pasa igual.

–Dos terrones, ¿verdad?

El inspector mira la mano de la pelirroja suspendida sobre los terrones de azúcar, parece dudar.

–Dos.

–Yo medio, el médico me ha prohibido el azúcar –bebe un sorbo y vuelve al tema que le interesa–. Así que nada de nada. Pero, ¿ni siquiera un indicio, por mediación de algún confidente? Ustedes se sirven de confidentes habitualmente, ¿no?

–Así es.

–¿Me invita a un cigarrillo rubio? Haga el favor.

A través de la espiral azul del humo, la pelirroja guarda silencio y observa al inspector. Una ansiedad mal controlada sofoca su voz.

–Gracias.

–Ustedes, los de la Social, saben algo de mi marido y no me lo quieren decir.

–¿Qué le hace pensar eso?

–Seguro. Habrán verificado todo lo que desmentí respecto al expediente, y seguro que ya saben más cosas.

Después de un instante de vacilación, el inspector admite que hay noticias, pero alega que no está autorizado a revelarlas, y que en realidad carecen de interés. Que no son en absoluto malas noticias, añade, de modo que no debe preocuparse. Víctor Bartra se halla todavía en paradero desconocido y presumiblemente bien de salud, eso es todo lo que él puede decir al respecto.

–¿Cómo sabe usted que se encuentra bien?

–Sabemos donde ha estado escondido estos últimos meses. Lo sabemos con toda seguridad. Y es de suponer que le va bien.

–¿Dónde ha estado? ¿Y por qué supone que le va bien?

El inspector tarda un poco en responder, y cuando lo hace, una flema malhumorada y con su punto de tristeza, se le enreda en la voz.

–No puedo decirle más, por ahora. Prometo informarla puntualmente en cuanto me sea posible. Le repito que todo va bien, mejor de lo que usted se imagina… Ahora, si me lo permite, quisiera hablarle de otra cosa…

Sentados a la mesa camilla, platicando bajo la luz mortecina del atardecer que entra por la ventana, tomando café y fumando con una parsimonia artificiosa y delicada, preconcebida y de algún modo hasta cómplice, como si en esa creciente penumbra del recibidor-comedor improvisado en un antiguo consultorio médico estuvieran ambos parodiando a sabiendas y en secreto un rito social proscrito, formas abolidas de convivencia y entendimiento: la ilusión engañosa, hoy lo sé, de futuro, cuando ya no queda futuro para ninguno de los dos y persiste en torno el desgaste de los afectos. Es la hora en que muere la tarde y las sombras invaden los hogares del barrio con extraña morosidad, con una puntual y familiar aflicción, sobre todo si es domingo.

El carmín intenso en los labios de mamá y otro cigarrillo entre sus dedos. Mira al inspector de refilón cuando él enciende una cerilla por segunda vez. Al inclinarse sobre la llama con el pitillo en la boca, él también se inclina y percibe, seguro que lo percibe intensamente, el aroma de sus cabellos limpios y rojos recogidos en la nuca en un desbaratado moño.

–A propósito –dice el inspector después de soplar la cerilla–. ¿Por casualidad ha visto mi mechero por aquí?

–¿Lo ha perdido? Pues aquí no. Lo habría visto. ¿Cuándo lo echó en falta?

–El día que me llevé al perro. Me fastidia mucho. Se me caería a saber dónde, suelo quitarme la americana y dejarla por ahí... Lo he buscado por todas partes y no aparece por ningún lado –añade un tanto atolondradamente.

–Si lo ha buscado por todas partes –dice mamá con su tonillo de chunga–, habría aparecido en algún lado. Se expresa usted de manera muy divertida, inspector.

–Bueno, yo no he sido maestro de escuela, no hilo tan fino. La verdad es que lamento mucho la pérdida del mechero, era un regalo de mi hija.

–¿Tiene usted una hija? –dice mamá con la voz neutra y los codos en el aire, recogiendo con los dedos un manojo de pelo rojo encrespado en la nuca.

Así, al hilo del Dupont extraviado y esa hija a la que el inspector se ha referido por vez primera, ella sabrá cosas de este hombre que nunca pensó que podrían despertar su interés. Sabrá que la niña se llama Pilar y es hija única y va a cumplir quince años, y al rato sabrá también que el inspector enviudó hace cinco años y acaba de cumplir cuarenta y dos, que vive no muy lejos de aquí, en la calle Miguel Sants, más arriba de la plaza Sanllehy, y que antes de ser funcionario de policía había sido catador de vinos.

–¡No me diga!

–¿Le sorprende? Pues sepa que es una profesión muy respetable... Aquí donde me ve, aún sería capaz de determinar la fluidez y consistencia de un vino –añade con una chispa de orgullo en los ojos– con sólo inclinar la copa y dejarlo reposar.

–¿Ah, sí?

–Sí no se pega al cristal, es un vino ligero. Si resbala como una lágrima, despacio, es un vino consistente...

–Vaya –sonríe mamá–, creo que todo eso habría interesado a mi marido... –su voz se debilita, se lleva la mano a la frente, cierra los ojos–. No me haga caso. A veces me dan ganas de reírme de todo...

–¿Se encuentra bien? –dice el inspector.

–No es nada –bebe un sorbito de café–. Siga, por favor.

Cuando estaba estudiando todo eso sobre los vinos, le explica, aún no había ingresado en el Cuerpo y tenía novia, una chica de Algeciras que servía en la misma pensión donde se alojaba él, en Madrid. Se había matriculado en Enología y Viticultura porque quería ser catador de vinos, su padre era capataz de unos viñedos en Valdepeñas. Se casó y durante unos años todo fue bien, nació la niña el día del Pilar y por eso se llama Pilar, pero luego con la guerra vinieron todos los males, su padre y su hermano mayor emprendieron un viaje a Burgos con el dueño de las bodegas y parece que se toparon con una patrulla y nunca más se supo de ninguno de ellos. Llega por fin la paz y regresa a Valdepeñas, pero se encontraba sin trabajo y además al poco tiempo enviuda y se queda solo con una niña de diez años, enemistades y deudas, un rosario de desgracias, así es la vida. Por recomendación de un coronel de los Servicios de Información, a cuyas órdenes había estado en Burgos, pide el ingreso en el Cuerpo de Investigación y Vigilancia, que muy pronto se convierte en la Brigada Político-Social, es destinado primero a Bilbao y poco después a Barcelona, adscrito a la VI Brigada Regional...

–En fin, no sé por qué le cuento todo eso...

–Deme otro cigarrillo, haga el favor.

–El último. Ni se le ocurra pedirme más, por hoy al menos.

Después, escudada detrás de las volutas de humo azul, ella le observa con curiosidad mientras habla. Sobre la mesa camilla, junto a *Guerra y paz* y el cenicero puesto encima, detrás de las tazas y la cafetera de porcelana, la lámpara de pantalla amarillenta ya encendida compite con la luz del ocaso en la ventana, y la voz del inspector es ahora apagada y áspera, algo meliflua a ratos, pero su postura en el sillón sigue sin perder la envarada tensión interior, sentado en el borde y como a punto de irse a la menor indicación. Seguramente ve llegado el momento cuando ella suspira y se levanta con fatiga y dice voy por mis píldoras. Al volver del dormitorio se sienta de nuevo con gesto cansado y una mueca resignada de dolor o de fastidio, y, viéndola así, repentinamente abatida y vulnerable, pero hermosa a pesar de todo, él ha de pensar qué sola y atribulada y qué infeliz debe sentirse esta mujer en no pocas ocasiones, por supuesto sin atreverse a decirlo.

–Ya lo ve –dice ella, como si le adivinara el pensamiento–. Ahora mismo mi marido podría estar aquí conmigo, y sin embargo no está, ni siquiera sé dónde para. Pero, ¿sabe usted una cosa?, cuando de noche, en sueños, tanteo su brazo para apoyarme en él, siempre lo encuentro.

El inspector asiente y farfulla roncamente todo irá bien, señora, esta mala racha pasará, sintiéndose repentinamente irritado consigo mismo por no acertar a expresarse mejor y lamentando en secreto la violencia soterrada de su voz. Acaso por vez primera, el poli siente las palabras en su boca como si destilaran un ácido. Inclina la cabeza y observa los pies de la pelirroja con sus zapatos de verano formando un ángulo abierto en torno a la ausencia de Chispa.

–Por cierto, aún no me ha dicho qué pasó después que me llevé el perro. Cómo se lo tomó su hijo.

–No se lo puede usted figurar. Muy mal. Ya sabía yo que le iba a afectar mucho.

–Es comprensible. Estos animales se hacen querer. Se le pasará, no se preocupe.

–Dice que si puede usted devolverle el collar y la correa. Y quiere saber dónde lo enterró.

–Bueno, lo dejé todo en manos del veterinario. Creo que hay un servicio municipal de recogida de animales muertos, y en tal caso… Me enteraré. El collar y la correa seguramente los tiraron. Si quedaron allí, los traeré.

–A David le haría ilusión conservarlos.

–Eso demuestra que el chico tiene sentimientos –dice él, y vuelve a notar en la boca la herrumbre de las palabras.

–De todos modos creo que nos hemos equivocado, inspector.

–¿A qué se refiere?

–No debí hacerle caso. Hemos convertido a ese pobre chucho en una víctima. A David no se le va de la cabeza.

–¿Una víctima de quién? Le estamos dando demasiada importancia a una cosa que no la tiene, señora Bartra. Se trata de un animal, sólo eso.

–Las víctimas, sabe usted, ya sean animales o personas, se instalan en la memoria y acaban siendo un incordio… ¿No está de acuerdo?

El inspector parece no haber oído. Da vueltas a la caja de cerillas entre sus dedos.

–El chico olvidará –dice poniendo ahora una mayor convicción a sus palabras–. Es ley de vida. Se lo ha tomado a la tremenda, y sé muy bien por qué. Ha sido por haber intervenido yo, porque yo la ayudé a deshacerse del animal. Por eso ha sido –y no dice más. Se ha prohibido a sí mismo exponer crudamente lo que sabe y lo que piensa de David, al menos por el momento. Está secretamente satisfecho de su discreción en este asunto, íntimamente ufano de su cuita por evitarle a la pelirroja una pena y una vergüenza, se siente el poli como si estrenara un sentimiento nuevo, una emoción desconocida–. De todos modos habrá que estar atentos –añade al rato–, no sea que el disgusto por la muerte de ese perro le lleve a cometer un disparate. Convendrá usted conmigo que el chico es algo especial, un pelín farsante, y con un carácter…

–Es un buen hijo. No olvida a su padre, se gana su semanada y me va a por el racionamiento, aguanta las colas que le echen y me ayuda en las faenas de la casa… ¿Qué más se puede pedir?

–Sí, eso está muy bien. Pero una niña habría sido para usted de más ayuda. Digo yo, no sé lo que usted esperaba… Recuerdo que

221

mi mujer, que en gloria esté, deseaba una niña durante el embarazo, siempre dijo que sería una niña. Y fue una niña.

–Yo no deseaba nada. Yo era una mujer soltera –dice ella con la mayor indiferencia, mientras con la mano intenta enderezar la maltrecha pantalla de la lámpara.

A su lado, el esbelto florero de cristal color violeta, vacío, muestra una grieta finísima en forma de relámpago que lo recorre de arriba abajo. La radio apagada tiene un aire torvo, y el hule de la mesa grande está gastado, no hay nada en el entorno que sea relevante ni merecedor del menor comentario, y sin embargo, bajo la mirada serena pero firme y posesiva de ella, todo adquiere repentinamente otro aspecto. Llevándose la mano atrás, ahora intenta acomodar el cojín entre su espalda y el respaldo, cuando siente la tensión de la piel del vientre y se le escapa un gemido. El inspector se levanta en el acto.

–Permítame –ya tiene el cojín en sus manos y lo está ahuecando con cierta premura mal controlada.

Si este hombre se atreviera a formular verbalmente la angustia que le causa la menor señal de sufrimiento en el rostro o en la voz de mamá, si hubiese dejado entrever sus sentimientos alguna vez en el transcurso de una de estas primeras tardes, estoy por decir que tal vez me habría compadecido de ambos y me habría acurrucado muy quietecito en mi rincón para no molestar. Pero lo único que hace ahora es pegarle puñetazos al cojín y colocarlo de nuevo en su sitio. Ella se recuesta despacio agarrada a los brazos del sillón y diciendo:

–No sé si hago bien quedándome tanto tiempo sentada. El médico dice que me esté en la cama. Figúrese, con el trabajo que me espera... Es verdad que le tengo mucho miedo al embarazo hipertrófico.

–No sé qué es –dice el inspector.

–Cuando el feto no se desarrolla ni se echa fuera. Conozco a una mujer que llevó dentro un embrión durante quince años.

–Caramba.

–Se acabó el café –dice ella apurando en la taza del inspector lo que quedaba en la cafetera. Observándole con el rabillo del ojo, añade–: No me mire así, inspector. No me gusta que me compadezcan. Seguro que se está preguntando cómo se las apañará esta mujer, sola y preñada y con mala salud, para sacar adelante a su hijo y llegar a fin de mes cortando y cosiendo falditas y blusitas, a veces a la luz de una vela… Pues mire, ni yo misma lo sé.

El inspector medita unos segundos lo que va a decir.

–Bueno, ha recibido alguna ayudita, señora Bartra. Y lo celebro.

–¿Alguna ayudita, yo?

–Sí, usted, no se haga de nuevas… En su día hablé con el acomodador del cine Delicias, que fue amigo de su marido. El hombre estaba muy enfermo. Admitió que por mediación suya, Víctor Bartra se comunicaba regularmente con usted. Al parecer su marido dejaba o hacía llegar cartas al buzón del tal Augé, y supongo que la ayuda venía por ahí.

–Es cierto –dice mamá–. Me llegaban cartas y algún dinero, pero Víctor nunca me hizo saber dónde estaba. Y el dinero, bien poquito.

–¿Sabe usted de dónde procedía ese dinero?

–Pues no.

–¿Quiere saberlo?

–No… Además, esto se acabó mucho antes de que ustedes detuvieran al señor Augé y lo ingresaran en el Hospital del Mar.

–Lo sé.

Ahora la pelirroja mira al inspector con extrañeza, como si no diera crédito a sus ojos.

–Usted lo sabía hace tiempo... Sabía que Víctor me hacía llegar algún dinero. ¿Por qué nunca me preguntó nada sobre este asunto?

–No le di importancia. Ni siquiera lo he consignado en mis informes –dice el inspector consultando su reloj–. Además, usted misma lo ha dicho, esos contactos se acabaron hace tiempo. Aunque yo que usted no me preocuparía mucho, seguramente su marido encontrará otro medio de enviarle noticias, y acaso también algo de dinero.

–Ojalá, pero no lo creo –dice mamá secamente, algo tensa, levantándose del sillón–. Pero si así fuera, no espere usted que se lo diga.

–Ni yo se lo pediría –dice el inspector levantándose también–. Puede estar tranquila en cuanto a eso, señora Bartra. No se hará nada que pudiera perjudicarla, ni a usted ni al chico –dice con una voz ahora trabada y tabacosa, que le sale del pecho más que de la garganta–. Tengo que irme. No se moleste, haga el favor –añade tendiéndole la mano.

Pero ella ya está junto a la puerta y allí estrecha su mano con aparente desgana y los ojos bajos, que ocultan una zozobra inoportuna. No parece una mala persona, vaya, no lo es. Al abrir la puerta y dejarle pasar, nota la voz y el aliento del inspector muy de cerca.

–Gracias por el café –dice él parado en el umbral–. Y acuérdese de mi encendedor.

–Volveré a mirar, pero seguro que no lo perdió en casa...

–Lamento que su hijo no esté. Me habría gustado explicarle que el sacrificio de su perro fue lo mejor para todos. Y que no sufrió.

–Otro día –sugiere la pelirroja, con los ojos todavía en el suelo.

–Sí –dice el inspector apartándose de ella, cruzando por fin el umbral–, otro día.

El callejón es como un brazo encogido y sarnoso desgajado del barrio en su extremo más oriental y más despoblado, y a veces, cuando lo transito acurrucado en mi burbuja, yendo o viniendo de la consulta en la Maternidad o de los tenderetes del mercadillo, parece que hasta los gatos lo hayan abandonado. Agosto es un mes que huele a chamusquina por los cuatro costados, nunca me gustó. El corro de chavales sentados en una esquina dirías que no se ha movido de allí en todo el verano y que sigue desovillando la misma enmarañada aventi de siempre bajo el sanguíneo esplendor de una buganvilla, pero David ya no la escucha ni la habita, esa aventi hace tiempo que lo abandonó y ahora él va caminando solo por la calle con las manos en los bolsillos y una margarita en el pelo, siempre con su aire friolero y entumecido a pesar del calor, siempre con esa pinta de niño extraviado en el bosque pero atento a una voz que le guía en la oscuridad, nadie pensaría que camina con un grillo criminal en los oídos y una nube de sangre en el horizonte, indiferente al vecindario y a las consabidas habladurías, pero no a las voces; porque detrás de los dimes y diretes sobre la costurera y el fugitivo señor Bartra había siempre el plañido de una derrota común, la música machacona y triste de un agravio compartido por muchos, y esa música es lo único que él escucha.

Los domingos el callejón se anima y mi hermano pasa rápido evitando el trato de las vecinas deslenguadas y sus preguntas insidiosas, sus conocidos meandros para entablar conversación y tirarle de la lengua con falsas zalamerías, David, guapo, ¿ya sabes que pronto vas a tener un hermanito?, ¿dónde está tu padre?, ¿y qué le quiere a tu madre un día sí y otro también ese policía tan alto y bien plantado?, y a ti, bonito, ¿qué te gustaría ser de mayor?

Shirley Temple con sus tirabuzones de putilla viciosa.

Se ríen de la ocurrencia con la boca torcida. No deseo extenderme aquí sobre este asunto, no sabría, sólo dispongo de rumores –si mi hermano me oyera, me mataría– y en esos rumores me baso. Me habría gustado comentarlo con mamá cuando su pulso latía con el mío, cuando sólo podía escucharme con el corazón. Puesto que eso nunca fue posible, prefiero callarme lo que pienso. Sólo diré que David, cuando se lo proponía, era dulce y cariñoso y el mejor amigo de sus amigos. Si no que lo diga el aprendiz de barbero, el gordito de las maracas.

–Es verdad –dice Paulino con la voz llena de mocos y sangre–. Eres el único que no se pitorrea de mí. El único.

–Yo es que me pitorreo de otra manera. Digan lo que digan, no pareces una nena. Ni de lejos, Pauli. Así que no te hagas ilusiones.

–Claro, con mi cabeza rapada… Tú sí que tienes un pelo bonito. Ma-ra-vi-llo-so.

–¿Me pagas el cine? Ya no puedo entrar gratis, ahora hay otro acomodador.

–Si nos la pelamos juntos, mañana te invito. Ponen una de miedo.

–¿Tienes dinero? ¿Cuántas barbas has hecho hoy?

–Trece.

–El número de la mala suerte.

–Mejor trece que doce, chatín.

En cuclillas, las maracas en la espalda sujetas con el cinturón, el gordo Paulino esgrime su navaja barbera. David le hace una seña.

Antes que la lagartija se deje ver tomando el sol sobre las piedras, antes incluso de salir de su escondrijo, David ha oído sus patitas removiendo la tierra y ha visto su palpitante vientre lechoso y sus ojitos girando como bolitas de acero entre el agobio herrumbroso de los párpados. Aquí la tienes, dice, y cuando sale y se queda quieta bajo el sol, Paulino se acerca despacio y le echa la mano gordezuela encima, la sujeta y de un tajo le corta el rabo sobre la piedra. Luego la suelta.

–Lagartija, qué bonita eres, lagartija –entona Paulino–. La naturaleza ha sido generosa contigo.

–¿Qué chorradas dices?

–Lo he leído en *El libro de la selva*.

Mientras observa agitarse el rabo en la palma de la mano, David se agacha para atarse el cordón del zapato y entonces oye nuevamente y con toda nitidez el disparo y el último, lastimero aullido de Chispa. Media legua sería, media legua arriba en el mismo lecho del torrente, más allá de las huertas. La secuencia se despliega entera ante sus ojos en menos de un segundo: primero oye el tiro, cuyo eco baja por el torrente y resuena, apagado, aquí en el barranco, después ve el orificio de la bala en la cabeza, el horror de la sangre y el desplome en tierra de aquel pobre saco de huesos, y finalmente vislumbra también la pequeña tumba todavía improvisada al amparo de la oscuridad, un montoncito de arena húmeda en el mismo cauce del torrente. El emplazamiento de la tumba no acaba de verlo claro, pero desde ese día no conseguirá apartar de sus ojos el fogonazo del disparo ni quitarse de encima el olor de la pólvora. De pronto se incorpora como impulsado por un resorte, dejando el cordón del zapato sin atar. Desgraciado hijo de puta, dice y lo busca con los ojos de miel enrabietados.

–¿Qué pasa? –dice Paulino–. ¿El fantasma de tu papá otra vez?

David se vuelve despacio dejando abierta la puerta de los sueños.

-Quién sabe -lo presiente cerca y en cuclillas, arrimado a los helechos que peina el viento en la orilla, empinando el codo con los
pantalones bajados y dos rajas en el culo, la una soltando sangre,
que apenas puede atajar con el pañuelo, y la otra dejando asomar
un buen cagarro-. Está cagando y arreglando cuentas con el pasado
-susurra con la vista en el suelo-. Para llorar, chaval. ¿O no? Se lava la herida y el ojete en la corriente de agua cuando baja arras-
trándolo todo a su paso con furia...

-¡Hala, vaya trola! -exclama Paulino-. ¡Pues no hace tiempo ni
nada que por aquí no baja el agua con esa furia que dices!

-Que te crees tú eso. Si te tiras un pedo, verás salir burbujas. Yo
las he visto salir del culo de mi padre. Qué vergüenza, ¿no? -David
ve una mariposa de alas amarillas posada en una mata de espliego-.
¿Te vale esta mariposa?

-No -dice Paulino-. Recuerda lo que dijo el curandero pirado
del Cottolengo: mariposas amarillas con una pinta roja en cada ala.

-Todavía no he visto ninguna. Venga, se acabó la caza. Vámo-
nos al Delicias.

-Hoy no. Mañana, en la matinal. A las ocho tengo que estar en
casa del tío Ramón, así que nos encontramos a las diez en la puerta
del Delis.

-¿Cuándo le cortarás los huevos al legionario con esta navaja
tan fermi que tienes? -dice David-. ¿Cuándo dejarás de ser un cagueta, gordi?

Los brazos animosos de la pelirroja se levantan al cielo para ten-
der la colada y su piel mojada recoge toda la luz de la mañana. Ya
son eternas estas mañanas radiantes que imagino alcancé solamente

a presentir en la tensión esperanzada de su vientre y en las pulsiones de la sangre, en el secreto estremecimiento de su sensualidad dormida, en el zumbido de las abejas en torno a ella y en el olor de la lejía perfumando el aire, y no me olvido de la proximidad silenciosa y expectante del policía, que ya en ninguna de sus visitas deja de traernos algo bueno; ninguna noticia todavía sobre el paradero del collar y la correa de Chispa, pero sí un par de botes de leche condensada o la bolsita de trescientos gramos de café tostado, sin moler, o unos panecillos de Viena, o simplemente una rosa blanca de largo tallo envuelto en papel de estaño. ¿Estás segura de querer aceptar esta rosa, mamá? ¿Dónde la vas a poner, si quieres que David no la vea?

–Tú quieto –dice ella con la nariz entre los pétalos.

–¿Decía usted? –pregunta el inspector.

–Hablo con mi hijo. Creo que el aroma de las rosas lo marea…

Veo a David en su salto al barranco, paralizado un instante en el aire con los brazos en torno a sus piernas dobladas y apretadas contra el pecho, también él en posición fetal pero bajo un cielo azul, y veo la lagartija dormitando en el tronco podrido y abatido de un roble que las aguas de ayer trajeron aquí, y veo las hormigas enfilando y el musgo que verdea en el repliegue de una roca, la zarza que dejó una cicatriz en la cara de papá, su triste nalga rajada y las pálidas lenguas de arena que dormitan intactas en el cauce del torrente con su escritura de ondas simétricas y paralelas.

Bajo los ramalazos intermitentes de luz de luna, la peluda joroba del Hombre Lobo se estremece abriéndose paso entre la niebla.

–Ya estás cagado de miedo –susurra David.

–Eso tú –replica Paulino en la oscuridad.

–No entiendo esta perra que te da por las películas de miedo, si luego estás temblando todo el rato.

–Que no es eso. Que es que no me puedo aguantar el asco que me da tragar la sangre de la nariz, y me viene la tos…

–¡Has ido a afeitar la barba del cafre de tu tío, y él te ha afeitado las almorranas del culete, a que sí!

–Ejem, ejem. ¿Nos sentamos más atrás?

–Cierra los ojos, anda, que ya sale otra vez la luna llena. Y aguántate la tos, ondia, que no me dejas oír.

–Y qué quieres que le haga.

Aparece en pantalla la horrible espalda peluda y un estremecimiento sacude a Paulino de la cabeza a los pies. Tose y escupe en el pañuelo.

–Con lo bien que estábamos –se lamenta David.

–¿Qué quieres decir? –farfulla Paulino con la voz gangosa, como si la sangre bloqueara su nariz y su garganta.

–Pues que ahora que ya se me iba el silbido de serpiente, o casi, porque irse nunca se me va del todo, ahora empiezas tú con la tos. ¡Así cómo voy a enterarme de la peli!

–Es que tengo la napia llena de sangre por dentro, qué quieres que le haga.

Encogido en la butaca, mira a su amigo con el rabillo húmedo de sus grandes ojos bizcos. David recordaría siempre esas miradas en la oscuridad del Delicias buscando comprensión y consuelo para sus terrores, sobre todo para el más íntimo y secreto de ellos, no el que en la pantalla le causa la luna llena asomando tras las nubes viajeras, o los aullidos del Hombre Lobo anunciando otro espantoso crimen en las nieblas del pantano, sino el otro pavor que se tiene a sí mismo empuñando la navaja barbera.

–Estás temblando, gordi.

–¿Ya se ha transformado en lobo? No quiero verlo.

–¡Serás panoli! Cierra los ojos.

–¿Qué pasa ahora?

–El señor Talbott se ha extraviado en el pantano.

–¡No quiero verlo, no quiero!

Su respiración es un burbujeo gutural que compite con los gruñidos del señor Talbott.

–Piensa en un campo de trigo con muchas palabartijas y amapolas –dice David–. Yo lo hago antes de dormirme.

–¿Y ahora quién está aullando?

–No mires todavía.

Un fuerte olor a linimento florece en el pecho de Paulino y su camisa abierta deja ver el brillo apagado de una medalla de plata. Inclina la cabeza del lado de David.

–¿Puedo coger tu mano? ¿Me dejas?

–Bueno. Pero un minuto.

–Déjame ver tus uñas. ¿Hoy son marrones o amarillas…? Asquerosillas, mira.

–Ahora mantén los ojos bien cerrados si no quieres morirte del susto –David husmea la proximidad de su amigo y arruga la nariz–. Hueles a pierna de futbolista.

–Es el linimento Sloan. ¿No te gusta? Mi tío lo gasta a chorros después de hacer gimnasia –dice con la voz deprimida–. Hoy me ha empastifado las piernas.

–¿Crees que eso te va a curar? ¿Por qué le dejas hacer, bobo? La primera vez que vi a tu tío lo calé –gruñe David evocando al hombre del labio partido y el salacot blanco que un día vio con la manaza posada en la nuca de Paulino como quien acaricia a un niño que se dispone a vomitar–. Ándate con cuidado. Te dejo apoyar la cabezota en mi hombro, va, si quieres… Ahora quieto. ¿Estás mejor así?

–Un poco mejor.

–Te avisaré cuando debes abrir los ojos, cuando el Hombre Lobo se haya convertido otra vez en el señor Talbott...

–Sí, cuando todo haya pasado.

–¿O también el señor Talbott te da miedo?

–No... Bueno, si te fijas bien, el tío es casi igual de feo que el Hombre Lobo –al oír la risa de David, Paulino suelta también su risa nerviosa, que acaba en tos, y añade–: No lo hago queriendo, perdona.

–Ya lo sé, cabeza de melón, ya lo sé.

Se corta la película y se encienden las luces, y David aprovecha para ir a los urinarios.

–Te acompaño –dice Paulino.

–No –responde David–. Quédate por si viene alguien y pregunta por mí.

Mientras orina de cara a la pared, pisando una mugre viscosa y leyendo las blasfemias anónimas trazadas a lápiz y a punta de navaja, presiente que Chispa le mira desde alguna parte con sus ojillos tristes medio ocultos entre las greñas, y de pronto se echa a llorar desconsoladamente. Y así permanece un rato, mirando la pared acuchillada y pensando en Chispa, con la pilula fuera, sacudiéndola mientras llora.

En la sala se reanuda la proyección con voces guturales y una música macabra. David se mira en un espejo leproso, restriega sus ojos frenéticamente con el dorso de la mano y regresa junto a Pauli, que con gesto desfallecido reclina de nuevo la cabeza en su hombro olisqueando la tiniebla. ¿Y qué hace David, o qué se deja hacer, mientras pone toda su atención en los desmanes del señor Talbott bajo el influjo fatal de la luna? Se limita de vez en cuando a apartar la cara alejando sus narices del suave olor a azufre que desprende el cráneo afeitado del amigo, evitando su halitosis con resabios de sangre y espasmos de tos apenas reprimida. Hasta que siente la mano tanteando su muslo y la voz empastada:

–Qué piel tan fina. Ni un granito, ni un pelo, nada. I-nol-vi-da-ble.

–Pollas en vinagre.

–¿Y ese bultito?

–¿Qué bultito?

–Aquí, en el bolsillo.

–Ah. Un encendedor.

–¿De dónde lo has sacado? ¿Me lo dejas ver?

–Es un Dupont dorado. Me lo encontré.

–¡Hosti, nano, vaya chiripa! ¿Dónde?

David medita un instante.

–No te lo digo.

–¿Por qué no, chatín?

–Porque hay que andarse con cuidado. Si dices la verdad, te descubren enseguida.

–¿Te descubren enseguida…?

–Además, es un Dupont de pacotilla. Es falso, ¿no lo ves? Aunque a mí me da igual. ¡Míralo, tontolhaba!

Esgrime el encendedor ante la nariz tumefacta y, en un gesto muy estudiado del pulgar, levanta la tapa con la yema del mismo dedo, hace girar el eslabón estriado sobre el pedernal y brota la llama en la yesca. Por un breve instante, con el cálido metal del encendedor en el puño y frente a esa llama que atrae la mirada bizca de Paulino, David se siente invencible y eterno. Luego empuja la tapa con el mismo pulgar, ¡clinc!, y la llama se apaga. Desprendiéndose suavemente del foco de luz plateada que emite el proyector, una sombra azul se posa a su lado, en el pasillo lateral.

–Ven conmigo, chaval –dice la sombra con la voz ronca.

Un hombre joven, embutido en un mono sucio de grasa, apoya la mano sobre el hombro de David, lo coge por el cuello de la camisa, lo levanta de la butaca y lo conduce pasillo arriba hacia la salida. David lo mira con el rabillo del ojo: es el proyeccionista. ¿Ha abandonado la cabina y le suple alguien allí en este momento, o es que hoy le toca turno de noche? Topando con la mohosa cortina verde de la entrada, el hombre se para y saca del bolsillo un sobre de carta cerrado y arrugado.

–Escóndelo –dice al entregárselo–. ¿Sabes de qué va la cosa?

–Sí, señor.

David esconde el sobre entre el pecho y la camisa con la misma premura y la misma secreta emoción que cuando lo recibía de manos del señor Augé.

–A partir de ahora –dice el proyeccionista–, me encargo yo. ¿Estamos, chico?

–Sí, señor. ¿Qué pasará con el señor Augé?

–No lo sé. Dile a tu madre que le estoy supliendo en las entregas, pero por poco tiempo. Que tengo otras responsabilidades. Y no vengas a la matinal. El primer sábado de mes.

–El señor Augé se va a morir, ¿verdad? –dice David–. Por eso me regaló su perro.

–Es lo mejor que podría pasarle.

–¿Al perro?

–A los dos. Pero yo no sé nada. No quiero saber qué contienen los sobres ni de dónde vienen. Los dejan en taquilla para tu madre, eso es lo único que sé. Y tú también. ¿Has comprendido?

–Sí señor.

–He de volver a la cabina. No lo olvides: el primer sábado de mes. Pero no me busques, no subas nunca a la cabina. Yo te encontraré.

234

–Sí señor.

David se aturulla, un montón de preguntas se atropellan en su boca. Acierta a ver en la penumbra el fulgor de las pupilas del proyeccionista, sus manos sucias de grasa y la punta de un trapo también engrasado que asoma por uno de los bolsillos del mono.

–Usted es Fermín, ¿verdad?

–Ése es mi nombre. Pero no me lo gastes mucho.

–Quería pedirle una cosa. El señor Augé me dejaba entrar en el cine gratis, pero el nuevo acomodador no me conoce.

–Dile que vienes de parte mía y te dejará pasar.

–¿Puedo traer a un amigo?

–Sí, hombre. Ahora vete y cuidado no pierdas el sobre.

–La peli no ha terminado.

–Está bien. Pero luego a casa pitando.

Un amigo de mi padre, le dice a Paulino al volver a su lado. Nuevamente la luna llena, lenta y emboscada, atraviesa la noche de un extremo a otro de la pantalla, y Paulino cierra los ojos, se estremece y extiende las garras. Ambos se ríen, juegan a ser valientes en la oscuridad y a rebujo de la película, mezclando sus risas con los aullidos del señor Talbott.

–Hay mucho resentimiento hoy en día, es verdad, para darse cuenta basta con salir a la calle y hablar con la gente, pero ese resentimiento viene porque muchos están pagando errores pasados. Quiero decir que casi todo el mundo tiene algo que ocultar… Vivimos una época terrible, señora Bartra. Con sólo decir la verdad, ya le estás buscando la ruina a alguien.

–Cuando habla de la verdad –dice la pelirroja con sorna–, naturalmente se refiere usted a la verdad que sustenta el régimen. Pues mire, ya la conocemos, esa verdad: todos culpables, todos pecadores, todos dignos de lástima y merecedores de penitencia. Ciertamente, así no hay posibilidad de errar al impartir justicia.

–Está pensando otra vez en su marido.

–No, señor, no estoy pensando en mi marido –responde ella mientras llena las tazas de café–. ¿Dos terrones?

El inspector Galván asiente sin dejar de mirarla. Cuando empieza a remover el café con la cucharilla, se decide a hablar con la voz ligeramente impostada, la más suave.

–¿Sabía usted que hasta hace muy poco yo tomaba mis cafés, en el bar al lado de Jefatura, siempre sin azúcar? Ni dos ni uno ni medio terrón, nada, ni un gramo. Pues bien, ¿recuerda la primera vez que me invitó? Usted me preguntó si lo tomaba con azúcar y yo le dije que sí, todavía no sé por qué. Me di perfecta cuenta y podía haber rectificado, pero no lo hice, y acto seguido usted me preguntó ¿un terrón o dos?, y yo le dije dos, y tampoco sabría explicarle por qué le dije dos… Fue algo muy extraño, y todavía hoy me pregunto qué me indujo a hacer tal cosa.

Después de un silencio, la pelirroja dice:

–Pues usted sabrá.

–Supongo –titubea el inspector– que no deseaba contrariarla.

–Qué tontería. ¿Por qué iba a contrariarme que tomara usted el café sin azúcar, si es así como le gusta?

–Ya le digo, no tiene ninguna explicación.

–En fin, qué más da.

–Es que nunca me había pasado una cosa así –insiste el inspector–. Nunca.

–Bueno, estaría usted distraído, pensando en otra cosa…

–No, no estaba pensando en otra cosa. Es muy extraño lo que me pasó, ¿no cree?

–¿Por qué le da tanta importancia? –dice ella, empezando a sentirse incómoda.

–No, ya sé que no la tiene. Pero fíjese, uno cree estar seguro de sus gustos, acostumbrado a una serie de cosas, a sus propias manías y rutinas, digamos, ¿verdad?, y un buen día, de pronto… El caso es que desde entonces tomo el café con dos terrones, y no sólo aquí, en su casa, sino también en la mía, y en los bares.

–Vaya.

–¿Y quiere saber otra cosa? También yo bebía bastante antes de conocerla a usted.

–¿Ah, sí? ¿Y ahora ya no bebe?

–No. Ahora ya no.

La pelirroja se queda mirando a su invitado un poco confusa.

–Ha cambiado usted de conversación hace ya un buen rato, inspector. ¿Por qué?

El inspector medita lo que va a decir, bajando el tono:

–Porque no le conviene excitarse, señora Bartra. Recuerde lo que le dice el médico.

–Qué sabe usted lo que me dice el médico.

–Sé que tiene usted que medicarse. Sufre hipertensión desde el tercer mes de embarazo, oí comentarios de sus vecinas…

–Confío en que sólo oyera usted eso –sonríe ella a través del humo y el aroma del café, con el borde de la taza rozando su rosado labio inferior un poco descolgado, ansioso del contacto. Bebe un sorbo sin apartar los ojos del inspector y añade–: En fin, esperemos que algún día me traiga usted una buena noticia. Ya sabe a qué me refiero.

Por el momento, lo que el inspector ha traído, cuando ella ya había dispuesto sobre la mesa camilla la bandeja con el café recién hecho, no han sido precisamente buenas noticias; el collar y la correa del perro, que tanto le habría gustado recuperar a David, es casi seguro que se han perdido. El veterinario no lo tiene ni recuerda habérselo quitado al animal, lo siento mucho. Además del habitual obsequio de la bolsita azul de torrefacto y un cuarto de mantequilla, gracias, por qué se ha molestado, este sábado ha traído para David dos tabletas de chocolate pensando con ello atenuar de algún modo su disgusto por la pérdida de la correa y el collar. Pero lo verdaderamente chocante ha sido verle presentarse con una rosa blanca en la mano, medio oculta a la espalda y sostenida sin miramiento, cabeza abajo y con el tallo envuelto en papel de estaño. Tenga, póngala por ahí, ha farfullado con la voz apagada y el gesto apremiante, como si el papel de estaño le quemara la mano. La cuñada de un subinspector amigo mío tiene una floristería cerca de aquí y siempre que paso se empeña en que me lleve una rosa… Le creo sólo a medias, dice ella con una sonrisa mal disimulada. Sintiendo en el fondo de su corazón una punzada de gratitud y de tristeza y de afecto cuyas consecuencias no sabría calibrar, sostiene la mirada del inspector. Éste acaba por encogerse de hombros y recupera la voz ronca: Haga como le parezca. Otro silencio y añade: Si no la quiere, pues a la basura… ¿Cómo viene usted de tan mal humor? Por supuesto que la quiero, dice ella, qué culpa tiene la rosa.

Se trata de una rosa blanca y abierta, casi puedo olerla cuando la pelirroja se la acerca a la nariz. Ahora está derramando su esbelta fragancia en el búcaro de la mesa camilla, entre la lámpara y la radio. ¿Es prudente aceptarla?, le pregunto a su corazón. Mientras la huele otra vez, cabeceo y ella susurra ahora no, por favor, pórtate bien, cerrando los ojos y mordiéndose el labio.

El policía la mira solícito y grave.

–¿Decía usted?

–Nada. Este demonio acaba de obsequiarme con un revolcón… Pero vamos a lo que le interesa, inspector, a lo que se supone le trae aquí. Mire, se lo repetiré una vez más: usted sabe cosas de mi marido que no quiere que yo sepa.

El inspector se mira las manos con aire taciturno y calla. Sea cual fuere el sentimiento que le trae a casa con tanta frecuencia, movido por una mezcla de compasión y de mala conciencia y de aquella pulsión más íntima ya desde la primera visita, si lo que desea secretamente es que sus silencios resulten más elocuentes que sus palabras, hoy lo está consiguiendo plenamente. Expectante, sin apartar los ojos de él, mamá se agarra al brazo del sillón y endereza la espalda, mientras con la otra mano, sin ningún pudor, sujeta el bajo vientre como queriendo evitar mi caída, o cuando menos otro inoportuno cabezazo en la pelvis. Quieto, cariño, no me atosigues. Estoy velando tus sueños. Una imperceptible sonrisa ilumina la palidez de su rostro, y, sin dejar de mirar al hombre sentado frente a ella, añade en voz alta:

–Ahora debes portarte bien porque el señor inspector tiene algo importante que decirnos.

–Verá usted –empieza él por fin, con la voz enredada en humo y saliva–, no estoy seguro de obrar del modo más conveniente. No quisiera aumentar sus preocupaciones revelando algo que en el fondo no tiene mucha importancia… Preferiría ahorrarle un disgusto.

–¿Por qué habría de disgustarme? ¿Qué ha pasado?

–Nada que no tenga remedio, supongo –dice el inspector–. Pero usted no está familiarizada con estos procedimientos, y no sé si hago bien... A veces nos llega información que proviene de confidentes, y no siempre son de fiar. Mienten por interés, ¿comprende?, para que se les trate mejor.

–Hable claro de una vez, se lo ruego.

El policía reflexiona un instante y luego habla despacio, mirándose las manos otra vez.

–Como ya le dije, sabemos dónde ha estado su marido estos últimos meses. Yo no estaba autorizado a hablar, eso también se lo dije, pero es que además pensé que a usted no le haría ninguna gracia saberlo...

–¿Qué le ha pasado a Víctor?

–Nada, tranquilícese. Está bien, supongo, dondequiera que ahora se encuentre. Pasó que su marido fue la causa indirecta de un malentendido... Pero vamos por partes –carraspea, junta las manos tocándose los labios con los dedos, como si rezara, y añade–: A mediados de julio, hace ahora dos meses, fue detenido un sujeto, un ex acomodador del cine Metropol, y le fueron intervenidas publicaciones clandestinas y una agenda en la que había anotado las iniciales V.B., y la dirección de una torre en Sarriá. ¿Recuerda que le pregunté si conocía a la viuda Vergés, y usted me dijo que no...? –En este punto la pelirroja se dispone a intervenir, pero el inspector se le anticipa–. Usted me mintió, pero no importa, dejemos eso ahora... Bien. El día veinte del pasado mes de julio se montó un dispositivo de vigilancia en la torre de esta señora, y la casualidad quiso que, a los pocos minutos de haber tomado posiciones dos agentes, un hombre saliera de la casa llevando una cartera muy abultada. No había andado ni cinco metros en dirección a la verja del jardín cuando sacó de la cartera una petaca de licor, se paró y se echó un trago al coleto. Era un tipo alto y moreno, la viva imagen de Víctor Bartra. Al cruzar la verja de la calle fue requerido para que se identificara, y su comportamiento levantó sospechas, por lo que fue conducido a Jefatura para ser interrogado. El sujeto declaró ser un vendedor de enciclopedias a domicilio y no conocer de nada a la señora de la torre; dijo que le había mostrado folletos y un volumen de la obra, que ella le había dedicado apenas unos minutos y que no le había hecho ningún pedido. La cartera de mano contenía, en efecto, folletos y catálogos de una empresa editorial, y la documentación del sujeto parecía en regla. Pero había algo irregular en su cartilla de racionamiento, en la firma o en la fecha, y su comportamiento seguía levantando sospechas, de modo que fue interrogado a fondo.

El inspector se toma un respiro y la pelirroja aprovecha:

–Quiere decir que le zurraron.

–Por favor. Hubo un malentendido que propició el propio detenido con sus declaraciones confusas y atolondradas, se asustó y quiso huir, y la cosa acabó en un lamentable accidente. Eso fue lo que pasó. Y eso hizo que su presunta relación con la señora Vergés y con su marido de usted quedara en el aire, pero de ningún modo descartada…

–¿Qué le pasó a este hombre?

–Aprovechó un descuido de los agentes para saltar por una ventana. Está en el Clínico, en coma irreversible, creo. Fue una imprudencia, un desdichado accidente –titubea el inspector–, o un intento de suicidio, quién sabe… Como le decía, ya no fue posible llegar a su marido a través de este hombre, de modo que la investigación se centró en la dueña de la torre…

–No siga, por favor. ¿Qué tiene que ver todo eso con Víctor?

–Aguarde –dice el inspector–. A eso iba. Ocurrió que este incidente con el vendedor no hizo otra cosa que confirmar las sospechas que ya existían sobre las actividades de la dueña de la torre de Sarriá. Yo pensaba que negaría cualquier relación con Víctor Bartra, pero no fue así. Una mujer notable, la tal señora Vergés. Le dio mucha risa saber que habíamos confundido a un simple vendedor de enciclopedias con el señor Bartra…

–¿Ah, sí? ¿Y por qué le dio tanta risa a la señora? –entona la pelirroja controlando los nervios como puede.

–La señora Vergés admitió conocer bien a su marido –prosigue el inspector después de apurar su taza–. No le importó en absoluto, desde el primer momento, reconocer que él había sido, y era todavía, un buen amigo.

Mamá se acomoda en el sillón y guarda silencio. Después empuña la cafetera.

–¿Más café?

–Sí, gracias.

–Vaya con la *coctelera* Angelines –comenta luego de un silencio, dominándose–. Así es como la llamaban los amigos de mi marido. *La coctelera.* Yo apenas la conocía. Me la presentó un borrachín hace años, en la puerta del *Bolero*, yendo con Víctor…

–¿Seguro que hablamos de la misma persona, señora Bartra? –dice el inspector–. Una mujer extremada, morena, de unos treinta años muy bien llevados, viuda, rica y sin hijos. Vive con su anciana suegra y una cuñada soltera.

Saca del bolsillo la cajetilla de Lucky y la ofrece, ella pinza con las uñas un cigarrillo y lo esgrime con un aire de coquetería y de misterio al acercarlo a la llama de la cerilla. El inspector huele sus cabellos rindiendo el perfil indolente. Pregunta de pasada si por casualidad apareció su mechero. No, ni rastro.

–Antes de nada, sepa usted que durante estos últimos meses su marido no estuvo escondido en ningún lugar del Penedés, ni en La Carroña ni en pueblo alguno de aquella comarca, como quizá le hizo creer a usted…

–¿Me está diciendo que todo el tiempo estuvo en esa torre? ¿Es eso lo que me está diciendo, inspector? –insiste mamá cerrando lentamente los ojos detrás del humo del cigarrillo.

–No lo sabemos con seguridad. Mi opinión es que sí –dice el inspector, y añade con su habitual tono monótono, desprovisto de toda emoción–: Por supuesto, la señora Vergés negó rotundamente haber ofrecido nunca amparo y refugio al señor Bartra, cuyas actividades subversivas dijo desconocer. Tenía usted que verla. Con la mayor frescura, sin el menor recato, aprovechándose de su condición de persona bien relacionada en la ciudad, inclusive en ciertos estamentos oficiales, me consta, alegó no saber que aquel que había sido gran amigo de su difunto marido estuviese ahora reclamado por la justicia. Que el día siete de abril se presentó en su casa, a medianoche y sin avisar, contusionado y bastante bebido, como si saliera de una trifulca, y que le explicó que había tenido una bronca con su mujer, y que ella le creyó porque sabía que era un hombre muy… ¿cómo dijo?, impulsivo. A partir de ahí no creí ni la mitad de lo que dijo, señora Bartra. Admitió haberle atendido, dijo que lo invitó a cenar y conversaron, y que esa misma noche él manifestó su intención de viajar a Francia de inmediato para un asunto de negocios. Y que ya de madrugada se despidió y no volvió a verle…

–Y bien. Me pregunto por qué no dan ustedes crédito a las explicaciones de esta señora –dice mamá tranquilamente.

Se dispone a añadir algo, pero el inspector se le anticipa:

–Me ha costado mucho decidirme a hablarle de este asunto, señora, y si me lo permite, quisiera terminar cuanto antes –titubea otra vez y añade–: Por su bien, hubiese preferido hablar de otra cosa... ¿Por dónde iba? Ah, sí, decía que la declaración de la señora Vergés fue ésta, en términos generales. Sin embargo, sabemos que no dijo toda la verdad. Es cierto que esa noche lo hospedó en su casa, le curó una pequeña herida en el... parece que aquí en...

–El culo.

–Sí, ahí. Y también es cierto que cenó con él, y seguramente hablaron del viaje a Francia; pero esa velada no fue la última, sino la primera de otras muchas, porque el viaje no tuvo lugar hasta mucho después... Se han efectuado requisitorias discretas, por ser la dama quién es, y hemos conversado con la suegra y con las criadas, las tres habían sido instruidas previamente por la viuda, pero han incurrido en algunas contradicciones. En fin, me gustaría ahorrarle los detalles, señora Bartra... Tenemos razones para creer que fueron tres o cuatro meses los que pasó escondido en casa de esta mujer –precisa el inspector aplastando la colilla en el cenicero con una energía innecesaria–. De abril a primeros de julio. En realidad escapó por los pelos, tuvo mucha suerte. Si hubiéramos dispuesto la vigilancia de la torre una semana antes, habría sido detenido.

–No parece usted lamentarlo –opina ella con una sonrisa demasiado forzada–. Dígame, ¿por qué está tan convencido de que mi marido se escondía en casa de esta mujer?

–¿Usted no lo cree?

–Yo me inclino a pensar que sí. Es posible. Pero usted, ¿por qué está tan seguro?

–Hay un informe –dice el inspector, y después de una pausa añade–: La verdad es a veces desagradable. Pero eso es lo que hay, señora Bartra.

La pelirroja guarda silencio apretando la taza de café entre sus manos.

–El informe –añade el inspector– no fue incluido en el expediente porque se consideró confidencial, se ve que esta señora tiene buenos padrinos, usted ya me entiende. Pero los datos están ahí… Había una amistad, supongo, y recuerde que esa noche a su marido lo estaban buscando. Digamos que fue a pasar la noche y se quedó unos meses, porque allí se encontró a salvo, digamos… Caray, no se lo reprocho –añade el inspector usando un peculiar tono de chunga, nada convincente–. Seguramente yo habría hecho lo mismo.

–Seguramente.

–Oiga, yo sé que usted esperaba alguna buena noticia sobre su marido, y créame que habría dado cualquier cosa por conseguir esa noticia, porque me hago cargo de su situación. Pero si lo piensa bien, aquella torre no fue otra cosa que un refugio provisional. Para un hombre que huye, cualquier sitio es provisional…

–Se ha hecho tarde y mi hijo está al llegar –dice ella con el semblante demudado y apoyándose en la mesa camilla para levantarse.

Endereza la espalda con una mueca de dolor y su mano sujeta el vientre grávido como si de nuevo temiera el desprendimiento de la placenta y mi caída en las baldosas. Hay en el gesto algo obsceno y tierno a la vez y no ha de pasarle por alto al poli, que se le acerca solícito, y me gusta evocarlo a través de esta amorosa tiniebla porque éstas son las únicas caricias de su mano que perviven en mi piel. No es nada, dice la pelirroja. El inspector apoya suavemente la mano en su hombro. ¿Necesita algo?, siéntese, ¿le traigo un vaso de agua, sus medicinas? Poniendo la mano sobre la mano del policía apoyada en su hombro, ella se ha sentado y lo mira un instante fijamente. La boca entreabierta y carnosa busca el aire y los ojos claros expresan el confuso sentimiento que le inspiran las atenciones del inspector. En un gesto alado y fugaz de la otra mano, él ciñe su frente para tomarle la temperatura. No creo que tenga fiebre, dice sin apartar todavía la mano. Durante un rato la sangre intoxicada de este hombre golpea las sienes de la pelirroja con fuerza, abandonada al bálsamo inesperadamente afectuoso de la palma. La obsesión callada que le transmite esa mano que arde. Cómo la sufre el policía, cómo la sustenta y la controla. Mamá inclina la frente perlada de sudor sobre el regazo, dice este niño, y me piensa mordiéndose el labio y separando un poco las piernas, sé que me piensa, sé que ahora en su profundo temor me configura y concita la esperanza de una vida más intensa y más feliz que la suya. Este niño.

–Ya estoy bien –dice–. Cuando me da estando despierta, no pasa nada malo…

–No la entiendo. Me tiene preocupado, señora Bartra, creo que no se cuida usted lo que debería.

–Las pesadillas son peor que esto, ¿sabe? A veces sueño que mi hijo nacerá con alguna malformación por causa de estos padecimientos… Que algo saldrá mal.

–Tonterías. No pienso escucharla.

–Precisamente hoy he estado pensando en ello y quería pedirle a usted que tenga presente una cosa… Lo he pensado mucho, no crea… Usted sabe que no me queda más familia que mi hermana Lola, y quisiera, en el caso de que me pasara algo, que usted la avisara…

–Nada malo va a pasarle.

–Haga el favor de dejarme hablar. Tiene que prometerme que avisará a mi hermana. Prométame que lo hará. Ya sabe usted que ella no me aprecia, pero no tengo a nadie más.

–Está bien, se lo prometo. Pero no hablemos más de eso. Apoye bien el cojín a la espalda. No, así no… Póngase derecha.

–Es que así descanso más.

–No lo crea. El cojín en los riñones, ahí…

–Lo que usted diga. Pero antes de irse deme otro cigarrillo. Venga, sea bueno.

–No voy a darle ningún cigarrillo. Ya está bien por hoy.

–Haga el favor –sonríe la pelirroja con una pizca de malicia en los ojos–. ¿No cree usted que me lo he ganado?

EL DUPONT DORADO

Imagínate, mi madre vestida de luto de la cabeza a los pies –está diciendo Paulino mientras afila la navaja en el cinturón prendido por la hebilla en las raíces de la higuera muerta– y tocando el pito de mi tío Ramón. Y es que los guardias urbanos le tienen robado el corazón, a mi madrecita del alma. El uniforme blanco, el salacot, el correaje, el pito, todo le gusta. Y como es tan llorona... Después de la comida del domingo, en la mesa, su admirado hermano, es decir, el bestia de mi tío, le puso el salacot en la cabeza y el pito en la boca y ella estuvo riéndose y pitando un buen rato, una tabarra de la hostia, chico, y lo hizo por mí, para que viera lo bonito que es ser guardia de tráfico y poder tocar el pito. Mi madre es así de tonta, David. Se empeñó en que yo también lo tocara y le dije que no, le dije que el pito de los urbanos me fastidia los oídos y además me daría mucho asco llevármelo a la boca, y que ella estaba haciendo el ridículo, y entonces ella se echó a llorar y el tío Ramón me atizó una bofetada. Y mi padre allí sentado con su faria y su copita de anís y sin atreverse a abrir la boca, como siempre... ¡Qué mierda más grande, oye!

–Te estás cargando el cinto –dice David.

249

—Mi padre es un gallina, pero mi madre es otra cosa... ¿Te acuerdas que te dije que el inspector Galván lo paró un día en la calle, a mi padre, y le previno acerca de nosotros, le dijo que nos vigilara y mi padre se asustó como un conejo y se hizo el longuis? Pues has de saber que también fue con el cuento a mi madre.

Había salido el poli de la tienda de flores de la calle Cerdeña y llevaba en la mano ¡agárrate, chico!, exclama Paulino, llevaba una rosa. Bueno, no es ninguna novedad, ya sabemos que le lleva rosas a tu madre, pero tenías que ver cómo la llevaba; no como la llevaríamos tú o yo, bien derechita y procurando que no se rompiera el tallo, no, él la llevaba boca abajo, iba braceando y la balanceaba sin el menor cuidado, como si fuera un palo o una cañita que acabara de encontrarse en la calle, como si la rosa no tuviera nada que ver con él. ¡Hay que ver cómo son algunos hombres! A un poli le da vergüenza ir por la calle con una rosa en la mano, dice David, eso es lo que pasa, porque se cree muy machote. O es que el tío es así de borde, dice Paulino. Eso también. Es un borde y un malparido. El caso es que venía a tu casa con su rosa blanca, pero se ve que al cruzar la plaza Sanllehy decidió acercarse un momento, le cogía de paso y recordaba el número y el piso, segundo primera, sin ascensor, ya sabes, la distinguida mansión de los Bardolet Balbín, afeitadores de viejos tullidos y paralíticos...

Abre la puerta una mujer enlutada, de rostro tan afilado y mirada tan lastimera que el inspector casi no la reconoce —y a veces menda tampoco, pero es la madre de uno y qué le vamos a hacer, madre no hay más que una.

—¿Está el barbero en casa? —pregunta el inspector.

—Qué quiere.

—¿Es usted la madre de Paulino Bardolet? —deja entrever la pla-

ca, manteniendo a la espalda la otra mano con la rosa, no vaya a
creer la señora que es una gentileza para con ella.

—¡Ay Dios mío! ¿Qué ha pasado?

—Quiero hablar con su marido, señora. Haga el favor.

—No está en casa.

—Se trata de su hijo.

—¿De Paulino? ¡¿Qué ha hecho, por qué lo vienen a buscar?!

—Cálmese, nadie le está buscando. Sólo quiero aconsejarle algo
respecto al chico…

—¿Qué ha pasado? ¡Señor, Señor, si me hicieran caso alguna vez!
—la señora Bardolet se echa a llorar de repente—. ¡Si mi marido me
escuchara en vez de andar todo el santo día por ahí! Siempre fue
muy andarín… Si lo hubiésemos confiado al cuidado de mi hermano, que fue legionario, ¿no le conoce usted?, es el único que se ocu-
pa del chico como es debido y además ahora es guardia urbano…

—Lo sé —corta impaciente el inspector haciendo pendular la rosa
a su espalda—. Mire, vengo a advertirla muy seriamente, señora. Su
hijo tiene…

—¿No quiere usted pasar?

—No, es sólo un momento. Su hijo tiene un amigo de su misma
edad, seguro que ustedes le conocen, se llama David Bartra y casualmente su madre es amiga mía, y está muy preocupada. Estos
dos sinvergüenzas están siempre callejeando y nadie les controla,
David ha faltado a su trabajo y por la noche llega tarde a casa, y la
señora Bartra se ha quejado.

—A mí no me han dicho nada…

—Además, mire, a su hijo se le ven maneras de invertido, señora,
así que…

—¡Virgen santa, no diga usted eso!

–…así que hable usted con su marido y a ver qué se hace… Mire, señora, qué voy a decirle. Sabemos que su marido ha sido desafecto. No se lo tendremos en consideración, pero me vigilan de cerca a su hijo si no quieren que la autoridad tome cartas en el asunto.

–¡Invertido! ¡Mi pobre niño invertido!

–En resumen, que se aparte del chico de la señora Bartra, ella considera que su amistad no le conviene. No sé si me explico. Que no le vea, porque es una mala influencia para él. ¿Me comprende?

–Sí, señor, sí.

–No pasa nada, pero que se busque otros amigos, ¿entendido, señora?

–Ya sabía yo que pasaría una cosa así. Pero a mí nadie me escucha en esta casa… ¡Qué vergüenza!

–Vamos, vamos, no llore. No es más que una recomendación… Ya previne a su marido no hace mucho.

–¿Y qué podemos hacer? –se pregunta la mujer sollozando–. Esi neñu no ye malo, no señor, nunca se ha peleado ni ha hecho mal a nadie… Y es cumplidor, le gusta la música, precisamente su padre y yo le hemos llevado muchos domingos a la parroquia de Cristo Rey, hay un organista que enseña música a los guajes, y además su tío quiere que ingrese en la Guardia Urbana cuando tenga la edad…

–Bueno –corta el inspector iniciando la retirada–, supongo que queda claro. Que no vea yo a su hijo con el chico de la señora Bartra, o tendremos problemas.

–Lo que usted diga, sí señor, pierda cuidado. ¡Ay Dios mío, qué disgusto!

–Hable con su marido. Ya están prevenidos, así que buenas tardes.

Balbuceando un adiós con los ojos en el suelo ella empieza a cerrar la puerta despacio, y en este momento, al darse la vuelta, al inspector se le cae la rosa. Se agacha a cogerla y siente en la nuca la mirada fúnebre y llorosa de esta alma cándida, y al incorporarse se vuelve hacia ella empuñando la rosa. Vacila unos instantes, mira la rosa, termina de alargar el brazo y añade:

–Tenga, póngala por ahí –y da otra media vuelta y se va.

Madrugadas de David cavilando echado boca arriba en su catre, los ojos abiertos a la oscuridad y el Dupont apretado en el puño, caliente y duro y esquinado, esperando su oportunidad. Enfrente, la oreja del Dr. P.J. Rosón-Ansio parece escuchar atentamente lo que rumía su pensamiento, el canto de los grillos en el barranco y los rumores nocturnos del vecindario que entran por el ventanuco. Insomne y voraz, el gran apéndice sonrosado despliega su laberinto multicolor de membranas, canales y fosas, asaeteado por pequeñas flechas que remiten a nombres, referencias científicas y notas explicativas impresas en los márgenes del cartel. David se sabe de memoria alguno de esos textos: *Clóquea o caracol. Contiene un líquido llamado endolinfa que recoge y transmite las vibraciones sonoras del mundo exterior y alerta los pelos auditivos que, a su vez, activan los impulsos nerviosos que llegan al cerebro.*

Deja resbalar la mirada y recupera la sonrisa amagada del piloto de la RAF, y a su lado la boca abierta, crispada por el grito, del soldado alemán que lo apunta con su metralleta. Éste será el primero en disparar, piensa, y poco después no sabría decir si lee o cavila despierto o dormido cuando, agobiado por el calor de la noche y por un chirrido metálico en los oídos, desnudo sobre la sábana y contemplando todavía al aviador derribado y apresado más allá del tiempo y la leyenda, oye de pronto el trotecillo inconfundible sobre las baldosas, las pezuñas leves de Chispa cruzando el umbral del cuarto y acercándose a la cama. No quiere mirarlo ni tratarlo como si fuera un fantasma, no le da miedo ni dejará entrever la menor señal de sorpresa porque sea un perro muerto.

¿Qué quieres, Chispa?, susurra, y en el acto se figura que está pensando en voz alta. ¿Qué haces aquí?, pregunta incorporándose sobre un codo. ¿No te mandó al otro barrio el hijoputa del poli?

Achacoso y conturbado, pero sin aquella tristeza infinita en los ojos, el perro se para a los pies del catre, se sienta sobre los cuartos traseros y mira a su amo ladeando la cabeza con aire de duda. Una venda ribeteada de hilo rojo y con una mancha rosada en el centro envuelve su frente y le tapa parte de los orejones.

Sí, estoy muerto. Pero esta noche me dejan salir un rato.

¿Eres un ánima en pena, querido amigo?

Nada de eso. Soy un perro pachón y me encuentro la mar de bien.

Pues no lo parece.

Algunas personas no son lo que parecen, ya sabes.

¿Aquí en el coco te clavaron la inyección alemana?, pregunta David, y, alzando los ojos a la omnipotente oreja de Dr. P.J. Rosón-Ansio, añade con rabia contenida: ¿Tan bestial fue el pinchazo que tuvieron que ponerte una venda?

No, hombre, no, dice Chispa, no fue ninguna inyección.

Entonces no me lo digas. Creo que ya lo sé...

Cuidado, que aquí se oye todo.

Al perro no parece gustarle nada que la oreja del otorrino esté escuchándoles desplegada de modo casi obsceno, y la mira con el rabillo del ojo. Ladea la cabeza y con la pata trasera se rasca el vendaje que le ciñe la cabeza y la papada.

Me estoy mareando un poquito, añade.

¿Tienes hambre? ¿Quieres un terrón de azúcar? Azúcar blanco ya no falta nunca en esta casa, ¿sabes?, ni leche en bote ni café… Son obsequios que nos trae el que te mató. Bueno, tampoco creas que es el oro y el moro lo que trae, y además el puta se lo cobra tomando sus cafelitos y soltándole a mi madre cada rollo que no veas.

Le hace compañía, nano.

Sí, compañía, ¿te crees que no sé lo que anda buscando ese hijo de perra…? Bueno, es un modo de hablar, ya sabes.

Sí, ya sé, un modo de hablar.

Oye, ¿quieres un poco de arroz con garbanzos que ha sobrado? Te daría chocolate, pero luego te duele la barriga.

No, ya no. Ahora puedo comer de todo.

¿Quieres que te lave los ojos con agua de tomillo?

No, estoy bien. Sólo he venido para que me rasques un poco la barriga.

Entonces sube a la cama y échate panza arriba. Así. ¿Te gusta?

Me gustaba más cuando estaba vivo y zarrapastroso.

Dime una cosa, Chispa. Te maltrató el inspector Galván, ¿verdad? Y te mató de mala manera en el barranco: nunca llegaste adonde el veterinario, a que no. Dime la verdad.

Las paredes oyen, susurra el animal mirando el remolino central de la oreja del otorrino con el rabillo del ojo apesadumbrado, como si temiera ser absorbido por el gran apéndice de un momento a otro.

Yo creo que te ha hecho algo malo y quiero saberlo, insiste David. Chispa resopla, luego gruñe roncamente y él añade: Más alto, no te oigo. Hoy tengo los oídos llenos de gaseosa.

Digo que tengas cuidado y no te equivoques. Ya me has oído antes: algunas personas no son lo que parecen.

Sí, es verdad, admite David y con las uñas sigue rascando la barriga trémula, despellejada y con grumos de fango seco. Ya sé que hay personas que no son lo que parecen; pero también es cierto, perrito tonto, que hay personas que no parecen lo que son. Por ejemplo, ese cacho cabrón de guripa. Y yo haré que, siquiera por una vez, parezca lo que verdaderamente es, lo que siempre ha sido, lo que no puede dejar de ser... Mira, tú no lo entenderías porque eres un perro muy bueno y estás enfermo y además tienes una bala en la cabeza.

¿Puedo dormir un rato echado a tus pies, como antes? Tu madre no se va a enterar.

Venga. De todos modos, aunque se entere, no se lo va a creer.

Más tarde, el burbujeo de la gaseosa en los oídos deja paso a la mórbida porfía del serrucho, y éste a su vez deja paso a las aguas remotísimas del torrente retumbando como un trueno subterráneo en Dios sabe qué noche de los tiempos. Aun así consigue descender a un estadio más profundo del sueño, siempre con el encendedor Dupont apretado en el puño y ahora viendo a un hombre joven con las solapas de la americana alzadas y el pitillo en los labios, igual al que vio un día en los urinarios del cine Delicias, en el instante en que, con un golpe seco de la palma de la mano, introduce el cargador en la culata de una pistola. Es nuestro hermano Juan con bastantes años más, y ya no huele a pólvora fétida ni hay polvo en sus ropas ni le sale de la pierna cortada ningún hueso astillado. Seguro que lleva una pierna de madera, pero qué elegante con las sienes plateadas y la pistola en la mano, parece un figurín salido de una peli de gángsters.

¿Qué vas a hacer con ese mechero?, dice antes de irse del sueño de David. Piénsalo bien, hermano.

A eso de las dos de la tarde, los sábados y los domingos, una muchacha rubia de ojos oscuros y piel aceitunada recorre el sendero paralelo al torrente montada en una bicicleta de hombre. Lleva una falda amarilla con grandes bolsillos verdes, una blusa de color azafrán y una boina roja. La muchacha pedalea en dirección a las cercanas huertas con mucha energía, inclinada sobre el manillar. La calina que desprende el torrente a esa hora emborrona su silueta volcada sobre la bici y la hace flotar en el aire y ondular como si fuera un reflejo en el agua, una temblorosa apariencia. Sujeta a la barra del cuadro con dos correas, la funda negra de un violín asoma entre las oscuras rodillas que suben y bajan alternativamente, al pedalear.

–¿Has visto eso, gordi?

La bici roja y la melena dorada desaparecen detrás del cañaveral como una llama que parpadea y se apaga en medio de una efusión verde y jaspeada.

–Ye muy guapina –dice Paulino en cuclillas, terminando de sacudirse la arena del pantalón.

David vuelve en sí abriendo el paraguas bajo el sol, y Paulino se incorpora y se queda a su lado estirando los brazos pegados al cuerpo y con la cabeza enhiesta. Durante un buen rato mantienen ambos una rígida inmovilidad de reclutas, desvalidos y tozudos, cobijados bajo el paraguas negro en medio del canto de las chicharras, y mirando al suelo. No llueve, pero sobre la tumba lloverá siempre: la lluvia soñada aquí, en verano, es más pertinente y duradera. Estaría bien que tuviera una lápida en su nombre, piensa David conteniendo las lágrimas, y que la lluvia lavara de vez en cuando el nombre, y en el otoño lo cubriera con un manto de hojas… Como si le adivinara el pensamiento, Paulino dice:

–¿No quieres ponerle una cruz con una inscripción?

–No –gruñe David–. Sólo es para saber dónde está.

–Entonces, tú crees que está enterrado aquí…

–Cómo quieres que lo sepa.

Paulino se queda pensando bajo la sombra del paraguas que ambos comparten.

–De todos modos estaría bien –dice por fin–. En las tumbas del desierto siempre hay una cruz con una inscripción…

–¡Pero qué inscripción ni qué cruz ni qué hostias en vinagre, gordi, qué cosas se te ocurren! ¡¿Quieres que el guripa se entere?!

Paulino se encoge de hombros y guarda silencio. Certeza o quimera, posibilidad o encantamiento, Chispa está aquí, bajo la inocente blancura de la arena removida, no hay más que mirar y creer, y eso es lo que hace Paulino. Al cabo de un rato, sin descomponer su posición de firmes, dice en voz baja:

–¿Quieres que le recite una poesía?

–No te oigo. Todavía tengo gaseosa en las orejas.

–¡Podrías darme un traguito!

–No sabes lo que dices, chaval. ¿Alguna vez te has parado a escuchar de cerca el ruido que hacen las burbujas de la gaseosa cuando la echas en un vaso? Hace ¡chsssssss…! Pues ese ruido es el que tengo en los oídos, pero multiplicado por mil.

–¡Ostras!

Permanecen hombro con hombro en medio del lecho pedregoso del torrente, pisando el vértice removido de una lengua de arena y muy tiesos bajo el desbaratado y fúnebre paraguas, protegiéndose ambos, según lo acordado, no del sol implacable sino de una pertinaz lluvia imaginaria, un complemento climático más acorde con el cabreo y la sombría tristeza que el hijo de la costurera sufre desde hace casi un mes. Ha estado bisbiseando una ceniza amarga que le sube a la boca, y ahora prefiere el silencio y poder así escuchar el rumor de la lluvia sobre el paraguas y sobre la tierra, sobre la pequeña tumba improvisada con la ayuda inmediata y esforzada de Paulino, un oscuro montoncito de arena esponjosa y húmeda que acaban de apilar. El espectro del perro amado descansará para siempre bajo ese túmulo ignorado en las afueras de la ciudad.

Con los dedos manchados de sangre, papá se abrocha la bragueta al borde del torrente, mientras contempla con mirada descreída el renovado furor de las aguas muertas tragándose y arrastrando lejos la meada. Esto es lo que hay, hijo.

–Si ahora lloviera mucho, pero mucho mucho –dice David–, por aquí podría bajar otra vez la torrentera y llevárselo todo a su paso igual que hace años, me lo contó mi padre, yo era muy pequeño. Todo lo arrastró la torrentera, todo, hasta un sidecar con dos soldados y un camión que transportaba caballos… Ahora el agua pasaría por encima del esqueleto de Chispa sin tocarlo, todo lo más le quitaría la correa y el collar, que aún debe llevar en el cuello porque el inspector no se lo quitó.

–Un poco más arriba estaría mejor, a la sombra de un árbol –dice Paulino–. ¿Por qué nunca me haces caso?

–No. Aquí –dice David, justamente aquí mismo, piensa: en la oscura penumbra debajo de mis pies–. Aquí lo mató, lo sé muy bien.

–Pues ahora tendrás que aguantarte, porque le quiero recitar a tu perro una poesía muy bonita que aprendí en segundo de bachillerato –carraspea mirando la tumba y entona–: Si Roma orgullosa, vencida

Numancia, juzgó sepultados valor y constancia, los siglos al mundo su error demostraron; los padres murieron, los hijos quedaron.

–Muy bonito, capullo.

Caminando de vuelta a casa, David inquiere:

–Dime una cosa, gordi. ¿Alguna vez has soñado un crimen tuyo?

–¿Mío? ¿Qué quieres decir?

–Si alguna vez has soñado que matabas a alguien.

–¿Por qué lo preguntas? ¿Por mi tío?

–¿Lo has soñado o no?

–Yo nunca sueño nada.

–Algo tienes que soñar, ondia. Todo el mundo sueña cosas.

–No me acuerdo… Bueno, sí, una vez soñé que Errol Flynn me preguntaba si tenía una espada a mano. ¡Rápido, chico, dame una espada!, me dijo plantándose de un salto frente a mí. Y enseguida de eso, me llevaba con él a los Almacenes Jorba y me compraba una bufanda de lana preciosa, y me acuerdo que era por las fiestas de Navidad… ¡Errol Flynn en persona! Qué cosa, ¿verdad? Pero nunca he soñado que mataba a nadie, eso te lo puedo jurar. Lo he pensado, pero soñarlo, nunca.

–Pues yo sí –dice David–. No que mataba, ¿eh? Soñé que alguien me decía que yo había matado a no sé quién, y yo me lo creía, decía: bueno, y qué. Lo daba por hecho. No es lo mismo que matar a alguien, pero casi, y tienes una sensación la mar de rara. ¿Verdad que lo normal sería que pensaras soy un asesino, me he convertido en un asesino?, pues no, resulta que, así de golpe, no te ves como una mala persona, no te sientes extrañado ni arrepentido ni desgraciado ni nada de eso. Te dicen oye, tú, sabemos que has matado a fulano, y te lo crees, te parece normal, y te quedas tan pancho. ¡Eres un asesino y resulta que te importa un bledo!

–No me gusta tener sueños. No me gusta nada –farfulla Paulino afectado por un ataque de hipo, cuando ya David pliega el paraguas y se dispone a entrar en casa–. Adiós, te buscaré en el Delis esta tarde.

Tres horas después, Paulino deposita muy despacio su gordo trasero en una butaca del cine Delicias.

–Por el modo de sentarte, se diría que tienes un cardo en el culo –se burla David–. El día menos pensado este bujarrón te mete un palo de escoba.

–Estoy bien –susurra Paulino, pero le vuelve el hipo y está sorbiéndose algún sollozo–. Esta vez sólo me ha dado en las nalgas con el matamoscas…

–Todo eso se veía de venir. ¿Pero por qué sigues yendo a su casa, gilipollas?

–Me paga bien por afeitarle, me compra pasteles, me deja la pistola para que se la limpie… ¿Qué puedo hacer, David?

–Bueno, pues oye, que te zurzan. Déjame ver la peli.

Al rato Paulino deja de gimotear, aunque no controla el hipo.

–Qué olor más bueno –dice–. Son tus manos. Huelen a panecillo de Viena.

–Es por el revelado de fotos –gruñe David.

Se deja resbalar en la butaca, pone los pies en la fila de delante y entorna los párpados para fijar mejor el gesto felino del joven agricultor al ladearse y desenfundar el revólver.

–¿Quién hace de Jesse James?

–Tyrone Power –dice Paulino–. Es ese moreno. Tiene la nariz respingona y una sonrisa que ¡buenooo…!

–Demasiado guapo para ser un pistolero del Oeste.

–Nadie es nunca demasiado guapo, ¿no te parece, David?

261

–No sé. Qué más da.

–¿No te gusta la peli?

–Sí, no está mal.

–Entonces ¿qué te pasa? Te sientes un poco triste por lo que el tío Ramón me ha hecho…?

–Mira esto. Resulta que Jesse James era un pobre campesino.

–¿Y eso te extraña? En el Oeste todos eran vaqueros o campesinos.

–Míralo. Demasiado guapo. Está mejor con el pañuelo tapándole la cara, dejando ver solamente los ojos.

–Si tú lo dices. ¿Quieres cacahuetes?

–No.

–¿Quieres un poco de sidral?

–No.

–¿Quieres meterme el dedito, por favor?

–¿Qué has comido?

–Judías con tocino.

–Ni hablar. Luego va uno con el dedo oliendo a pedo todo el día.

–Te regalo un frasco casi entero de loción Varón Dandy que le he birlado al tío.

–¿Lleno?

–Casi.

–Vale. El Varón Dandy y todo lo que llevas encima ahora mismo.

–Como te aprovechas, cabrito. No hay derecho.

–¿Qué llevas?

–Setenta y cinco céntimos, el cortauñas, el sidral y un plumín nuevo que guardo en la caja de mistos…

–Venga. Pero sólo meter y sacar.

–Dos veces.

–Una sola vez y vas que chutas.

–Ondia, chaval, qué abusón eres.

–Lo tomas o lo dejas.

Primer sábado de mes, cine Delicias, noticiario No-do, una de guerra contra los japoneses y una del oeste, otra vez el No-do y empieza de nuevo la guerra y ellos allí despatarrados en la butaca, esperando. Pero ni rastro de Fermín con el sobre.

Sígueme, dice David, y salen al vestíbulo, burlan la vigilancia del portero, suben a la primera planta y buscan la cabina de proyección. David golpea con los nudillos una puerta pequeña, que se abre suavemente no más de un palmo. El zumbido del proyector, el traqueteo de las ametralladoras en una playa del Pacífico, los aullidos de los japoneses ensartados en las bayonetas, o cayendo a plomo de las palmeras, ahogan la llamada en la puerta. David se dispone a golpear de nuevo y más fuerte, cuando dentro se oye una voz de mujer, pastosa y dulce, como si hablara comiendo un plátano, se le ocurre decir a Paulino: una voz que parece salida de la película. La novia de un soldado de Guadalcanal, añade en un susurro. Qué dices, no hay mujeres comiendo plátanos en una película de guerra, capullo, dice David. Entonces es la novia del proyeccionista. Escucha. Paulino sujeta su brazo impidiendo que llame. La voz afrutada y glotona se oye de nuevo:

Antes de comerme tu pajarito, enséñame las ocho pelas, cariño. No creerás que con un café con leche y medio bocadillo de sardinas ya me has pagado.

Luego. No seas tan desconfiada.

De eso nada, monada. Encima que te hago rebaja...

David y Paulino perciben el olor a acetona y, asomando el ojo, ven parte de la cabina, un espacio de apenas tres metros por dos, con la pareja de proyectores marca Erneman y el suelo sembrado de negros tirabuzones, restos de película que ahora aparta con el pie el joven proyeccionista en camiseta, sentado en la saca de las bobinas y trasegando de una botella de cerveza. Lleva un sucio vendaje en la mano y tiene un ojo morado y señales de golpes en los brazos. Frente a él, sentada en una silla baja, una mujer joven y morena de labios muy pintados, con una falda muy ceñida y una blusa abierta que deja ver un sujetador negro, come a dos carrillos media barrita de pan con mortadela y sostiene sobre las rodillas un platillo y una taza. Se ha quitado los zapatos de tacón alto y los tiene a su lado. Tras ella, el ventanuco abierto sobre la Travesera de Gracia deja entrar chirridos de tranvía y alguna bocina.

Acabo de cambiar el rollo, chata, dice Fermín con la voz zalamera, así que tenemos veinte minutos. Venga ya, termina de endrapar, te vas a poner como una vaca...

Sin avasallar, guapo. Y no seas tan roñoso, caray.

¡Pero si cada polvo me cuesta un ojo de la cara!

¿Y la compañía que te hago, rey mío? ¿Qué me dices de la compañía?

Hacía dos meses que no te veía, ladrona. ¡Aggg...!

Despacito, ¿eh?, se ríe la mujer. Vas tan caliente que un día vamos a provocar un incendio, con tanta película como hay aquí.

Tienes esa jodida cicatriz de la rodilla más roja que de costumbre.

¿Sabes por qué, ladrón? Porque nada más verte me enciendo...

Sí, que me lo voy a creer. Es una cicatriz muy fea, la verdad.

¡Pues anda que lo tuyo! ¡Estás hecho un Cristo! ¿Qué te ha pasado en el ojo y en esa mano?

Por meterme donde no me llaman, niña, gruñe Fermín, y su voz queda un instante ahogada por una explosión de varias granadas en un nido de ametralladoras. David y Paulino le ven girarse y se echan atrás evitando ser vistos: el proyeccionista acaba de ver que la puerta está entreabierta, y le da una patada, cerrándola, pero aun así, ya cuando remite en la playa el fragor de la batalla y son más débiles los agónicos espasmos guturales de los soldados japoneses, las voces llegan claras y melosas a través de la puerta:

Pero estás igual de guapo, así que tranquilo, dice ella, y Paulino cree advertir en esa voz, más allá de la masticación y el chupeteo, una pulsión romántica.

–Es su novia –dice.

–Capullo eres –responde David–. Escucha y calla.

Quítate el sostén, anda, paloma…

Antes dime quién te ha puesto este ojo a la funerala.

¿Eso? Por hacerle un favor a un compañero.

Cuéntame.

No serás por casualidad amiga de ningún policía.

¿Por quién me has tomado, rico? Yo no quiero tratos con la bofia.

¿Sigues teniendo un pezón más grande que el otro, chata? Déjame verlo mientras terminas de comer…

¿Qué asunto te traes tú con la autoridad? No me gusta eso, ¿sabes?

¡Una chorrada! El lunes por la mañana me vine a montar la película y se me presentan dos guris con una serie de preguntas sobre el viejo Augé, un acomodador, tú le viste alguna vez. Les dije lo que sabía de él: que se había puesto enfermo, que era un buen hombre. Los tíos van y me trincan y me llevan a Jefatura, en la Vía Layetana, me meten en una especie de sótano y de buenas a primeras me aplican el tercer grado… ¿Sabes qué es eso, muñeca? Un interrogatorio de la hostia. No me enteré de la mitad de las preguntas... Yo siempre me entero de la jodida mitad de las cosas, soy un poco así.

Un poco choricete sí eres, Fermín. Y bastante bruto.

Total. Yo sólo le estaba haciendo un favor a alguien. Un favor algo especial, eso es verdad. Nada malo, pasarle noticias de una persona querida... Oye, deja que te quite el sostén, ratita, así por lo menos me entretengo mirándote...

Quita esas manos tan guarras, chato.

¡Pero bueno, reina mora! ¡¿A ti hay que acariciarte con guantes o qué?!

Pues a lo mejor me daba gusto.

–Se aman apasionadamente –murmura Paulino.

–¡Y un huevo! ¡Cállate de una vez!

Otra ráfaga de fusilería se lleva la voz encelada del proyeccionista y arrecian los gritos y las órdenes de ataque, y acto seguido un silencio y un rumor de sedas, el siseo de las olas yendo y viniendo en la rompiente de la playa sembrada de cadáveres bajo la luna del Pacífico.

–¿Qué es eso? Le está quitando las medias –susurra David.

–Si no lleva medias –dice Paulino–, ¿qué no lo has visto? Además, las novias no se dejan quitar las medias.

No me toques con esa venda tan gorrina, dice ella. ¿Qué te han hecho en esa mano?

No te lo vas a creer, Merche. Primero aquel par de animales me quiso asustar, eran subinspectores. Sobre la mesa había unos alicates nuevos con los brazos pintados de rojo, pero en ningún momento esgrimieron eso. Uno de ellos, el gordo, me sacudió con una cuerda mojada, aquí y aquí, mira, y luego me dio en el ojo. Estaban los dos muy cabreados, con una idea fija, y es que habían encontrado una llave en mi bolsillo y pensaban que era la llave de un buzón particular donde yo recogía propaganda política y mensajes, lo mismo que había hecho el señor Augé, eso decía aquel hijoputa... Me cansé de decirles que era la llave del botiquín de la cabina de proyección, este botiquín que ves ahí, pero ellos ni caso. Y uno va y me dice oye, cabrón, te conocemos, tú eras el niño bonito de los faieros, tú frecuentabas un bar de la calle de la Cera, un nido de ratas anarquistas, y estás conchabado con otros del Sindicato del Espectáculo que reparten de un cine a otro *Solidaridad Obrera* en las sacas de las bobinas, lo sabemos. Y yo que le digo pero qué dices, anda vete a tomar por el culo, subinspector de los cojones, eso es agua pasada, tú eres un montón de mierda y yo soy el niño bonito que se folla a tu hermana, así mismo se lo dije...

¡Estás loco, pichuli!

Es que yo, cuando me ponen a parir, no me sé controlar, nena, soy capaz de todo... Entonces el otro subinspector va y saca su pistola, me tenían sentado con las manos esposadas sobre una mesa, la saca y me atiza en esta mano con la culata. Vi las estrellas, Merche. Pero lo que no te vas a creer es lo que pasó luego.

Ay, mira, no me lo cuentes. ¿Ves lo que pasa cuando te engallas con la autoridad y encima mientes?

Yo no mentí, la llave era del botiquín. Quítate la falda, venga, así...

Eh, cuidado, no me escoñes la cremallera... Estás hoy muy excitado, ¿eh, cariñito?

—Es su novia, chaval, seguro. ¿No ves que está colada por él?

—Y tú estás agilipollado, Pauli. ¡Déjame oír, ostras!

Entonces, si no mentías, ¿por qué no les dijiste que vinieran a probar la llave en el botiquín, y habrían visto que eras inocente y no te habrían zurrado?

Merche, mi vida, ¿es que no sabes cómo las gastan? Querían asustarme y que cantara otra cosa.

¿Qué cosa?

Un momento, que no sé cómo se está rebobinando la película… Vale, marcha bien. Pronto se acabará el rollo, así que espabila, bonita.

También podías haberte lavado un poco, niño, que me vas a poner de grasa hasta el coño…

Entonces se abrió la puerta y apareció otro polizonte, un inspector, su cara me sonaba, lo había visto una vez en la puerta del cine hablando con el viejo Augé. Ordenó a aquellos cafres que se apartaran de mí, me saludó amablemente y me ofreció un cigarrillo… ¿Sabes aquello del poli bueno y el poli malo que sale siempre en las películas? Pues él era el bueno. Se sentó a mi lado y dijo: Tú eres amigo de la señora Bartra, ¿verdad? Sólo la he visto una vez, le dije, y es la verdad. Me miraba fijamente, creí que me haría un montón de preguntas, pero no. Se levantó y dijo disculpa a estos subinspectores, son buenos funcionarios que cumplen órdenes de sus superiores, como yo, como todos los que estamos aquí. Que estaba muy ocupado y no podía dedicarle mucho rato a mi asunto, y que lo lamentaba porque conocía bien a esos dos, son muy brutos y no hay quien los sujete, dijo, de modo que si tienes algo que declarar mejor lo haces ahora conmigo… Que no miento, le dije, esta llave es del botiquín de la cabina, yo no hacía más que repetir eso, y el tío se cansó y se fue.

¿Y ya está?

¡Qué va! El gordo y el flaco siguieron jodiéndome media hora más. Y luego me soltaron. Ni un vaso de agua me dieron. Ah, se me olvidaba la cabronada más cabrona que tuve que aguantar… Oye, qué buena estás, ladrona.

¿No tenías tantas ganas? Pues a qué esperas.

Es un minuto, prenda, mientras empalmo este rollo.

¿Qué es esto?

El ojo de gato que abre y cierra el foco de la linterna. No lo toques. Tócame a mí, ricura, agárrame esto… Pero espera, que ahora viene lo mejor. ¡La repanocha! Fíjate, estábamos todavía allí en aquel sótano, yo cagándome en todo y con esta mano hecha polvo, cuando se abre la puerta y entra otra vez el inspector Galván, fumando un cigarrillo, y al verme dice ¿qué hace éste aquí todavía?, he hablado con el Jefe y no interesa, ya lo estáis soltando. Y él mismo me quita las esposas, me acompaña hasta la puerta y me tiende la mano. Adiós, hombre, me dice, un mal día lo tiene cualquiera, pero cuidadito, pórtate bien, y entonces va y me gira esta mano tan machacada, que me dolía la hostia, y fíjate en eso, oye, me gira la palma hacia arriba y la mira atentamente como si leyera las rayas de la vida igual que hacen las gitanas. Eso creí yo, pero no. ¿Sabes lo que hace?

Con la oreja pegada a la puerta, David se figura la mano magullada de Fermín entre las manos del poli: el rabo de una lagartija se agita en la palma encharcada de sangre.

¿Cómo voy a saberlo, pichuli?

No te lo vas a creer. Yo pensé que quería comprobar si me habían roto algún hueso, pero lo que hizo fue quitarse el cigarrillo de los labios y sacudir la ceniza… No tenemos cenicero, dijo sin una sonrisa, como si la jodida broma le disgustara a él más que a nadie. ¡Mi mano le sirvió de cenicero! Y no contento con eso, una vez hubo sacudido toda la ceniza, aplastó la brasa en mi mano. Como lo oyes.

¡Vaya tío mala leche!

Pero no me oyó una queja, no le di ese gusto.

¡Santo cielo, rey mío, ¿cómo pudiste soportar el dolor?! ¿Y por qué te hizo una cosa tan horrible?

La costumbre que tienen de hacer estas animaladas, supongo. Porque son así. Ves a un tío de ésos por la calle y te crees que son personas normales, pero qué va. Bueno, ven aquí, reina mora, arrímate a esta sardina...

Llegan más barcazas de desembarco y rugiendo y chapoteando encallan en la rompiente de Guadalcanal, David ve la escena con todo detalle. El nido de ametralladoras japonés ha enmudecido.

–No soy ningún héroe, tan sólo soy un individuo –dice un soldado de bruces en la playa–. Estoy aquí simplemente porque alguien tenía que venir. No quiero medallas. Únicamente quiero acabar con esto y volver a casa.

Apiñados y cargando con todo el equipo, bajo los cascos de acero las caras asustadas de los infantes de Marina reciben rociadas de espuma de mar y señales de muerte junto con el olor y el sabor del carmín en los labios de la novia o de la puta, la foto en la cartera del soldado muerto, los muslos blancos y liberados ya de la falda y la mano chamuscada por el cigarrillo apretando la nalga... Entonces golpea con los nudillos, y esta vez lo oyen.

–¡¿Quién puñeta es?!

–¡Soy yo!

–¿Quién es yo, coño?

–¡Soy el hijo de la señora Bartra!

El zumbido del proyector y voces de mando, maldiciones y otra vez tiros y una risa femenina que no es de la película. Se abre la puerta y asoma la cabeza despeinada del proyeccionista.

–¿Cómo te han dejado subir, chaval? ¿No sabes que está prohibido.

–Mi madre quiere saber qué pasa con el sobre de este mes –susurra David.

–Se acabó. No habrá más entregas. Al menos no por mediación mía. Díselo a tu madre.

–¿Qué ha pasado?

–Nada que a ti te importe –gruñe Fermín–. Dile que si recibe más noticias, ya no será por el mismo sistema. Y no hace falta que vengas.

–Pero nos dejará usted entrar gratis en el cine, como siempre…

–Sí, está bien. Ahora largaos. ¡Fuera, deprisa!

Bajan corriendo a la calle y luego, chino chano Escorial arriba, los ojos en el suelo y las manos en los bolsillos, Paulino todavía duda.

–Pues yo creo que es su novia.

Sintiéndose mareada y con fuertes punzadas en las sienes, se levanta de la Nogma después de pedalear dos horas y se echa un rato en la cama. Poco después llega David, se sienta a su lado y le coge la mano. Repite lo que le ha dicho el proyeccionista del Delicias y añade el episodio del interrogatorio y maltrato de los policías y la intervención final del inspector Galván, pero se reserva mencionar el ritual gratuito, de pura mala leche, del cigarrillo apagado en la mano de Fermín.

–Ya suponía yo que algo había pasado –dice mamá.

–¿Y ahora qué vamos a hacer? –pregunta David.

–Esperar –suspira ella y añade–: Menos mal que el inspector estaba allí.

–¿Por qué menos mal?

–Creo que él siempre supo cómo llegaba ese poquito de dinero que nos enviaba papá, cuándo y por mediación de quién. Aunque tampoco habríamos podido decirle de dónde proviene, porque no lo sé, él hizo la vista gorda. Una forma de ayudarnos, ¿comprendes? Y por eso mismo dejó marchar a Fermín.

–¿Por qué habría de ayudarnos el poli ese?

–Pues porque en el fondo no es mala persona...

–Sí que lo es. Le damos un poco de pena, eso es lo que pasa, sobre todo tú, porque estás enferma y embarazada y trabajas mucho; nada más que por eso –masculla David bajando los ojos, y con la voz melosa añade muy despacio–: ¿Quieres saber lo que le hizo a Fermín, antes de dejarle marchar? Apagó una colilla en su mano.

–¡Qué dices! Te han gastado una broma, hijo. No puede ser.

–Que sí, que oí como Fermín se lo contaba a su novia.

–¿Su novia?

–Estaba con él en la cabina del cine.

–Ah, entonces es que presumía un poco delante de la novia... Seguro. Quería impresionarla. No puedo creer que el inspector hiciera una cosa así... Sin duda es una fanfarronada de Fermín. Tu padre podría hablarte de esos chicos de las Juventudes Libertarias, son muy entusiastas y generosos, pero algo alocados y paveros. Bueno, más o menos como tu padre. Así que invita a su novia a la cabina de proyección. Mira qué listo, el Fermín. ¿Cómo es ella?

David piensa la respuesta unos segundos. Pero antes de darla plantea otra cuestión.

–¿Por qué no quieres creerme, madre?

–¡Si te creo, hijo! Al que no puedo creer es a Fermín... Bueno, a ver, cómo es su novia.

–Una rubia de ojos azules, muy fina y muy dulce, muy pánfila... Paulino está colado por ella. Dice que tiene una voz de plátano.

–¿Ah, sí? Qué cosas dice tu amigo.

–Sí. Qué cosas. El muy capullo.

–David, oye.

–Qué pasa, gordi.

–Alguna vez has soñado que volabas con los brazos abiertos?

–Pues claro. La tira de veces.

–Estaba pensando una cosa. Imagínate que tú y yo llevamos mucho tiempo sin vernos, y que un día nos volvemos a encontrar mientras volamos y nos abrazamos con los ojos cerrados…

–¿Cerrados? ¿Por qué?

–Porque sí, no me interrumpas. Con los ojos cerrados, al abrazarnos, ¿qué cosa, qué recuerdo de mí te vendría primero a la cabeza? ¿Un olor, una canción, una peli, una flor, una picha tiesa, un sueño, una poesía…?

–¡Yo qué sé! ¡Vaya chorradas se te ocurren!

–Venga, hombre. ¡Piensa un poco!

–No empieces con tus pendejadas, Pauli.

–¡Por favor!

–¿Oyes silbar el viento en los cables de la electricidad? Pues es el mismo silbido que tengo ahora en los oídos. Así que olvídame, chaval.

–Por favor.

Después de un silencio, David se da por vencido y gruñe:

–Una flor.

–¿De qué color?

–Blanca. Una rosa blanca. ¡¿Te parece bien, tontolhaba?!

–Sí, está bien. –Paulino cambia la navaja de mano y añade–: Estos cables no llevan electricidad, son los hilos del teléfono, y no es el viento que los hace silbar, son voces de gente que tiene miedo y se llama desde muy lejos y se busca... ¡Escucha!

LA NAVAJA DE PAULINO

Pumba. Ahora o nunca, chaval, no vas a ser un capullo toda tu vida, pensé de repente, ¡pumba!, y hasta juraría que disparé la palabra en voz baja, mientras me limpiaba la sangre del cogote con la servilleta, dice Paulino. El tío había entrado en el cuarto de baño y se paró desnudo ante el espejo, rascándose la ingle. Seguía empalmado al tantear la toalla, y yo me dije: ahora o nunca. Pumba.

–¿Por qué te decidiste en ese momento? –dice David–. ¿O ya lo habías decidido?

–Ojalá lo supiera.

–Dicen que fue un accidente, que se te disparó la pistola...

–Ojalá lo supiera, te digo.

Lo cuenta medio sonámbulo, como si lo ocurrido no tuviera que ver con él. Fue después de afeitarle y de comer juntos en su pisito de la calle Rabassa una cazuela de mejillones con mahonesa (pero este guaje no come nada, ye un repunante, dice el tío Ramón), los dos solos en el comedor bañado por el sol y atufando a una mezcla de col hervida y masaje Floid. Ahora es el momento, pensó, no tienes ni que ponerte el pantalón y la camisa, qué más da, nadie ha de verte, así que no esperes ya más, acaba de una vez con esta pesadilla de capones y maldiciones y lametones y mordiscos y gritos sofocados en la sempiterna ronquera de: ¡Te haré un hombre, sobrino, por mis cojones que he de hacerte un hombre!

Pumba.

–Pero qué pasó, Pauli. Vaya escándalo. ¿Dicen que te van a meter en el reformatorio?

–Derechito al Asilo Durán me llevan. Que sí, que sí.

–¿Pero qué pasó, hombre?

Como si estuviera sonado, así lo cuenta. Que el ex legionario lo había amenazado una vez más con matarle si decía algo en casa, y que luego se metió en el lavabo dejando la puerta abierta y se miraba en el espejo con los peludos brazos en jarras y moviendo muy contento sus orejas de soplillo. Sentado en la mesa del comedor, Paulino alcanzaba a ver el ángulo del pasillo y el lavabo, la espalda aún más peluda que los brazos y la repugnante tiniebla del culo alto y prieto. El salacot, el uniforme y el correaje siempre tan blancos colgaban del respaldo de una silla, en el mismo comedor, y era lo único que se interfería entre el punto de mira de la automática del 9 corto y la odiosa sirenita. De bruces sobre la mesa desplazada por las embestidas de hace un instante, todavía con el mantel y los platos sucios, la navaja de afeitar y la brocha y el cuenco con agua jabonosa que ya no usará en mucho tiempo, la próxima vez te afeitarán en el infierno, Paulino empuña la Star automática con la mano yerta. El tío está frente al espejo secándose el sudor maloliente de las ingles con la toalla. Tiene una sirenita que sonríe tatuada en una nalga, un recuerdo de sus tiempos en la Legión. Tiene una picha como los cerdos, en forma de sacacorchos, silenciosa y húmeda como una culebra. Maldito seas guardia urbano con salacot blanco y blancos correajes, has arruinado mi vida. Qué otra cosa puedes hacer, me digo, cómo escapar de toda esta mierda, no tienes otra salida, Paulino, ya no te valen alas de mariposa ni rabos de lagartija ni de palabartija, por muchas que David consiga con su cortaplumas y sus ganas de ayudarte, compañero cómo te agradezco la complicidad y cómo te estimo, pero la verdad es que ese mejunje para las almorranas no sirve de nada, ya no valen las mentiras y tampoco sirven mis súplicas al tío ni estas lágrimas, ya todo acabó, ya nada me puede curar y ya no aguanto más. Así que ahora o nunca.

En la pared la sombra de la mano empuñando la pistola gira despacio, se retuerce sobre sí misma como la cabeza de una serpiente y apunta al entrecejo.

–¡¿De verdad querías disparar contra ti mismo, gilipollas?!

–Quería ver la llamarada saliendo de la boca del cañón.

–¿De verdad pensabas que podrías ver el fogonazo antes de que saliera la bala? No se ve ningún fogonazo, Pauli, y menos si te da el sol en los ojos. Nunca supiste cómo funcionan estas cosas.

–Pues sí que lo he visto. Antes de apretar el gatillo he visto escupir el salivazo de fuego, y antes de eso incluso he visto la luz diminuta del fulminante brillando ante mis ojos, pero entonces ya no apuntaba a mi cabeza, tenía la culata agarrada con las dos manos y apuntaba a la sirenita del culo, me parece.

¿Te parece? ¿Qué pasó, muchacho? No llores. Queremos la verdad.

No lo sé.

Dos tiros. Por qué.

Se me escapó…

¿Dónde apuntabas?

No lo sé, señor policía.

Te estás ganando una tanda de hostias que pa qué. ¿Dónde apuntabas?

A muchos sitios, a muchas cosas… Primero apunté a un calendario, después a una fotografía del tío Ramón pegada a la pared con chinchetas, después a la mano de mortero que me ha endilgado alguna vez, después al salacot colgado en el respaldo de la silla y después a mi cabeza…

¿De verdad querías pegarte un tiro, desgraciado?

No, señor. Sólo lo pensé. Primero lo probé conmigo, apuntándome… Quería saber qué se siente con el cañón apretado entre los ojos.

Y no habías quitado el cargador.

No lo había quitado, no señor. Tenía que hacerlo con el cargador puesto, y sin el seguro. Todo de verdad, tenía que ser así. Todo inventado, pero de verdad, con pólvora de verdad y balas de verdad… Bueno, todo menos las lágrimas.

Tendrás tiempo de llorar en el reformatorio todo lo que quieras. Así que no empieces otra vez.

Sí, señor. Está bien.

¿Y cuándo te echaste a llorar, antes o después de disparar?

Antes. Pero no lloraba de rabia, por eso no supe muy bien lo que hacía. Lloraba como de pena de mí mismo, de mi mala suerte, señor. Por eso se jodió la cosa.

¿Y por qué el segundo tiro, si dices que el primero se te escapó? Querías matarlo, está bien claro. ¿Por qué?

–Se me escapó, David, por eso se jodió la cosa. Se había girado hacia mí y la segunda bala podía haberle matado…

–Si lo habías decidido, ¿cómo no lo hiciste antes, bobo, mientras le afeitabas? –dice David en un susurro de su voz que vuelve como un bálsamo–. Más fácil no podías tenerlo. Un tajo con la navaja en la yugular y sanseacabó, y quién habría sospechado nada. Una pifia de aprendiz de barbero.

–También lo pensé. Más de una vez. Pero ya estaba apuntando al culo…

–Ya. Pumba, a la sirenita que sonríe y que tantas veces se había sentado en tu cara… Perdona, no quería hacerte recordar todo eso.

–No importa.

–Dime una cosa, Pauli. ¿De verdad fallaste el tiro?

–No lo sé. Apuntaba a la sirenita, lo había hecho otras veces. Pero no quería apretar el gatillo, eso no, creo que no…

–Crees que no. Y fallaste.

–Le di en la otra nalga.

–Pero ellos creen que no fallaste.

–Sí.

–Pues déjales que lo crean, porque eso es lo que tenías que haber hecho: no fallar.

Pumba. La primera bala se aloja en el glúteo y penetra unos doce centímetros, moviéndose ya más despacio, ahogada en la efusión de sangre del desgarro. Y la segunda se estrella en el lavabo. Tanto tiempo limpiando y engrasando la pistola con estas manitas suaves y diligentes, tantas veces levantando el arma con el punto de mira buscando el agujero del trasero del guardia urbano, una puntería tan sigilosamente perfeccionada, tan furtivamente ensayada y ensalivada y paladeada. Y fallaste, pobre capullo. Parece mentira.

–Bueno. Otra vez será.

Entre todos los ruidos que agobian día y noche su percepción herida, el zumbido del Spitfire cayendo herido de muerte sigue siendo un bálsamo que se vierte puntualmente en sus oídos.

¡Achtung! ¡Hände hoch!

Abre los ojos de golpe y se incorpora en el camastro apoyándose en el codo. Advierte con alivio que conserva el mechero del inspector apretado en su mano derecha. Abatido por las baterías alemanas, el motor aún ronronea. La columna de humo que se eleva de la carlinga es más delgada y más negra, y la actitud de los dos soldados que lo apuntan con sus armas parece más enrabietada. David apoya la mejilla en la palma de la mano y entorna los ojos, buscando entre centellas la mirada insumisa del piloto.

¿Por qué sonríe, teniente?

¿Qué otra cosa puedo hacer en una fotografía?

¿No teme que le vayan a disparar?

Me da lo mismo. No sabes lo aburrido que es estar en una foto sin hacer nada. O lo que es peor, sirviendo de propaganda al Tercer Reich en la portada de una revista, como si fuera un trofeo. Saldré a estirar un poco las piernas.

Con gesto cansado y expresión displicente, el teniente Bryan O'Flynn deja caer los brazos entumecidos y se golpea los muslos con los puños, luego se quita el gorro y las gafas, afloja el foulard en su cuello, frota con él un mascarón de la frente y se sienta al borde del camastro cruzando las piernas. Lleva una rosa blanca en la mano chamuscada.

Well, veamos qué es eso tan importante que tiene que decirme tu padre. El teniente huele la rosa y sonríe. O Rose, thou art sick! La llevo para hacerle rabiar un poco.

¿Mi padre va a venir?, se oye decir David.

No tardarás en verle sentado en esta cama, soltándonos su aliento podrido de cloroformo. Pero antes de que venga y te ponga la sábana perdida con su legendaria hemorragia, me gustaría charlar un rato contigo.

Muy bien.

Quisiera saber qué te contó de mí la red-haired.

¿Quién?

¡La pelirroja! ¡Tu madre!

David recela entrecerrando aún más los ojos. Los contornos de la rosa blanca se desvanecen.

¿Qué me contó de usted? Nada.

Tu padre, entonces.

Casi no me acuerdo. No fue gran cosa, y hace mucho tiempo… Que lo guió a usted desde Francia, hará cuatro o cinco años, después que derribaron su avión por primera vez, y que estuvo aquí en casa mientras en el Consulado Inglés le arreglaban los papeles para viajar a Gibraltar, porque allí tenía que entregar un maletín con la pieza de un submarino alemán.

¡Fantastic! Bien podrías tú decir, little boy, lo mismo que dijo el poeta: Once a dream did weave a shade O'er my Ange-guarded bed, o sea, un sueño tejió una sombra sobre mi lecho que el ángel guarda. Sin embargo…

¡Que te follen, Bryan O'Flynn!, ruge la voz devastada de papá debajo de la oreja del Dr. P.J. Rosón-Ansio.

…Sin embargo, lo que tu padre no te contó, luego veremos por qué, es que al partir hacia la base de Gibraltar, no me llevé el maletín. Aquel día le dije a tu padre que, por razones de seguridad, puesto que la policía franquista me vigilaba de cerca, era mejor que el maletín con su valiosísima pieza del submarino se quedara aquí. Ya vendría alguien a recogerlo más adelante, tal vez yo mismo, le dije. Lo que no sabía tu padre es que al irme de esta casa la pieza del submarino ya no estaba dentro del maletín… Well, en realidad nunca estuvo allí.

David ha de entornar los párpados mucho más si quiere ver y entender. Debajo de la gran oreja del otorrino no hay nadie. En la mano negra del piloto, el perfume de la rosa y el tufo de las uñas quemadas se mezcla, dejándole confundido. Pero sólo un instante:

Nunca existió esa pieza de submarino, ¿verdad, teniente?

Verdad. Fue una especie de broma. Look, todo empezó con una mentira que le dije a tu padre durante el paso de los Pirineos, al ver cómo le gustaba el drink. ¡Muchacho, qué manera de empinar el codo! En el maletín yo llevaba documentos y dos botellas del mejor vino francés, Château d'Yquem, era el regalo de una dama y no estaba dispuesto a compartirlo con nadie, y menos con aquella esponja que caminaba delante de mí y ya había liquidado él solito dos botellas de coñac. Le estaba muy agradecido a tu father por ayudarme a cruzar la frontera, pero cada cual guarda fidelidad a los recuerdos más gratos a su manera, I am sorry. Así que me inventé la pieza del Germany submarine fabricado con un nuevo metal cuya composición era de gran interés para la Armada británica, asegurándome de este modo que nadie abriría el maletín...

¿Eso es todo?, decepcionado David.

Hay algo más. Y es que... yo buscaba un pretexto para volver a esta ciudad.

¿Y por eso dejó en casa el maletín con las botellas de vino?

Tampoco las botellas estaban ya en el maletín. Una nos la habíamos bebido tu madre y yo cenando, una noche que tu padre se ausentó. La otra me la bebí on my own al día siguiente, estaba algo triste. Puesto que mi intención era dejar el maletín aquí, las dos botellas y los documentos fueron sustituidos por dos pedazos de hierro, un par de bielas oxidadas de bicicleta que encontré entre los desperdicios arrojados al barranco… Ya te he dicho que necesitaba una excusa para volver.

¿Volver para qué, teniente O'Flynn?

El piloto deja que la pregunta se diluya en la oscuridad. David escruta su cara pecosa y larga, suspendida en el aire y desdibujada, como entrando o saliendo de una nube. Por debajo, la mano renegrida que sostiene la rosa blanca parece una triste garra.

¿Por qué necesitaba un pretexto para volver?, insiste David.

Well, supongo que tienes derecho a una respuesta. El teniente O'Flynn huele la rosa antes de proseguir. Porque así tu padre, que debía regresar a Toulouse para ocuparse de otros asuntos, no habría de recelar de mi vuelta, si llegaba a enterarse. Se supone que yo venía a recuperar el maletín, you understand? Solamente eso y nada más que eso. Digamos que jugué con trampa, pero lo hice por el bien de tu brave father, para no crearle más tensión de la que ya soportaba habitualmente… Afrontaba muchos peligros, dentro y fuera de España, y por eso hay que disculparle que bebiera un poco más de la cuenta, o que a menudo se enfureciera por nada. Yo solamente quería saludar a tu madre, nos habíamos hecho muy amigos. Supongo que también tienes derecho a saber eso… En fin, lo que ocurrió después fue que yo no pude pilotar nunca más un Spitfire, mira mis manos, así que me asignaron otras misiones, la guerra continuó y pasó mucho tiempo antes de que pudiera volver. Se me presentó una buena ocasión a primeros de junio del año pasado, pocos días antes del desembarco de Normandía, pero finalmente no pudo ser y tuve que esperar hasta hace escasamente…

¡¿Por qué no te callas de una puñetera vez, heroico piloto de combate?!, truena de nuevo la voz diabólicamente explosionada, difusa en la oscuridad. ¡Bocazas! Ya puesto en ello, podrías añadir que le escribiste a Rosa cuántas y cuántas cartas después que te fuiste. Supongo que eso también podrías decírselo al chico, al fin y al cabo él tuvo en sus manos esas cartas antes de quemarlas por orden de la pelirroja, que por cierto ya las había roto en mil pedazos... ¡Anda, díselo!

Papá está sentado sobre una nalga en el otro extremo del camastro y sostiene la botella apretada entre los muslos –en una postura, curiosa en él, que sugiere cierto recato e indefensión–, mientras enciende la colilla con un fósforo sin quitarle el ojo al teniente sentado frente a él. Ahora sí que no, ahora de ningún modo está digno y presentable. En su cara abotargada las facciones manifiestan un desorden peculiar, un trastrueque como el que la pelirroja soporta en la cocina de casa: no sólo los dientes no están en su sitio, tampoco la nariz asoma donde debe, ni aquellos pliegues tan viriles en las mejillas, ni la mirada penetrante ni el risueño desdén que siempre había rondado sus cejas altas y espesas. Lo único que está en su sitio es el tajo en la nalga. Es un duro golpe comparar su lamentable aspecto con el del piloto irlandés de sus sueños, pero David se muerde la lengua y no dice nada, piensa solamente que si por lo menos papá pudiera presumir de otra clase de herida en otra parte del cuerpo, si por ejemplo llevara un vendaje en la frente, o el brazo en cabestrillo con su propio foulard, o un parche de cuero negro en el ojo, tal vez aún habría alguna posibilidad de mantener cierto decoro...

¿O acaso no es verdad?, añade papá arrojando la cerilla encendida por encima del hombro. Anda, cáscaselo todo al hijo de la costurera.

Verdad, admite O'Flynn con una sonrisa tímida, rascándose el cogote. Cartas ingenuas, llenas de poesía, de nubes y de tigres y de gusanitos, de oscuros impulsos y de vuelos solitarios con su caída en barrena, la espiral de terrible simetría. La culpa de todo, muchacho, dice buscando los ojos soñolientos de David con los suyos tan azules y conturbados por mascarones y humaredas, la tiene mi pasión privada por la poesía y mi debilidad pública por las pelirrojas de origen no necesariamente irlandés...

¡Que te follen, Bryan, invicto aliado!

Roger. Mensaje recibido. Thank you.

¡No sigas con tus gansadas o te las verás conmigo!, insiste papá. ¿Por qué has tenido que contarle al chaval tus pequeñas intrigas y tus poéticas bellaquerías de petimetre de la RAF?

¿Acaso tú no pensabas hacerlo algún día? ¿Acaso no eres un father responsable? ¿Acaso el chico no tiene derecho a la verdad?

Papá está mirando el mechero dorado en la mano de David al responder: La verdad hay que merecerla. Y eso es algo que mi hijo ya está aprendiendo a su aire y de la manera más conveniente.

¿Más conveniente para quién?

¡Para la patria, por supuesto!, exclama desdoblando el pañuelo ensangrentado y aplicándolo de nuevo a la nalga en alto con sumo cuidado. Empujada compulsivamente por la lengua, la asquerosa colilla que sostiene en los labios viaja de un extremo al otro de su ligera sonrisa burlona. ¡A ti lo que te pasa, paladín aliado y piloto laureado de los cojones, es que te has enterrado en tu propia leyenda y no supiste volver para lo que realmente valía la pena volver a este país! Como tantos otros invictos de tu calaña, has olvidado la causa por la que tantas veces te jugaste el pellejo con tu bonito Spitfire...

Bryan O'Flynn levanta el brazo en demanda de atención.

Just a moment, please. ¿Me estás hablando de la causa, de nuestra común y sagrada causa? Mírate, Víctor, amigo mío, y dime lo que ves, mira tu querida botella y tu rostro espectral y sin afeitar y tu trasero rajado, tu patético disfraz de perdedor acosado, mírate y ahora dime qué es para ti la causa.

Para mí sigue siendo lo de siempre: todo aquello que no acaba de salir como esperabas. ¡Un arroz a la cazuela, por ejemplo! Pero no creas que he cambiado tanto. Escupiré siempre en la jeta y en las palabras de los poderosos, porque ésa es la gente que alfombra de cadáveres su camino hacia el triunfo y su cacareado amor a la patria.

Qué cosas dices, papá.

¡Y qué estupendo y qué pelma se está poniendo tu admirado piloto! ¿No ves que es un cabeza de chorlito? La diferencia entre tu padre y este tipo es que tu padre está empezando a considerar alguna otra forma de vida más digna, y este pimpollo de la RAF sigue creyéndose un triunfador. ¡Y no sabes tú la de horrores que nos va a traer eso!

De modo que tú no celebras nuestra gran victoria sobre el fascismo, dice O'Flynn.

Nunca levanto mi copa hasta que me la llenan.

David deja que la resonante voz de papá se funda en la sombra y mira al teniente O'Flynn. Espera un rato, medita las preguntas que nunca han tenido respuesta:

¿Y cuántos días se quedó usted en casa, la segunda vez que vino, se puede saber?

Una noche. Una sola noche, dice el teniente.

¡¿Por qué no te metes la lengua en el culo, pero ya, Bryan O'Flynn?!, truena nuevamente papá con la voz desvertebrada. ¡¿O prefieres que te endilgue en el culo el morro entero de tu famoso Spitfire?!

Ya puedes decir lo que quieras, que no me enfado. Yo tengo an exciting life, yo voy y vengo de los horizontes de fuego y esmeralda, más allá del arco iris, my friend, yo soy un piloto de combate, un soñador. Soy romántico, encantador, intrépido. Me deslizo por el cielo como el gusano se desliza entre los pétalos de la rosa, porque un solitario impulso de placer me atrajo a este tumulto en las nubes, a esta seda inmaculada…

La victoria no es más que un espejismo de estúpidos engreídos, gruñe papá mirando a David. Y exhibirla como hace este mequetrefe me parece impúdico. La verdadera victoria es esa mata de margaritas que tu madre cultiva en el portal de casa… Pero yo no soy tu madre. Ella siempre quiso vivir conforme a una ética, y por eso ahora lo está pasando mal con algunos recuerdos. ¡Así que no me vengas con hostias, O'Flynn!

El teniente menea la cabeza en silencio. Con aire escéptico se mira las uñas de luto, las manos bellas y tenebrosas, y añade:

Víctor, dime una cosa. ¿Qué clase de amargura descargas sobre este chico? Realmente, ¿qué es lo que te jode y te obsesiona, compañero? ¿Que yo hiciera soñar un poco a su madre, en aquel entonces tan desesperanzada, tan maltratada por la soledad y los desengaños, o el hecho de tener que asumir ante todos nosotros tu triste papel de vencido…?

¡De rojo facineroso!, corta la voz desnortada de papá. ¡Menudo papelón!

En otras palabras, insiste el teniente, ¿qué es lo que más te duele, el engaño o la derrota?

De bruces sobre el lecho, David mira a papá con el mentón apoyado en ambas manos y espera su respuesta.

Jodido piloto. Es la pregunta más pertinente y puñetera que me han hecho desde que me escapé de casa, mascula papá espolvoreando la voz en el aire en medio de un suspiro, pero sin poder evitar el castañeteo de la prótesis dental mal sujeta. Tic-toc-tic-toc-tic-toc. Pues no lo sé, Bryan, no lo sé… Tic-toc-tic-toc…

Que se te cae la dentadura, padre, se lamenta David casi con lágrimas en los ojos.

…no lo sé. Hasta hace poco yo era un hombre marcado por la derrota, esto lo saben hasta los chiquillos del barrio, pero ahora, no sé… La desgracia se ha cebado en mí, pero es que yo no he sabido combatir ni en las nubes ni a ras del suelo. En todo caso, lo mejor sería hacer un fuego con toda esta mierda, como hizo David con las cartas. Me atormentan demasiado el dolor y la desesperanza, y sobre todo los infinitos horrores que he visto, incluyendo los que yo mismo he causado, así que espero que no quede memoria del más mínimo detalle de nada de eso. Valió la pena ilusionarse y luchar, sí, ambas cosas me dieron momentos de plenitud, y esos momentos no los cambiaría por nada. Pero se acabó.

Te equivocas, darling, dice el teniente O'Flynn apartando con los dedos chicarrones y engarfiados un mechón de rubios cabellos sobre la frente. Mira lo que te digo: si se pierde la memoria de uno solo de estos detalles, se perderá todo y nos perderemos todos, el universo entero se perderá con nosotros. O nos salvamos todos con todo, o no se salvará nada ni nadie.

¡No me sermonees, Bryan!

Well, tú siempre gustarte mucho chapotear en el charco pestilente de la derrota, con tu querida botella y tu culo roto al aire y la sangre corrompida por la patria y todo esa leche, well, comprendo tus sentimientos, but yo nunca te he visto así, mi valiente amigo, tú no eres tan visceralmente renegado, ni tan rabiosamente fugitivo, oh, no, yo creo que tú eres metáfora viviente de dignidad civil. Oh, yes. Y has tenido, pese a todo, pese a tu revolcón en la barranca, a tu pestucio a coñac y a tu raja en el arse, el respeto y el amor de tu Rosa. Has obtenido tú también tu victoria. Eres un héroe, lo quieras o no. Lo mismo que yo.

¡Un héroe de guerra no es otra cosa que una sangrienta coincidencia! No es mi caso, teniente.

Entonces vamos a ver, tercia David sentándose en medio del catre con gesto impaciente, vamos a ver, que yo me aclare. El piloto de caza Bryan O'Flynn vuelve a casa y le trae una rosa blanca a la pelirroja. ¿Y tú dónde estabas, padre?

Hacía tres noches que me había tirado al barranco. Pero ya tampoco estaba allí.

¿Y yo? ¿Dónde estaba yo, padre?

Déjame pensar...

Si fueras inteligente te callarías ahora mismo, advierte O'Flynn a papá en voz baja.

Debía ser a finales de marzo, en Semana Santa, así que estabas en casa de la abuela, en la playa.

Sí, dice David, justo un año después de que viera caer al mar el bombardero B-26. Tú me dijiste que el teniente O'Flynn había muerto quemado o ahogado en ese avión.

¿Yo? ¿Un bombardero de la RAF estrellado en el mar? Ni siquiera los periódicos hablaron de ningún bombardero caído frente a la playa de Mataró, recuérdalo...

I see, gruñe el teniente. Te dijo eso porque deseaba mi muerte.

Te creía muerto. No es lo mismo.

David empieza a notar la olla de grillos destapándose en su cabeza.

¿Quién dice la verdad?

Tú para bien la oreja, muchacho, masculla papá. La verdad es una cuestión de oído.

Sure, dice Bryan O'Flynn incorporándose a los pies del catre. Bien dicho. Anuda el pañuelo de seda bajo la nuez prominente, se ajusta la cazadora de piel, se pone el gorro dejando las gafas sobre la frente y, antes de desaparecer, dedica a David su media sonrisa enmascarada y se toca la sien con dos dedos chamuscados, en un remedo zumbón de saludo militar. Good luck.

Mientras se yergue serenamente junto a su caza derribado y hace frente a los boches –A la cazadora de cuero no, por favor–, tras él, y a lo lejos, en lo más profundo y por encima de los sombríos campos calcinados, rosadas nubes desprendidas del crepúsculo viajan desflecadas y sumisas hacia la noche. Con voz apagada, también papá se despide.

No te pongas cabezón, hijo, no lo pienses más. A esa lagartija no podrás cortarle el rabo.

Despertar bruscamente de madrugada en este cuartucho trae consigo quedarte a merced de unos ojos que te miran en la oscuridad, casi siempre desde la negrura del armario ropero entreabierto, pero ese puntual sobresalto David lo atenúa de inmediato al sentir en su mano la urgente pulsión de la venganza, la esquinada y vigorosa simetría del Dupont recalentado en el sueño y empuñado con firmeza bajo la sábana como si fuera un arma.

Se pone a silbar en la oscuridad, pero los ojos acerados del inspector Galván siguen flotando en la sombra y le dedican un parpadeo lúbrico y maligno. David salta del camastro y abre totalmente el armario manoteando la ropa de invierno, el raído abrigo negro de papá y algunas prendas de la pelirroja que el embarazo ya no le permite ponerse. Comprueba que el poli naturalmente no está, pero persiste la tensión y sigue silbando. Entonces se alza de puntillas y alcanza dos cajas de zapatos escondidas en lo alto del armario y saca de ellas la blusa de color azafrán, la faldita amarilla con bolsillos verdes y unas bragas de color rosa de niña, y se viste a ciegas y atolondradamente, con rabia y castañeteándole los dientes. Luego abre otra caja y saca la boina roja y el bolso rojo de plexiglás de larga correa, lo cuelga de su hombro y con la mano lo aprieta firmemente a la cadera, cruza de nuevo la oscuridad y, conteniendo la respiración, se deja caer de espaldas y estirado como una tabla sobre el lecho, la boina ladeada sobre el ojo y empuñando con la otra mano el Dupont dorado.

¿Todavía me estás guipando, cacho cabrón? Pues por mí puedes seguir, porque de todos modos acabaré contigo. Cerdo. Matarife. Polichulo de mierda.

David surge del cañaveral y se planta en medio del sendero, cortando el paso a la bicicleta. Sorprendida, la muchacha frena bruscamente y echa pie a tierra.

–Tienes una bici muy fermi –dice David con la voz nudosa. Lleva un vendaje en la frente, con unos toques de tintura de yodo y un aura de secretas ensoñaciones heroicas–. ¿Es de tu padre?

Ella le mira con sus ojos duros y no dice nada. Afirmando el pie en tierra, adelanta el vientre con suavidad y quita el trasero del sillín, apoya la corva en la barra del cuadro y balancea la pierna, manteniendo el manillar bien agarrado con ambas manos. En esta oca-

sión, al tenerla tan cerca, David puede observar en su brazo derecho, por debajo de la marca de la vacuna, una mariposa de calcomanía con las alas desplegadas, negras y rojas.

–¿Cómo te llamas? –pregunta David. Tampoco esta vez obtiene
respuesta, y observa la funda del violín sujeta al cuadro de la bici.
Es una funda vieja y raída, con los cantos despellejados–. ¿Estudias
música?

Cree percibir un destello burlón en su mirada y se le ocurre que,
aunque sea una funda de violín, dentro no tiene por qué llevar un
violín; podría llevar la merienda, o una labor de ganchillo, o unos
kilos de arroz o de garbanzos.

–¿Qué dices? –insiste David–. ¿No tienes lengua, niña?

Ella ni parpadea. Tranquilamente, sin dejar de mirarle, aparta
un insecto de su cara con la mano. Pequeños aretes plateados cuelgan de sus orejas.

–No puedes pasar por aquí sin dar la contraseña, ¿no lo sabías?
–David no se da por vencido–. La contraseña es Zapastra. Tienes
que decir la palabra Zapastra, y aun así ya veremos si te dejo pasar.
¡Vamos, dilo! ¡Di Zapastra!

Ella mueve la bici como si quisiera esquivarlo, pero no parece
poner mucho empeño. Le puede la curiosidad más que el miedo, y
se queda otra vez mirándole muy seria y en silencio.

–Tranquila, no voy a hacerte nada –David corta una caña verde
y empieza a pelarla arqueando la cadera con aire chulesco–. Pero te
has metido en un atolladero, chavala. Si no quieres decir la contraseña, tendrás que pagar prenda… Yo vivo allí, en aquella casona.
¿Ves este mechero tan chulo? –saca el Dupont del bolsillo–. Lo perdió un señor amigo de mi madre, ahí abajo en el torrente, cuando
enterraba a un perrito. Este señor está ahora en casa con mi madre.

Si vas y le devuelves el mechero diciendo que te lo has encontrado en el torrente, en el sitio donde él enterró el perro, dejaré que te vayas sin hacerte nada.

La muchacha lo mira con recelo, ahora sí. Endereza la bicicleta, se sienta en el sillín y levanta el pedal con el empeine del pie.

–Espera –se apresura David–. Qué te cuesta, sólo tienes que decirle que un día, al pasar por aquí, lo viste cavando con una azada, y por eso has pensado que el mechero es suyo. Sólo eso. Si no lo haccs, ahora mismo tendrás que enseñarme las bragas, y si son blancas o de color rosa, pues mala suerte para ti, esta es la prenda por no decir Zapastra, porque entonces tendrás que meterte conmigo entre las cañas y te pondré una mordaza en la boca y te ataré las muñecas, y no te soltaré hasta la noche y además a lo mejor te pispo la bici...

No tiene tiempo de verle la cara, sólo los cabellos rubios agitados por el viento, ya que el primer golpe de pedal es tan impetuoso y sorprendente que la bicicleta parece salir disparada y dcjarla a ella detrás con la falda arriba y las rodillas rabiosas iniciando su frenético sube y baja.

–¡Que es broma, tonta, que no te voy a hacer nada! –exclama David apartándose justo a tiempo de no ser arrollado. Viéndola alejarse velozmente detrás del cañaveral se lamenta en voz baja, desolado–: Si me importa un bledo el color de las bragas, en serio, si ya te las he visto. ¡Mira que llegas a ser borde, chavala, ¿qué te costaba echarme una manita?! Si supieras lo que le hicieron al pobre Chispa, seguro que me habrías ayudado. Seguro.

Baja hasta el lecho del torrente y durante más de una hora se desespera cortaplumas en mano buscando lagartijas para Paulino. Ve a dos o tres, pero no logra cazar ninguna, y al final desiste. Hoy no es mi día.

Al atardecer, el viento furtivo de las afueras penetra en los barrios altos llevando consigo un olor a pezuña quemada. Oscuros viandantes encorvados se deslizan por las calles como hurones, arrimados a los muros. Un hombre pequeño que pasa dando grandes zancadas pisa una mierda de perro y dice me cago en la leche puta, no hay derecho. David esquiva a todos ensimismado y cruza la plaza Sanllehy rumiando unas palabras de despedida. Hola, gordi, he venido a decirte adiós.

Acaba de salir del cuarto rojo con los dedos amarillos de revelar fotos de una boda tronada y más fotos de soldados y chachas en la plaza de Cataluña dando alpiste a las palomas, y antes de volver a casa quiere ver a Paulino. Tira una china contra el cristal de la ventana y poco después Paulino se sienta a su lado en un banco de la plaza. Ambos se quedan un rato callados.

–He venido solamente a decirte adiós, me las piro enseguida –dice David sacando del bolsillo un papel enrollado.

–Bueno.

–Te he traído este programa en colores de Sabu. Es la peli que vimos en el Delis, ¿te acuerdas?

–Claro. Gracias –dice Paulino. Ya le han afeitado la cabeza al cero una vez más, ya parece un presidiario, con sus ojos tristones arrimados a la nariz y su agrietada cara de niño viejo–. A mí me vienen a recoger ahora mismo. En menos de media hora estaré en el reformatorio, así que…

David chasquea la lengua.

–Yo también estoy fatal. En mis oídos es como si llovieran piedras, y mira el cielo, ni una nube.

–¿Quieres que toque las maracas bien fuerte?

–No. Hoy lo puedo aguantar. –Después de una larga pausa, David añade–: Te han cogido con el culo al aire, chaval.

–Si no hablo, no me pasará nada.

David había pensado encontrarle más quejica y miedoso que otras veces, pero no. Viste para la ocasión su mejor ropa, pantalón largo con raya y una pescadora azul, abierta sobre el pecho y con el cordón suelto. Trae sus maracas en una caja de cartón.

–¿Me las guardarás hasta que vuelva?

–Claro.

–La navaja barbera me la llevo. Me han dicho que allí podré seguir practicando.

–¿Te van a encerrar mucho tiempo?

–No es una cárcel, ¿sabes? El Asilo Durán es como una escuela… Para chicos descarriados y charnegos sin familia, bueno, sí, pero no es una cárcel, ¿sabes?

David asiente en silencio. Después dice:

–Venía pensando que no te dejarían salir de casa.

–¿Por qué no? No soy un criminal. No me vigilan. Fue un desgraciado accidente, eso es lo que mi tío dejó bien claro a todo el mundo.

–¿Y la bofia se lo tragó?

–No lo sé.

–Se te puede escapar un tiro una vez, pero dos tiros… ¿Por qué no contaste la verdad? Lo habrían enchironado, al hijo de la gran puta.

–¿Tú crees que me convenía hablar? Fíjate que hasta con el agujero en la cacha, desangrándose en el suelo como un cerdo, el tío me dijo que me mataría si hablaba. Por malo que sea el reformatorio, peor no será, ¿no crees?

David guarda silencio otro rato, la cabeza sobre el pecho. El zumbido de sus oídos crece. Tzzzzz... Paulino lo mira.

–¿En qué piensas, David?

–En nada. –Pero enseguida añade–: ¿De verdad no querías que este mamón la palmara?

–No –y con una voz que ya empieza a ser otra voz, más firme, dice–: Al que mataría es a mi padre, por gallina. Antes de irme me dan ganas de ponerle las cuatro plumas en el estuche de su navaja...

Ocupan el banco de madera junto a la fuente y se mantienen a un metro de distancia el uno del otro y con la caja de maracas en medio, Paulino muy formal con la espalda recta, las rodillas juntas y las manos encima, mirando el perfil huraño de David, que sigue con la vista en el suelo y con flojera, despatarrado.

–¿Tienes miedo, Pauli?

–Sí, un poco...

–Iré a verte los domingos.

–Pero allí no me van a pegar, porque lo haré bien.

–¿El qué harás bien? –dice David.

Ahora es Paulino el que calla unos segundos.

–Todo lo que me pidan –dice apretando los dientes–. Si me lo piden por las buenas. Estoy hasta el moño de malos modos, ¿sabes?

Otro silencio, que David rompe hablando deprisa, comiéndose las palabras.

–Voy a seguir buscando palabartijas. Si pillo una, te guardaré el rabo...

–Qué rabo ni qué puñeta, hombre. Ya no voy a necesitar ese mejunje nunca más. Cuando salga, dentro de un par de años, estaré curado y nadie se acordará de nada.

Una sombría pistola empuñada con ambas manos, temblorosas, sobre un cuenco con espuma de jabón. Una purulenta nalga de ex legionario tatuada con una sirenita azul que se coge los pechos y sonríe de forma obscena. ¿Y nadie se acordará de nada? David se vuelve de pronto y lo mira conteniendo su furia con los labios prietos y cara de susto, como si tuviera conciencia de la fatalidad de ambos, la de Paulino y la suya propia, que el tiempo se encargaría de revelar puntualmente. No lo dice, pero lo piensa: lo que va a pasar cuando salgas del reformatorio dentro de un par de años, o quizás antes, está cantado, Pauli: volverás a verte remojando barbas de vejestorios todo el puto día, en el Cottolengo y en el hospital, volverás a calentar toallas y a preparar el jabón y afilar navajas en la badana para tu padre, y sobre todo te las verás otra vez con las barbas del guardia urbano en su casa, porque te estará esperando, el muy cabrito, así es como te verás de jodido y puteado cuando salgas, chaval, hasta que un buen día, una soleada mañana de domingo que haya ido a buscarte al Asilo Durán para que pases el día con él –ya sabes, lo hace un domingo sí y otro no, tú lo afeitas y él te invita a comer y te lleva al cine o a los autos de choque de Vía Augusta, y luego te devuelve al encierro–, mientras apuras su afeitado en el terrado de su casa, te acomete de pronto un ramalazo de angustia, y ¡zas!, le rebañas el cuello de un solo tajo, y se acabó la historia…

Desbaratando la sombría premonición, la voz mudable de Paulino añade:

–Saldré como nuevo, ya verás. Y se acabó la historia.

–De todos modos –dice David apartando los ojos de él–, te has portado. Siempre pensé que no tenías ni media hostia. Que, de los dos, yo te ganaba en mala leche. Y no.

–Tú cavilas demasiado –dice Paulino.

David se encoge de hombros y calla un buen rato.

–Quería que me hicieras un favor antes de irte, pero ya no hay tiempo –dice después, y le explica su idea: presentarse al poli amigo de mamá, cuando esté con ella, en casa, y devolverle el Dupont diciendo que lo ha encontrado en el torrente, en el mismo sitio que alguien lo vio cavando, etcétera.

–A ti, mi madre te creería –añade–. Qué lástima.

–Pero el inspector me habría interrogado a fondo, y entonces qué –dice Paulino–. ¿De verdad crees que se tragaría esta trola?

–No es una trola. Y no me importa lo que haga él, lo que me importa es que se lo crea mi madre. Pero bueno, ya se me ocurrirá algo –coge la caja de cartón y se levanta–. Me voy. Abur.

–Espera –dice Paulino llevándose la mano al bolsillo–. Te he escrito una poesía.

–¡No fastidies!

–Tendrás que oírla antes de irte, te guste o no.

–Me cago en la mar, Pauli, mira que llegas a ser recapullo.

–Es muy cortita. Escucha. Deshojando una margarita del callejón del Viento, se quedó en mi pensamiento, el mejor amigo del alma. ¿Te gusta?

–La caraba.

–Me ha salido en un periquete.

–Se necesita ser merluzo para decir estas cosas…

–Pues bueno –observa el bulto del puño de David metido en el bolsillo del pantalón y añade–: Oye, ¿qué vas a hacer con el mechero del inspector?

–Ya te lo he dicho.

–Deberías devolvérselo sin más, por las buenas…

–Adiós, gordi –corta David–. Suerte.

No vuelve a casa por la Avenida, sino por las callejas de tierra batida más allá de la plaza y luego por el descampado yermo, cruzándose con gatos famélicos y perros vagabundos, hasta alcanzar la suave colina a este lado del barranco, pasando por entre las matas de ginesta cuyas florecillas amarillas aún sostienen la colada del día. Las prendas que le gustan están ahí, mostrando sus vivos colores después de secarse al sol. Se hace con dos o tres, escondiéndolas bajo la camisa, y sigue su camino con la caja de las maracas en el sobaco.

Camina junto a derruidas paredes de tapial, barracas y huertas y vestigios de perdidos senderos rurales, bordeando el torrente para cruzarlo mucho más arriba de casa, y luego se para en medio del cauce, ante el pequeño túmulo de arena que cubre el espectro de Chispa. Le llega desde la orilla el canto del mirlo y el rumor del agua sobre las piedras pulidas. Clavado una vez más en el lecho pedregoso, en torno a los tobillos siente el embate de las aguas muertas que discurren sin principio ni fin. Una fuerza extraña, un campo de energía desconocido lo ha atraído hasta esa duna junto al estiaje, a él y al Dupont dorado. Dondequiera que el perro se halle –aquí, se reafirma a sí mismo, aquí fue abatido y aquí está sepultado–, de él ya no quedaría más que el esqueleto mondo y lirondo, el arco de las costillas abriéndose debajo de la tierra y las cuencas sin ojos anegadas de arena, y a su lado el collar y la correa pudriéndose. Qué mala suerte la tuya, Chispa. ¿Nadie vio lo que te hicieron? ¿No pasaba nadie en aquel momento?

Pasó una muchacha en bicicleta, dice Chispa, sentado muy tieso sobre su propia tumba y con la frente todavía vendada. Yo la vi.

Una chica rubia en una bicicleta de hombre, eso es, corrobora David.

Sí. ¿Sabes cómo se llama?

Amanda.

¡Cáspita! ¡Qué nombre más bonito!

¿Y dices que esa chica os vio, a ti y al inspector?

Eso no lo sé.

Seguro que sí. Cuando ella pasó por aquí, el poli todavía te arrastraba por el suelo tirando de la correa de mala manera…

No, fue después.

¿Fue cuando ese malparido sacó el revólver?

No liemos la cosa. Yo no vi ningún revólver.

Claro. No te dio tiempo ni a eso, pobre Chispa.

Que estaba uno de morirse, nano, qué quieres.

Entonces, calcula David para sus adentros, seguramente esa niña pasó cuando el tío ya estaba cavando el hoyo. Aunque el mechero debió quedar semienterrado en la arena removida, el último sol de la tarde fue capaz de arrancarle un destello, y ese destello lo vio Amanda desde su bicicleta, cuando volvía a pasar por aquí una hora después, y se apeó y fue a cogerlo… ¡Procura recordar, Chispa!

¡Hombre, majillo, tú quieres que te lo den todo hecho!, boquea el perro sacudiendo la pelambre del lomo sucia de arena y plagada de larvas. ¿Qué pasa cuando pasa una cosa que te ha pasado por la cabeza porque tenía que pasar pero quién sabe si pasó? Estornuda Chispa y se inmoviliza de nuevo con sus largas orejas y su mirada melancólica bajo la venda ensangrentada. ¡Vamos, que tú lo quieres todo muy clarito y muy evidente, y eso no puede ser! Este hombre también podría haberme dejado tirado por ahí como una colilla…

¿Para que yo y Pauli te encontráramos con un agujero en el coco? No, tuvo que cavar un hoyo enseguida, eso creo. Buscó una aza-da en alguna barraca de por aquí, en las huertas, y cavó un hoyo, añade David dejándose caer sentado sobre la lengua de arena y cru-zando las piernas.

Sentarse aquí frente a la tumba y ponerse a repensar el último paseo de Chispa en compañía del inspector Galván ha de ser como mirar el torrente después que ha llovido y esperar que pasen cosas; como leer el nombre del verdugo de Chispa en una lápida funeraria lavada por la lluvia, limpia de hojarasca y de flores podridas. Aquí está. Así ocurrió sin duda. Pero los pensamientos de David no son sombríos ahora: según sus cálculos, el inspector lo arrastró un tre-cho tirando de la correa sin piedad y cruzó el torrente, que sería un horno a esa hora. No llegarían muy lejos, sencillamente porque Chispa iba sin resuello y al límite de sus fuerzas, y no había que pensar que el inspector lo cogiera y lo llevara en brazos hasta el cuartel de la Guardia Civil en la Travesera para entregarlo al vete-rinario... Es tan viejo el animal y sufre tanto, pensaría, bien mirado es un muerto que camina, no llegará vivo a la bola de estricnina, de modo que lo mejor, etcétera. No irían más allá, por eso remontarían el lecho del torrente hasta alcanzar casi las huertas, una zona solita-ria, el poli muy cansado y nervioso y harto de tirar de la correa, Chispa ya medio estrangulado y con la lengua fuera; puedo ver la espuma amarilla derramándose de su boca, puedo verla, ahora mis-mo la estoy viendo y es algo que me pone a parir. No resiste más y deja caer la panza sobre una franja de arena. Hasta aquí hemos lle-gado, guripa, ni un paso más. Pero seguramente ya mucho antes de llegar al límite, resignado al mandato implacable de los tirones y sa-cudidas, arrastrando las despellejadas patas traseras como harapos de sí mismo, antes de que se le nublara la vista y se le parara el corazón, su alma ya había muerto de tristeza. También pudo haber ocurrido, piensa David, que el encabronamiento del inspector y su decisión de liquidar el asunto a lo bruto no fuera provocado solamente por el terrible calor y la terca negativa de Chispa a seguir caminando o a reventar de una vez, sino que influirían también otras causas, vete a saber, un poli siempre será un tío borde, y de éste se puede esperar cualquier cosa...

Tantas veces y con tanta intensidad emocional ha desarrollado David la secuencia de esa muerte, que sus trazos más crueles ya figuran y perduran en la memoria con dolorosos detalles y certezas incluso a pesar suyo. Sabe de cierto, por ejemplo, que en el último momento Chispa intentó arañar al inspector con la pezuña, porque era un perro que tenía alma enrabietada de gato, y que segundos antes de recibir el tiro, el pobre animal levantó los ojos y lanzó una mirada de reproche a su verdugo, y que luego, sin un gemido, quizás con un maullido socarrón, a modo de despedida de este mundo asqueroso, rindió la cabeza.

El disparo y su eco aún resuenan en el caracol de mis orejas, compitiendo con el zumbido de siempre. ¿O fueron dos disparos, Chispa? Ni uno ni dos, embustero. Que sí. Te cuento... Lejos, más allá de la plaza Sanllehy, me agacho al borde de la carretera del Carmelo para atarme el cordón del zapato, estoy viendo a un palmo de mis narices los hierbajos resecos que peina el viento al borde del asfalto, así que lo tengo a favor del viento, ¿comprendes? Yo venía de entregar las fotos de una boda a una familia del Carmelo, y los novios eran tan pobres que sólo se quedaron dos, una en el altar y otra en el portal de la iglesia, tieso él y sonriente y más feo que Picio, y Paulino estaba conmigo en la carretera y dijo no haber oído nada (o sí: Ha sido una escopeta de aire comprimido, para asustar a las palomas. Que no. Está bien, chatín, lo que tú digas), pero incluso estando más lejos y con el viento en contra yo esa tarde habría cazado el eco del disparo, porque lo pude oír incluso antes de que el poli empuñara el revólver, mucho antes incluso de sacarlo de la funda sobaquera y poner las dos balas en el tambor. Alcé la cabeza de golpe, como si la primera bala también hubiese atravesado mi frente, y hasta sentí en la mano el rebrinco de la culata al disparar. El eco se expandió desde aquí y enseguida, como bolitas de algodón que llegaran una tras otra, fue taponando mis oídos enfermos. Y antes de desvanecerse en el aire también llegó el olor de la pólvora. Palabra.

El eco del quimérico disparo se trenza con el timbre de la bicicleta, y David vuelve bruscamente la cabeza al tiempo que se incorpora. Oye el rumor del cercano cañaveral mecido por la brisa después que la brisa ha mecido los cabellos de la muchacha.

Los pies apoyados en tierra, sin bajarse de la bici y a horcajadas sobre el cuadro del que cuelga la funda del violín, ella lo está mirando desde el sendero que bordea el torrente, a unos cincuenta metros. Sus ojos son duros y su boca malhumorada parece decir algo. ¿Estará pensando este sinvergüenza me acaba de robar una falda y una blusa? ¿Lo habría visto? Pero, ¿por qué un chico iba a robar ropa de chica? Sacude la melena, monta nuevamente en el sillín y pedalea enérgicamente, alejándose con su llamarada rubia en alto y su violín entre las piernas, cuando ya David intuye la extraña fusión entre el Dupont dorado que aprieta en el puño y esa melena de fuego que se diluye detrás del cañaveral, entre el determinismo crispado de la venganza y el azar de las cosas. Es simplemente la pura intuición que siempre vertebró sus sueños, el desquite enrabietado que anda buscando: abre la mano y deja caer el mechero a los pies del túmulo, quedando semienterrado en la arena, de costado.

Es cierto, hijo, no lo pienses más; esta muchacha pasó por aquí con su bicicleta y se paró a mirar, yo también la vi, dice la voz anestesiada a su espalda. Pero no me gusta lo que estás tramando...

Se acerca papá con las manos sucias y la frente alta, la colilla retozando en las comisuras de la boca y la botella de coñac agarrada por el gollete bailando en su mano, viene como desafiando el viento de una maldición o de una quimera empeñada en retenerle aquí, en este maloliente repliegue de la historia. Al contrario que su voz, su cuerpo no es nada evanescente, intangible ni gaseoso, y encima huele bastante mal.

El inspector Galván oculta la verdad, padre. Es un fullero. Ahora siempre que viene le trae una rosa blanca, y ya no habla pestes de mí y dice que nos quiere ayudar. Todo mentira.

Tu madre va a necesitar toda clase de ayuda.

Has de saber que nos visita casi a diario y siempre trae algo, chocolate, un saquito de alubias, terrones de azúcar... Cuando vengo de casa del fotógrafo me los encuentro a los dos sentados a la mesa camilla, madre le sirve café y él le enciende cigarrillos, tendrías que verlos charlando tranquilamente, la rosa está en un vaso con agua que ella coloca entre la lámpara encendida y el poli, que está sentado en tu sillón, y la sombra de la rosa le da en la cara mientras habla y a ratos sus ojos brillan, amparados en esa sombra... ¿Sabes qué le dijo el otro día? Le dijo me pregunto, Rosa, porque ya se tutean, sinceramente me pregunto si tu marido ha sido un auténtico libertario o simplemente un mujeriego. Fíjate.

Qué más da, hijo. La cuestión es pasar el rato.

Nunca entendí tus bromas, padre. Tú también juegas con las cartas marcadas.

No las marqué yo. La baraja es muy vieja, está más sobada que el trasero de la señora Vergés, pero de momento no tenemos otra.

¿Quién es la señora Vergés?

No preguntes.

David baja la cabeza sobre el pecho y espera, la mirada puesta en la arena caligrafiada por las lagartijas o las ratas en torno a sus pies. Empieza a echar de menos el son de las maracas de Paulino que guarda en la caja bajo el sobaco: su sonido de arenas tropicales anulaba los zumbidos y las voces en sus oídos. Las sombras del atardecer ya invaden el lecho del torrente y emborronan el menguado caudal del estiaje, pero el falso Dupont parcialmente hundido en tierra todavía lanza su débil fulgor dorado. David se agacha repentinamente, coge el mechero y lo examina con talante reflexivo. Tiene granos de arena en las junturas y procura que no se desprendan.

¿Se puede saber qué haces?, dice Chispa ahuyentando con la pata una mosca carroñera.

¿No lo ves? Encontré el encendedor del poli, mira.

¿Sí? ¡Ostras, nano! ¡Qué chiripa!

Estaba aquí mismo. Se le cayó del bolsillo cuando cavaba el hoyo para enterrarte. Se le cayó, seguro.

Lo que acabas de decir es una mentira, dice papá. Y por mucho que la repitas, no la vas a convertir en verdad.

Eso ya lo veremos.

Me parece que no carburas, muchacho. ¿Olvidas que tu padre ha luchado toda su vida contra esta clase de triquiñuelas…?

Hablando en términos policiales, lo interrumpe Chispa desplegando una blanca sonrisa melancólica, lo cual he de admitir que no se corresponde con mi pedigrí ni con mi crianza, debo decir que lo que está haciendo el nano es aportar pruebas falsas para inculpar a un sospechoso que él sabe culpable.

Conozco esas tretas, gruñe papá sujetando la botella en la entrepierna mientras con ambas manos asegura el sucio pañuelo en el trasero. Estás furioso y te diré por qué, hijo. Dices que ese fanfarrón mató a tu perro de mala manera, de acuerdo, tú crees que es un hecho consumado. Pero por el momento, más que un hecho, es una apariencia, y eso es lo que te enfurece. Tu impostura es peligrosa, la conozco, la he sufrido en mis carnes. No es que mientas para enterrar la verdad, ya lo sé, lo haces precisamente para desenterrarla, pero, en cualquier caso, mientes... Agarra de nuevo la botella y bebe a morro, y luego se queda mirando el vacío ante él con aire de resignada pesadumbre. Los hay que piensan que una cosa es la realidad y otra la verdad, y tú eres uno de esos. Eres un peligro, hijo mío... En fin, yo me largo. Se queda mirando en dirección a la ciudad con los ojos apagados, la botella firmemente agarrada por el gollete, los hombros vencidos. Deberías esconderte lejos de aquí, piensa o dice David. No, dice papá, estoy en el lugar que me corresponde, dentro de esa herida mal cerrada en la tierra, una barranca hedionda y falaz... Me pregunto cómo un hombre es capaz de pifiarla tantas veces en la vida. Si he de cambiar de escondite, dejaré por ahí un papel que diga: aquí la pifió Víctor Bartra una vez más. Como ves, ya no me queda nada salvo esta colilla apagada. A ti te queda el mechero, y lo mejor que podrías hacer es encenderme la collilla con él y después devolverlo al inspector.

Le será devuelto, pero no por mí. A mí no me creería, dice David.

¿No creería qué cosa?

Que acabo de encontrarlo yo justo aquí, donde mató a Chispa.

Me tiene por un mentiroso, y mamá también… Tiene que decírselo otra persona. Eso es, otra persona.

Papá gira sobre sí mismo esgrimiendo la botella por encima de la cabeza, como si fuera un artefacto explosivo, y la lanza contra una roca. Antes de que se haga añicos, mientras la botella aún gira en el aire, David ya ha visto los vidrios rotos y afilados esparcidos en el lecho del torrente; antes de que el coñac se derrame, incluso antes de oír el estallido del cristal que lo contiene, ve la tierra empapada chupando ávidamente el alcohol. Entonces, erguido en medio del torrente, con las maracas de Paulino bajo el brazo y empuñando el Dupont, piensa se acabó, ya he esperado bastante, y camina decidido hacia casa.

En el portal de la noche, el inspector Galván parece que ya se despide por hoy. La pelirroja apoya la espalda en el quicio de la puerta con las manos detrás, la cabeza ladeada con aire soñador o quizás burlón, y los ojos bajos. Lleva la bata gris mal ceñida y el pelo recogido en forma de penacho y sin muchos miramientos. El inspector le habla con las manos hundidas en los bolsillos del pantalón y mirándose los zapatos, muy próximo a ella y con una tensión solícita en los hombros; ninguno de los dos busca los ojos del otro, y, sin embargo, dirías que no hacen otra cosa que mirarse.

David se para junto a los helechos de la orilla y decide esperar un rato más. Mamá ha levantado la mano hasta la maraña roja de los cabellos, tanteando alguna horquilla, y enseguida, repentinamente, se toca la nuez del cuello, la cabeza se le va todavía más a un lado, y parece como si se dejara resbalar toda ella cerrando los ojos. Sin despegar el cuerpo de la puerta, su otra mano tantea un apoyo en el hombro del inspector, y de pronto ya está en sus brazos reclinando la frente en su pecho. Aunque en la retina de David las imá-

307

genes se han movido al ralentí, todo ha ocurrido muy rápido, y la distancia y la luz emborronada de la hora tardía no permite distinguir si se trata del consabido desvanecimiento o de una simple torpeza corporal, un impulso mal controlado que inicialmente sólo pretendía ser un gesto de amistad y gratitud por las atenciones recibidas, y que de pronto se convierte en una efusión que podría no ser tan imprevisible ni mal controlada como cabría esperar... El inspector la sujeta con el brazo rodeando su cintura y con los dedos de la otra mano le alza el mentón suavemente para verle la cara, mientras ella mantiene los ojos cerrados y los brazos caídos. En ambos, la parsimonia de sus movimientos no revela nada. Se separan enseguida, pero ella sigue aturdida, hablan un momento, él roza su codo con la mano y la acompaña solícito, entran en la casa y la puerta se cierra.

El lecho del torrente es un horno y en la arcilla agrietada asoma una lagartija oscura, grande y revieja, el rabo mutilado, la cabeza enhiesta sobre las patas delanteras y los ojitos como perdigones rojos. Podría ser la palabartija de Ibiza con la que solía engañar a Pauli, si no fuera porque no existe. David sopla y el bicho se esconde. Feliz tú, lagartija sin cola que habitas en las grietas del fondo de la nada, ese ningún lugar entre mi casa y el mundo, entre el silencio del torrente y la voz de papá. En cuclillas y con la mirada fija en la casa, un poco anhelante, persiste la impresión de ser observado, el filo de unos ojos en la nuca con un reproche fantasmal, pero ya no se siente desorientado ni despechado, ya no parece desear el antiguo embate de las aguas, sentirse arrastrado y mecido por la corriente, llevado lejos de aquí. Con la determinación pintada en el rostro, las prendas de vestir robadas debajo de la camisa y el mechero en el puño enrabietado dentro del bolsillo, ensimismado y solo, guardián de la verdad armado de mentiras, se quedará allí esperando el tiempo que haga falta. El contacto del metal en la mano, sus formas angulosas y compactas, le transmiten seguridad; algo le dice que tener apretado ese Dupont falso es como tener en el puño el corazón del policía. Recuerda lo que decía aquel indio en una peli: el arte del buen rastreador consiste en encontrar algo que está fuera de lugar. En cuanto a papá, su espectral y oxigenada presencia ha dejado una estela de cloroformo y de tintura de yodo, una aflicción de la carne, y David baja los ojos. A sus pies, una doble hilera de guijarros blanquísimos se alinea caprichosamente entre la broza, parece una dentadura postiza que asomara mal encajada desde la entraña de la tierra. De nuevo se siente observado, y vuelve la cabeza. Hay ojos que nos siguen mirando cuando ya se han ido.

AVENTURAS EN OTRO BARRIO

Cagüen el copón, Tejada, la de cosas que pasan sin que uno se entere. ¿Sabías que Galván estuvo liado con las tramas del juego ilegal, y que hace cuatro años fue expedientado por amenazar con la pipa a un inspector de Bilbao?

–No me digas. Me cago en la leche puta. ¡A ver, Mario, un sifón que pite! ¡Y otra de callos y un tinto aquí para Quintanilla!

Un bar frecuentado por polis en Vía Layetana, cerca de la Jefatura Superior de Policía. En un extremo de la barra, al fondo del local, dos subinspectores piden a gritos un sifón que funcione. Pasan ambos de los cuarenta, son cuellicortos y atildados y tienen la piel de la cara del color del caramelo, roja el gordo, el otro verde. Frente a ellos, alineados sobre el mostrador, una docena de platillos exhiben pajaritos fritos con sus cabecitas mondas y la tripita abierta. Este bar guarda entre sus paredes historias terribles y esta que voy a contar es una de ellas. Y conste que no son recuerdos imaginarios, supuestamente cultivados en la placenta febril de la pelirroja: ahora mismo puedo ver a los dos sabuesos tal como mi hermano los verá dentro de unos minutos, poco después del mediodía, en este soleado y caluroso martes de finales de septiembre.

Uno de los subinspectores es bajito y canijo, el otro es barrigudo y sanguíneo y se sienta de lado en un taburete alto, usa gafas de montura de metal pegada con esparadrapo sucio y tiene desabrochado un botón de la bragueta. Con el palillo ensarta una aceituna, se la lleva a la boca y la muerde con una mueca de asco. Tiene el dedo índice de la mano derecha envuelto aparatosamente con gasas y tapado con un capuchón de cuero atado con un cordel a la muñeca. Beben vino y vermut hojeando la prensa de la mañana, Europa en ruinas asoma en todas las páginas, eso de Nuremberg promete ser una fantochada de los aliados. Y que lo digas, Quintanilla. ¿Basora marcó tres goles?, bueno, y qué, el mejor extremo de España ha sido Gorostiza, digan de él lo que digan, todo y llevar el apodo de *Bala Roja*, que por algo sería, claro. Cierto, remacha su compañero, es el mejor, con permiso de Gainza.

Luego hablan de aquel desdichado asunto en el que el inspector Galván se vio implicado a principios del pasado mes de mayo. El gordo todavía ignora algunos pormenores del caso, por ejemplo que el detenido, un vendedor de enciclopedias a domicilio, le aclara el canijo, parece que no llevaba la documentación en regla.

–Suficiente para trincarle –dice el gordo probando otra aceituna pocha.

–Sí, pero eso fue lo que propició el error –dice el otro–. Eso, y que les salió un pelín chulo. Le tomaron por quien no era, y después de zurrarle durante dos semanas el tío seguía igual de entero y negándolo todo. Y no veas cómo le machacaron los pies. ¡La hostia! Le clavaron una docena de tachuelas en la mollera y le dieron un buen tute con las colillas.

–¿Tú lo viste?

–Lo vi después, cuando Serrano se hizo cargo. Se le escapó un golpe y le reventó un huevo. Este Serrano es un manazas y un mangante. Tiene su cachiporra para esos menesteres, ¿verdad?, pues no señor, el tío tenía que usar mi bastón, que sabe que me costó un ojo de la cara, y no veas cómo quedó la empuñadura de marfil con la piltrafa de la planta de los pies…

–De todos modos, aquel desgraciado a punto estuvo de dejar a Serrano y a todos con un palmo de narices, eso yo lo vi con estos ojos. Con la paliza que llevaba, aprovechó un descuido para escapar por la ventana que da al patio interior, ya había pasado una pierna y se iba a tirar. Yo creo que se habría tirado, y de hacerlo seguro que se habría matado igual, pero eso nunca se sabrá…

–Hostia, no le des más vueltas, Tejada –dice el gordo–. No sé si pensaba en matarse, pero seguro que pensaba en otra vida.

–¿Qué cojones quieres decir con eso? –responde el flaco frunciendo el ceño–. Joder, Quintanilla, tú estás pirado. ¿Insinúas que pensaba ir al cielo, un jodido comunista?

–¡Coño, mira que llegas a ser burro! Me refiero a que el tío estaría pensando en una vida mejor si conseguía escapar, mejor que la que le estabais dando con tanta matraca. Y que resultó una pifiada como una casa, por cierto.

–Yo no tuve nada que ver con todo aquello. El tío ya estaba sentado en la ventana y tenía un pie en el otro barrio, como quién dice, y a Galván no le dio tiempo a pensar en nada y además no estaba para puñetas, llevaba el brazo en cabestrillo y le dolía mucho la clavícula, ¿te acuerdas?, se la había roto en las escaleras de la comisaría de Horta, y encima aquel renegado hijo de puta lo había puesto a parir durante el interrogatorio, así que ya no pudo aguantarse

313

más, no te muevas que te frío, le dijo, y perdió el control, date cuenta, un hombre como Galván, que sabe arrancarle una confesión al más pintado, siempre tan paciente y tan flemático, y que de pronto no puede contenerse y se acerca a la ventana y lo empuja, vuela si tanto lo deseas, cabrón, le dijo. Yo no tuve nada que ver...

–La verdad es que fue como empujar un cadáver. Un suicida que te está pidiendo el último empujón, así es como lo explicó después el comisario jefe.

–Sí, porque de todos modos el infeliz se habría tirado –añade el flaco.

–No sé –dice el gordo–, yo no estoy tan seguro de eso.

–Porque no estabas presente. Míralo así: su única escapatoria era la ventana. Creo que yo también lo habría intentado.

–El más atolondrado fue Montero –dice el gordo–, que sacó la pistola y le disparó cuando ya no hacía falta. Dos balas en los riñones, así cayó más aplomado.

–La palmó por la caída al patio, no por los disparos –dice el flaco.

–Qué más da –resopla su compañero encogiéndose de hombros–. Puede pasarle a cualquiera. ¿Y qué hicieron con él?

–Al depósito del Clínico –gruñe el flaco enfrascado de nuevo en el periódico–. Hubo que inventar algo sobre la marcha, buscar a alguien que lo identificara como otra persona, un vagabundo sin familia al que nadie va a reclamar...

–¡Vaya manera de perder el tiempo y complicarse la vida! –opina el gordo.

–Di que sí. Pero ya sabes que a Portela le gusta ser legal. ¿Qué hora tenemos, colega?

–La una menos veinte.

—Va usted cinco minutos atrasado —la voz dulce a su espalda pertenece a una niña sonriente que está consultando el relojito de feria plastificado y de vivos colores que luce en su muñeca—. Es la una menos cuarto, señor.

Vía Layetana bajando, acera de la derecha batida por el sol, y allí en la esquina, en medio del transitar agobiado y pesaroso de la gente, esa niña que parece haberse apropiado de todos los colores y fulgores del día se para un momento y consulta su relojito de celuloide con números amarillos y agujas de purpurina. La esfera es celeste y la correa que ciñe la muñeca, de color violeta transparente con franjas amarillas. ¿Por qué lo miras, hermano, si sabes que los números mienten y las manecillas son pintadas y marcan siempre la misma hora, la una menos cuarto? ¿Consultas tu reloj de pacotilla para fingir que eres una persona ocupada, alguien con cierta prisa por llegar a una cita importante? La una menos cuarto dicen las agujas plastificadas, y me gusta pensar que, por un capricho del destino, ésa es precisamente la hora exacta en todos los relojes, la misma hora cabal que marca el reloj de verdad del inspector Galván saliendo apresuradamente del Bar Sky para coger el metro en Jaime I y llegar a tiempo de ver salir a su hija del colegio de monjas, mientras aquí los viandantes ven pasar a una adolescente de largas piernas oscuras que camina deprisa y muy tiesa, levemente recostada hacia atrás y risueña, como si un viento frontal alterara su verticalidad y eso le gustara.

Hablo desde una trinchera moral en el tiempo que me permite neutralizar la nostalgia, y, por supuesto, el repudio y la burla o el simple estupor que seguramente suscitó el paso de esta niña valien-

315

te por la calle. Es probable que yo mismo, de haberme cruzado con ella, no la hubiese reconocido. Ahí va, poco menos que de inconsciente putilla y con el persistente zumbido en sus oídos y en su corazón, exhibiendo un violento carmín en los labios y un hormigueo de maracas en las caderas. Luce la faldita amarilla con grandes bolsillos verdes y la blusa sin mangas de color azafrán estampada con espigas y amapolas desvaídas, el bolso de plexiglás rojo y larga correa colgado del hombro, los cabellos de paje recogidos en la nuca con una goma, las gafotas de sol de montura blanca, el rebelde flequillo cabalgando su frente y la boina roja ladeada sobre las orejas. En su brazo derecho, un poco por debajo de la marca de la vacuna, una mariposa de calcomanía pegada a la piel despliega sus alas negras con lunares rojos. Las rodillas mohínas y los finos tobillos brillan al sol, y las sandalias de goma de color marfil dejan al aire el puente saltarín, atolondradamente sonrosado y sensual, de sus ágiles pies. La serena firmeza del mentón, su aire levantisco, es lo único que a ratos podría traicionar esa apariencia postinera y festiva, pero ¡qué fulgor en su mirada desafiando el trajín de la calle, qué intensa la emoción que le embarga en medio de toda esa patraña bajo el sol! ¡Y de qué modo tan alegre y confiado sus grandes ojos reflejan la luz del día, cómo ama la vida esta muchacha que sonríe impúdicamente a los viandantes!

El gesto tan espontáneo de consultar el relojito plastificado y sin horas lo entiendo ahora como un guiño irreprimible a un ideal de la personalidad, o tal vez no es más que un respingo de la propia impostura, el toque convencional de veracidad que requiere semejante artificio ornamental, dedicado no tanto a la galería –este señor que enciende un puro y la mira de refilón al cruzarse con ella– como a sí mismo: un reflejo nervioso de la tensión manipuladora que cultivó

316

siempre y de manera muy especial cuando se veía enfrentado a sus espejismos personales, esos que, con el tiempo, forjarían su destino.

Está llegando al bar de los policías y entra con la mayor cautela. Despacio, con una mano en la cintura, colocando cuidadosamente un pie delante de otro, moviendo las caderas con más imaginación que curvas, avanza hasta el extremo del mostrador. Tienen que ser esos dos, piensa; le ha bastado arrimar el hocico a sus sobacos sudorosos. Pide una horchata, la paga y se queda allí un buen rato sorbiendo del vaso con una paja y escuchando el murmullo de sus comentarios sobre el cadáver machacado cuya identidad hubo de ser camuflada, y total para qué tantos miramientos, etcétera. Cuando sus oídos ya han soportado bastante –no ha venido a escuchar trapacerías de guripas tabernarios, y además está impaciente por llevar a cabo lo que se ha propuesto–, se sitúa sigilosamente a su espalda con el vaso de horchata en la mano y la paja en la boca, estira los bordes de la falda amarilla y carraspea.

–Perdonen. ¿Conocen ustedes a un inspector que se llama Galván?

–Se acaba de ir –dice el subinspector flaco con una oliva pinchada en un palillo y bastante recochineo en la mirada al ver la pinta de la niña–. ¡Ahí va, qué es eso!

–¿Para qué quieres verle, al inspector? –dice el gordo girando despacio en su taburete. Parece no dar crédito a sus ojos y con su negro dedo encapuchado apunta a la niña como si indicara un bicho raro–. ¿Qué tenemos aquí, Tejada?

–Estoy buscando al inspector Galván. Le conocen, ¿verdad? ¿Podrían darle un recado de parte mía?

–Qué recado –dice el poli canijo, pero en vez de esperar respuesta se vuelve al mostrador, cierra momentáneamente el periódico y ordena al mozo una ración de boquerones en vinagre, rápido, estas olivas rellenas están pochas, Mario, ¿dónde las tenías, en el chocho de tu abuela?, escupe en el suelo y luego se encara de nuevo con ella–. A ver, ¿tú quién eres, niña?

–A esta golfa yo la conozco de algo –dice el gordo–. Fíjate en su boquita de boquerón, Tejada. Yo te he visto en alguna parte... ¿Tú no andabas por el Chino vendiendo claveles?

–No, señor.

–Pero vives por ahí, juraría que te he visto.

–Bueno, sí...

–¿Cómo te llamas?

–Amanda Espinosa de los Monteros, para servirle.

–¿Me tomas el pelo, mocosa?

–Qué pasa. Ése es mi nombre...

–Bueno, a ver –tercia el otro poli–, ¿qué le quieres al inspector Galván?

–Que me encontré un mechero muy bonito, y creo que es suyo –lo saca del bolso–. Es éste.

–Pues sí, parece el suyo –dice el gordo examinando el Dupont, en cuyas junturas aún hay rastros de arena.

–Lo encontré en un torrente del Guinardó, en un sitio en el que no pasa casi nadie –dice Amanda triturando la paja con los dientes.

–¿Y cómo sabías tú que pertenece al inspector Galván?

–Le cuento: iba yo un día tan tranquila...

–¿Y qué hacías tú en el Guinardó –corta el subinspector gordo–, un barrio tan alejado del Chino?

–Mis abuelos viven allí, voy todos los veranos. Tengo una bicicleta y voy a clases de violín... Entonces, iba yo tan tranquila con mi bici cuando, al pasar más arriba de donde vive David, un chico que he conocido este verano, vi a un señor alto cavando un hoyo con una azada muy grande. Se había quitado la americana y la tenía doblada en el suelo junto a un perrito muerto con sangre en la cabeza, y encima de la americana había un paquete de Lucky y este encendedor, me fijé porque parecía de oro y brillaba… No me paré a mirar el enterramiento porque me dio pena, conocía al perrito, era de mi amigo, así que seguí mi camino, y una hora después, cuando volví a pasar de vuelta a casa, me acerqué con la bici pero no supe dar con la tumba del perrito. Di unas cuantas vueltas y en una de éstas me encontré el encendedor en el suelo…

–¿Y por qué has tardado tanto en devolverlo? Pensabas quedártelo, seguro.

–No señor –abre otra vez el bolso de plexiglás y hurga en su interior, pero no saca nada–. ¡Córcholis! Olvidé la polvera en casa –dice arrimando el pubis, como sin querer, a la oronda rodilla del subinspector sentado en el taburete con las piernas muy abiertas–. No era mi intención quedármelo, pero qué podía hacer yo si no sabía quién era aquel enterrador de perros…

–¿Has oído eso, Tejada? –dice el gordo sin apartar los ojos de la niña–. ¡Qué enterrador de perros ni qué leches! ¡De qué estás hablando!

–Le cuento, señor. Pasaba yo cerca del cañaveral con mi bici y veo algo que asoma en la arena del torrente, y me digo: es una pata del perrito, que a lo mejor se ha estirado debajo de la tierra, a veces pasa, yo vi a mi abuela levantar el brazo cuando ya estaba dentro del ataúd. –Adelanta el cuerpo hacia el mostrador y apoya la mano con aire distraído en el muslo butifarrón del policía, alcanzando una oliva con la otra mano. Se la echa a la boca y añade–: No están tan malas. Tienen el paladar muy fino, ustedes… Pues decía que la pata del perro hacía un gesto como que me llamaba. ¿Ustedes han visto alguna vez la patita de un perro enterrado de mala manera asomando tiesa de debajo de la tierra? Es algo que da grima, de verdad de verdad se lo digo. Total, que me bajé de la bici y me acerqué, y entonces vi que no era la patita del perro lo que asomaba, había sufrido una falsa impresión, porque soy una chica un poco sentimental, ¿saben?, no era más que una rama de pino medio enterrada allí. Y entonces, allí mismo, fue cuando me fijé en este mechero tan bonito. Se le caería al inspector al recoger la americana…

–Conque enterrando un perro –corta impaciente el gordo–. Qué extraño. El inspector Galván enterrando perros. ¿Por qué lo haría?

–Porque el perro estaba muerto, señor. Él lo había matado.

–No me digas. ¿Has oído eso, Tejada? ¿Y por qué lo mató?

–Porque era muy viejo y estaba enfermo, y pensaría que no valía la pena perder el tiempo llevándolo al matadero del veterinario…

–¡Pero bueno, Tejada, ¿no oyes lo que dice?! ¿Desde cuándo nos dedicamos a estos trabajitos? ¿Habrá paga extra por liquidar a un perro? –se ríe el gordo mirando a su compañero, luego se vuelve a ella–: ¿De qué leche de perro muerto me estás hablando, se puede saber, nena?

–Ya se lo he dicho, era el perrito de mi amigo David –se queda unos segundos pensativa, repiqueteando con los dedos en la morcilla del muslo rechoncho, mientras el poli la observa con media sonrisita.

–¿Cómo has dicho que te llamas, monada?

–Amanda, para servirle. Entonces, como les iba diciendo, estaba yo que no sabía qué hacer con el encendedor, hasta que David me dijo que conocía al señor inspector. Yo se lo daré, me dijo, pero así de entrada no le creí. Verán, no conozco mucho a este chico, pero sé que es un poco pispa y bastante fullero. Y este encendedor es precioso y de mucho valor, parece de oro macizo. Seguro que se lo habría mangado. Total, que le dije no, mira, me dices cómo se llama este señor y dónde le puedo ver, y yo misma se lo devolveré, porque a lo mejor me gano una buena propina. Y entonces he ido a la Jefatura de Policía y me han dicho que lo encontraría aquí… Bueno, pues ya está, ahora me tengo que ir. Ustedes le dan el mechero al inspector y por favor no se olviden de explicarle cómo lo encontré y dónde; que me fijé porque, mientras él cavaba el hoyo, el perrito muerto soltaba sangre de un agujero de la cabeza…

–¿Ah, sí? ¿Y por qué habíamos de explicarle al inspector Galván toda esta monserga? –le interrumpe el subinspector flaco.

Amanda tarda unos segundos en responder. Se ajusta las gafas de sol sobre la nariz, agarra firmemente su bolso de plexiglás y dice:

–Porque es la verdad, señor.

–Oye, ¿en tu casa saben que te pintas los morritos? –dice el gordo.

–Es mi color natural –gorjea Amanda.

–No digas mentiras que te crecerá la nariz. ¡Otro tinto para mí y otro cinzano para Tejada, Mario! ¿Sabes una cosa, niña? Un día de estos le voy a romper las pelotas a alguien.

–¿Y eso? –dice Amanda.

El gordo la mira como si la cara de esta chica fuera un jeroglífico, y no responde. Desde hace un buen rato la está mirando de un modo distinto. Amanda deja el vaso de horchata en el mostrador.

–Bueno, ya les he contado lo que pasó. Ahora tengo que irme.

Sin quitarle la vista de encima, el gordo alcanza el palillero y con el dedo encapuchado de la otra mano se toca la bragueta.

–Espera. ¿Por qué leches miras tanto la hora en tu reloj de cartulina?

–Porque tengo prisa, señor.

–¿Cómo es que tu madre te deja salir vestida como un lorito? –esgrime el boquerón ensartado en el palillo y de pronto la proximidad física, la voz y la transpiración misma de este remedo procaz de mujercita se le antoja un agravio–. ¿Te has mirado en el espejo, pimpollo?

Amanda ya se iba, pero se vuelve y se le encara con la mano en la cadera.

–Usted me habla así, señor policía, porque se cree que soy una analfabeta, una chica de barriada pobre que no ha ido a una escuela de pago y no tiene estudios ni amistades finas, ni recomendaciones ni buen gusto para nada. Pues sepa usted que estas gafas de sol, por ejemplo, son una monada, y son igualitas a las que lleva Ginger Rogers. Y no me diga que Ginger Rogers no tiene buen gusto porque entonces es que usted está ciego y además es un zoquete...

–¡Di que sí, niña! ¡Así se habla! –exclama el flaco con una risotada–. ¿Has oído eso, Quintanilla?

–Vaya con el lorito –dice el otro fijándose en los dedos de la impertinente engarfiados en la cadera. Las uñas ribeteadas de luto son impropias de una niña tan presumida y resabiada–. Dime una cosa, lista. ¿Alguna vez has tenido problemas con la autoridad?

–Nunca, no señor.

–Pues yo diría que no tardarás en tenerlos. Y repito: yo a ti te conozco... ¿Sabes lo que pareces, puñetera? –le echa un chorro de sifón al vaso de tinto y añade riéndose–: ¡Una muñequita escapada de una casa de meucas!

–Venga, Quintanilla, acabemos de una vez –le advierte su compañero sin apartar la vista del periódico–. Que se largue, y tú guárdate el mechero. La temporada que viene, el Coruña a segunda. No hay derecho. Y mira que Acuña es bueno… Lárgate, niña.

Ella se gira nuevamente para irse, pero el gordo la retiene agarrando la correa del bolso.

–¡Un momento, quieta ahí! ¡Ya sé quién eres, joder! La ratita aquella que andaba por el Chino vendiendo tabaco y cerillas.

–No, señor, se confunde…

El poli achica los ojitos tras los culos de vaso de sus gafas, e insiste:

–¿Tú no eres esa golfa que llaman la *Sorbetes*? –se vuelve a su colega y añade–: ¿La has conocido, Tejada? ¿Sabes quién digo?

–Se viste y se comporta igual, pero no es ella. Te equivocas, Quintanilla. Ojo.

–Mira esos morritos. Es ella. La vi una vez no sé dónde, no me acuerdo, en una tasca de mierda sería, en la calle Robadors o San Ramón, llevaba esta misma falda y ese bolso rojo, igual que una putilla…

–¡Pero qué dice!

–Ven aquí, prenda, no te enfades. Acércate al amigo Quintanilla. A ver, quítate las gafas y mírame a la cara, y dime que no eres la *Sorbetes*, a ver si te atreves.

–¡Que no soy, córcholis! ¡Soy Amanda!

–¡Anda ya, no me jodas! Que te conozco, niña. Con más de uno te has curado las anginas haciéndole una buena mamadita, ¡ja ja ja! ¡Tú eres Paquita la *Sorbetes*! Los chavales de la calle San Ramón te conocen bien. Tu madre hace chapas en La Maña y tú zascandileas por ahí, vendiendo tabaco rubio y cerillas y a lo que salga, dejándote magrear si te compran algo, una vez te pillaron en un portal con la minga de un panadero en la boca, que me lo han contado… ¡Quieta, no te muevas!

–Que no, Quintanilla, que la estás cagando. Que no es ella –insiste el otro mirando ahora a la niña por encima del hombro, una mirada entre la conmiseración y el desdén–. Que no.

–Tócame los cojones, Tejada. Yo te digo que sí.

–Y yo te digo que no, hostias.

–Fíjate en esa boquita de boquerón –insiste el gordo cogiendo a la niña del brazo–. Seguro que lo hace de puta madre y por dos reales…

–Hay que ver cómo estás de tronado, compadre. ¡Que no es ella, repito!

–Lo vamos a ver enseguida –mascilla el poli girando sobre el taburete y levantando el dedo encapuchado frente a la nariz de Amanda–. ¿Ves este pobre dedo? No puedo hacer nada con él. Ni hurgarme la nariz, ni apretar el gatillo, ni rascarme los huevines, ja ja, ni desabrocharme la bragueta para orinar. Y ahora tengo ganas de orinar.

Amanda mira y escucha, erguida y con las rodillas muy juntas, la boca derramada de carmín y un destello de guasa en los ojos detrás del celuloide ahumado de las gafas de feria. Ahora hay que aguantar el tipo, piensa, aguantar como sea. Siempre hemos sabido que habría que asumir riesgos, así que ahora no te escondas ni te achiques. Venga lo que venga, aquí me tienes, cabrón. Con el dedo afirma las gafas oscuras sobre la nariz y carraspea.

–¿En serio tiene usted ganas de hacer pis, señor? –entona arqueando la cadera.

–Eso he dicho. ¿Qué te parece si te ofrecieras a ayudarme? Pero no quiero que haya ningún malentendido, ¿eh?, así que vamos a declarar aquí delante de éste. Escucha lo que te digo y repite conmigo: Casualmente me percaté que el subinspector Quintanilla, adscrito al

Grupo Cuarto de la Sexta Brigada, tenía el dedo índice de la mano derecha fracturado... Vamos, dilo.

—Casualmente me percaté que el subinspector Quintanilla tenía roto el dedo índice de la mano derecha...

—Y como tenía urgente necesidad de orinar y no podía desabrocharse la bragueta...

—Y no podía abrir la bragueta...

—No. Tenía necesidad urgente de orinar y no podía...

—Y no podía desabotonarse la bragueta por causa del dedo roto.

—Eso, muy bien. Entonces me dio lástima y me ofrecí espontáneamente para acompañarle al retrete del bar y ayudarle. ¡Venga, niña, dilo!

—Me dio lástima el pobre hombre y lo acompañé al retrete para ayudarle a...

—A aliviarse.

—A lavarse las manos...

—¡No, puñetera! Ayudarle a desabotonarse la bragueta para que pudiera hacer sus necesidades.

—Bueno, eso. Hacer sus necesidades.

—Y esta buena obra la hice sin que nadie me obligara y sin mala intención, sin ánimo de sacar provecho ni de burla o de menosprecio para con la autoridad...

—Te estás pasando —dice el subinspector flaco—. A ver qué haces, coño.

—Tú cállate, Tejero.

—Pero bueno ¿qué te propones?

—¡Nombre y apellidos!

—Estás desbarrando, Quintanilla. ¿A qué viene eso?

—¡Joder, perdona, estaba distraído! —se ríe con la mano en la bragueta y vuelve a embestir–: ¿Has tomado buena nota de su declaración?

–¡Y dale! Mira, oye, que te den por el saco –dice su compañero, y reclama al mozo una ración de pajaritos.

Amanda hunde las manos en los grandes bolsillos de la falda y observa a los dos hombres. El gordo se deja resbalar del taburete y atenaza su muñeca, en la que el pulso ha empezado a desbocarse.

–Venga, pimpollo, repite conmigo…

–Bla bla bla, ya está dicho y repetido –gorjea Amanda con la mano en la cadera y la mirada desafiante, pero ya con un sabor de ceniza en la boca. Si éste es el precio que he de pagar, hijos de puta, lo pagaré–. Pero no me haga daño, señor policía, por favor.

–Ven conmigo, niña. Vas a hacer una buena obra.

Sofocado, balanceándose sobre sus grandes patas y con una borreguez y un aturdimiento repentinos en la mirada, se la lleva de la mano hacia el retrete al fondo del local. Su colega le mira irse desde el mostrador meneando la cabeza y vuelve a enfrascarse en el diario, mientras le llegan los gorjeos cada vez más débiles en una especie de cantinela monótona: –No me importa ayudarle, pero por favor no me dé mal trato, señor policía, por favor no empuje. Soy una niña buena y dulce aunque usted no lo crea y desde hoy prometo ser más obediente y cariñosa con mi madre y con mi hermano, pero es que seguimos sin noticias de papá, ¿sabe usted?, teniente Fabersham escuche, habrá que encender más hogueras para ahuyentar a los buitres de los cadáveres y quemarlo todo y pintar la bicicleta de otro color… No soy más que una pobre niña huérfana de padre, ahora mi madre nos va a traer otro hermanito, ojalá tenga un buen parto y no le pase nada y el niño nazca sano y fuertote y el día de mañana no tenga que avergonzarse de su hermana y pueda vencer todos los peligros con una sonrisa simpática y una preciosa cazadora de cuero, como el valiente caballero de las nubes…

–¿Qué puñeta estás remugando? –gruñe el gordo dentro ya del retrete–. Desabrocha la bragueta y sácala, yo no puedo –la niña lo hace con dedos ágiles, sin un titubeo, y él baja la tapa del váter–. Siéntate.

Venga lo que venga, aguantaré, se repite una y otra vez. En la oscuridad maloliente suspende los sentidos, el tacto y el olfato que lo agobian, y sigue con la mirada a una mariposa blanca que revolotea, digamos, desde su corazón hasta las margaritas de mamá. Y después vomita toda la horchata.

Con un palillo en los labios, el subinspector Tejada se encamina hacia el retrete y abre la puerta asomando la cabeza. No dice nada, vuelve a su taburete y al poco rato la niña pasa por detrás suyo muy estirada y silenciosa, con una levedad de ángel o de demonio. En la barra la niña pide un botellín de gaseosa y hace buches, devolviéndolos al vaso. Se para, reflexiona, una marea de rabia y resentimiento le inunda, pero reacciona y sigue con los buches y las gárgaras de gaseosa. Un hombre bajito y calvo que acaba de instalarse a su lado pidiendo un anís se vuelve a mirarla y la reprende:

–Niña, estas guarradas se hacen en casa.

El subinspector Tejada levanta la cabeza del periódico escupiendo el palillo triturado.

–¿Qué le pasa, hombre? ¿Le parece mal que la gente se enjuague la boca?

–Yo a usted no le he dicho nada…

–Pues yo sí le digo, so mamón. A ver, por qué le parece mal un poco de higiene, con gárgaras o con lo que sea. A ver, explíquese.

–Bueno, no creo yo que éste sea el sitio adecuado…

–¿Ah, no? Mira el listo. ¿Y cuál es el sitio adecuado, listo?

El hombre capta una mirada del mozo que le sugiere déjelo correr, y le hace caso. Apura su copa de anís de un trago y con el rabillo del ojo ve a la niña que se dispone a pagar la gaseosa. El subinspector, con un discreto gesto de la cabeza, le indica al mozo que no le cobre. Entonces ella se guarda su dinero, asegura la correa del bolso en su hombro, se peina el flequillo engarfiando los dedos, luego escarba sus sienes con la uña y el talante desdeñoso, consulta el reloj de pulsera con su esfera fosforescente y sus horas de purpurina, y finalmente se despide con voz alta y clara.

–Se me ha hecho tarde –y sin mirar a nadie–: Le dan el mechero al inspector Galván de mi parte, por favor. Sobre todo. Por favor.

Un viaje y una breve estancia en Zaragoza por cuestión del trabajo impide al inspector Galván acercarse por casa durante cinco días. Cuando se deja ver de nuevo trae un kilo de alubias, dos botes de leche condensada, unas zapatillas para mamá de color violeta con apliques dorados y un azucarero de cerámica con una vista del Ebro y la basílica del Pilar. Y ese mismo día el Dupont se halla otra vez donde David deseaba verlo, sobre la mesa camilla de nuestro pequeño comedor-recibidor, entre las dos tazas de café y el azucarero nuevo lleno de terrones.

Llega David a esta hora decisiva después de pasarse la tarde haciendo recados para el fotógrafo. Ha entrado por la puerta de noche y ha cruzado el salón fantasmal del otorrino, evitando muebles que se pudren amortajados en fundas amarillas y espejos que chorrean azogue y reflejan liebres y perdices muertas entre racimos de uvas y sandías partidas, ha enfilado el pasillo en penumbra hasta el otro lado de la cortina verde y ha llegado con pasos sigilosos hasta la mesa camilla y los dos sillones de mimbre, ahora desocupados, bajo la ventana que enmarca un lívido atardecer de finales de septiembre. Lo primero que ha visto es el encendedor, de pie sobre el blanco tapete y luciendo nuevamente su falso brillo dorado, luego la americana del inspector colgada en el respaldo de una silla, la puerta entornada del dormitorio, y, por último, en el suelo, delante del sillón que suele ocupar ella, la palangana con agua y las flamantes zapatillas.

La puerta de cristales esmerilados del dormitorio se abre un poco más apenas la roza con la yema de los dedos. La pelirroja está echada en la cama con su bata de amapolas descoloridas y su rebeca gris, descalza y con una mano yerta sobre la barriga, y el inspector está sentado en una silla, a su lado, sosteniéndole la nuca con una mano, mientras con la otra le acerca un vaso de agua a los labios. Ella cierra los ojos después que ha bebido y él retira la mano con suavidad, y ambos guardan silencio.

–¿Qué te pasa, madre?

–Hola, hijo –sonríe ella débilmente–. No es nada... ¿Quieres traerme mi taza de café? Está en la mesa camilla.

Con el vaso todavía en la mano, el inspector se levanta.

–No le hagas caso –dice–. Lo que habría que hacer es avisar al médico.

–Estoy bien, hijo, no te asustes –se incorpora un poco y acomoda la almohada a su espalda–. Se me pasará en cuanto me tome unos sorbos de café...

–No más café –corta el inspector–. No por ahora.

David ahueca la mano derecha a la espalda, como si ya empuñara el Dupont.

–Voy enseguida, madre.

–Que no, chico. Quieto ahí –insiste el poli.

Sin hacerle caso, David da media vuelta y ya está en el comedor. Coge el platillo y la taza y de paso coge también el encendedor, o más bien lo empuña, lo esgrime como si fuera un arma, y al volver al dormitorio se para ante la puerta y se queda escuchando un rato antes de entrar, pensando confusamente en el extraño silencio de ambos allí dentro, ella recostada y él de pie a su lado con el vaso de agua en la mano, atendiendo sus deseos y velando por su salud, moderando sus impulsos. Y es a través de ese silencio como David percibe un desasosiego que potencia aún más su zumbido en los oídos. ¿Por qué están callados, ella sobre todo?

Desde que papá nos dejó, ella no ha compartido con ningún hombre un silencio como éste. Al principio de su relación no era así. Cuando, a lo largo de muchas tardes, sentados ambos en torno a la mesa camilla y tomando café, a instancias del inspector ella había consentido en hablar de sí misma –sólo por no parecer descortés o desagradecida ante sus obsequios y atenciones, se había excusado al principio–, comentando ciertos aspectos de su trabajo de costurera, por ejemplo, de su embarazo o de sus achaques, o de lo que fuera con tal que luego él le permitiera enfocar el tema de Víctor Bartra y su eterno contencioso con la justicia, siempre hubo un momento en que, debido seguramente a un desfallecimiento momentáneo de la conversación, se callaba repentinamente y dejaba crecer el silencio entre los dos: quién sabe qué aviso de peligro, qué presagio tal vez de desgracia o de muerte la incitaba a callarse. Pero este silencio de ahora en el dormitorio, piensa certeramente David, no es el silencio embarazoso de dos personas que de pronto no tienen nada que decirse, todo lo contrario: sugiere más bien ese embarazo que parece provenir de lo mucho que podrían decirse, y, sin embargo, se callan.

Entra en la habitación y se acerca a mamá, pone la taza de café en sus manos y, aferrado al Dupont como si fuera un talismán, se vuelve hacia el inspector. La sigilosa aventura toca a su fin, y David lo sabe. Armado solamente con un mechero de imitación y un farol, pero seguro de esgrimir la razón y la verdad verdadera, ahí está por fin, disponiéndose a propinarle al poli el último empujón, firme y desvergonzado, sin el menor signo externo del fatalismo y la desesperación que labrarían su trágico destino seis años después.

–Veo que su encendedor apareció por fin –dice–. ¿Dónde estaba? –y sus dedos de uñas marrones se abren despacio mostrando el Dupont en la palma de la mano. Lo empuña, levanta el capuchón y con un golpe enérgico del pulgar hace rodar el cilindro estriado, brota la llama, la observa un instante y luego, con el dedo índice, hace caer de nuevo el capuchón. Clinc. En cierto modo, piensa oscuramente por segunda vez, presionar el capuchón con el dedo es como apretar el gatillo. Deja el encendedor sobre la mesilla de noche y añade–: Vaya chiripa. ¿Dónde estaba? ¿Aquí, en casa?

Una crispación súbita, que a mamá no le pasa por alto, altera fugazmente la faz inexpresiva del inspector Galván.

–Hablaremos luego, si no te importa. Tu madre no se encuentra bien.

–¿Le cuenta usted lo que pasó, o lo hago yo?

–¿Qué ocurre, hijo? –dice ella con la voz animosa, pero débil–. El inspector nunca pensó que te lo hubieras quedado tú... Me lo acaba de contar. Lo olvidó en un bar y un amigo suyo lo encontró.

–¿Eso te ha dicho? Pues mira, resulta que conozco a la persona que de verdad lo encontró, y lo que me ha contado es otra cosa –con una sonrisa pícara en los labios, mirando de soslayo al inspector, empieza a desgranar la quimera–. Este encendedor lo extravió en el torrente el día que se llevó a Chispa. Una niña que pasaba en bicicleta lo vio.

—¿Vio el qué? —la espalda recostada en la cabecera de la cama, mamá rodea la taza de café con ambas manos como temiendo que se la quiten—. ¿De qué estás hablando, David?

—El bwana sabe de qué estoy hablando. Oiga —dice sin quitarle el ojo al inspector—, ¿es que ese poli amigo suyo no le ha dicho quién encontró el mechero? ¿No le dijo que fue una chica que estuvo en el Bar Sky hace una semana? Fue a buscarle a usted allí. ¿No se lo ha explicado ese gordo que tiene un dedo roto? ¿O el otro, el flaco…?

Uno de esos dos cabrones, piensa David rápidamente, a la fuerza ha tenido que entregarle el encendedor y de paso explicarle quién lo encontró y dónde y en qué momento, poco después de verle enterrar a un perro con un agujero en la cabeza —era muy importante que le dijeran eso—, si bien no cabía esperar que le hubieran mencionado la canallada cometida a la portadora del Dupont.

Mientras, el inspector lo mira en silencio, con una jeta risueña en la que anida mucha curiosidad y una maldición.

—Sí, el subinspector Tejada me lo explicó —dice—. Pero ¿tú cómo lo sabes?

—Me lo ha contado la chica.

—Por lo que sé, no dijo más que majaderías. No me conoce de nada.

—¿Ah, sí? ¿Y cómo supo ella que el mechero que encontró era de usted, si no le conocía de nada? ¿Y cómo se explica que fuera a buscarle en el bar, quiero decir, cómo pudo saber que usted es un guripa, y que le encontraría en ese bar de guripas…?

—Hijo, haz el favor —corta mamá.

Las últimas preguntas David las ha hecho mirando no al inspector, sino a la pelirroja y con los brazos en jarras: su reacción le interesa tanto como la del inspector.

–Pues porque al enseñarme ella el Dupont –prosigue David– yo le dije: conozco al hombre que lo perdió, es amigo de mi madre y está en la Jefatura de Policía de Vía Layetana. Dame el mechero y yo se lo devolveré. Pero no quiso, no se fiaba de mí. Y entonces me contó cómo lo había encontrado en el torrente... Conozco a esa chica de verla pasar en su bici, madre. Dice que vio al inspector cavando un hoyo...

–¿Qué vas a hacer, David, qué vas a contarnos? –corta de nuevo mamá mirándole con tristeza–. Acércate y dame la mano, me voy a levantar.

–No deberías. Espera un poco –dice el inspector.

–Estoy mucho mejor...

–¿Me dejas que te lo cuente, madre, sí o no? –implora David.

Ella se queda unos segundos mirando al inspector, que permanece a los pies de la cama con las manos en los bolsillos y la mirada severa, y luego mira a David. De nuevo recuesta la espalda sobre la almohada contra la cabecera y aquieta las manos sobre el regazo, ciñendo la taza de café en actitud sosegada.

–Está bien –dice–. Te escucho.

Y David cuenta más o menos lo mismo que Amanda contó a los subinspectores en la barra del Sky; que la chica de la bicicleta oyó el tiro y luego lo vio en el torrente con el azadón y el perro muerto a su lado, y que al volver a pasar por allí ya se había ido y entonces encontró el encendedor; que nuestro Chispa nunca llegó al veterinario ni vivo ni muerto... Que no digo yo que se lo llevara de casa con intención de matarlo, eso no, madre, pero como el pobre ya no podía andar, y tampoco se dejaba arrastrar con la correa, pues el inspector perdió la paciencia y acabó con él de un tiro; que debió pensar que al fin y al cabo también había que matarlo, así que menos molestias. No ha terminado David de contarlo y ya está preguntándose cómo es que el inspector no le interrumpe, por qué no reacciona; había previsto un ataque de ira y un rosario de preguntas tipo de dónde diablos ha salido esa embustera y qué tienes tú que ver con ella, y dónde puedo encontrarla, qué se propone con esta absurda calumnia, por qué no me la traes y a ver si se atreve a repetir todo eso delante de mí, etcétera. Sin embargo, sorprendentemente, el inspector guarda silencio y le deja hablar. Inmóvil a los pies de la cama, una mano apoyada en la tabla de la costura y la otra en el bolsillo del pantalón, sus ojos de hielo escrutan a David y su boca musculosa sonríe imperceptiblemente.

–Es la caraba –susurra en cierto momento. En sus labios finos la sonrisa es como un gusano que empieza a moverse. El sedimento de su garganta sigue amasando la cólera, es de suponer, pero en sus ojos apenas asoma un desdeñoso fastidio–. Qué te pasa, hombre, te hemos oído mentiras mucho mejores –y mirándola a ella añade–: No irás a creer semejante patraña.

La pelirroja bebe un sorbo de café, sin dejar de mirar a David. Ha estado más atenta a la vehemente mentira de David que a la respuesta del inspector, que ahora se pasa la mano por el pelo y empieza a pasear de un lado a otro del cuarto.

–Le ahorrarías a tu madre un gran disgusto si te callaras estas majaderías –gruñe–. ¿Me explico?

–Quiero hablar contigo ahora mismo, David –dice mamá–. Acércame las zapatillas –y dirigiéndose al inspector añade–: Y tú hazme el favor de traerme una toalla del cuarto de baño. Tengo los pies helados. De paso te llevas la palangana y tiras el agua...

Moviéndose con calma, el inspector le quita a mamá la taza de café de las manos, y, antes de salir del cuarto, en el umbral, se vuelve para mirar a David. Es una mirada en la que no asoma el rencor, sino más bien un destello de complicidad. Cuando ya se ha ido, mamá se sienta al borde del lecho, pone los pies desnudos en la gastada esterilla y mientras se quita la rebeca le hace seña a David de que se acerque.

—Ahora explícame qué significa todo eso que has contado y qué te propones —como cargándose de paciencia y sosiego, deja otra vez las manos quietas en el regazo—. Otro de tus embrollos, supongo.

—¿Por qué no se lo preguntas a él?

—Te lo pregunto a ti.

David sostiene su mirada, pero tarda unos segundos en responder.

—Es lo que me ha contado esa chica. Si quieres que vaya a buscarla...

—No te he pedido eso.

—Entonces tienes que creerme. Es la verdad —insiste David—. A mi perro lo mató de mala manera.

Ella coge su mano y le mira un buen rato con los ojos chispeantes, tratando de comprender. Finalmente dice:

—¿Cómo has podido pensar eso del inspector Galván , hijo? ¿Por qué iba a hacerlo?

—Porque sí. Tú no sabes... —empieza David en un susurro, y se interrumpe.

—¿El qué? Cuéntale a mamá, anda.

—No te das cuenta. Aunque nos trae cosas buenas, y te hace

compañía, y tú le aprecias, porque le aprecias mucho, ¿verdad?, pues aun así, él no es una buena persona. Lo parece cuando viene a casa, cuando está sentado aquí contigo tomando café y te mira y te pregunta cómo te encuentras hoy, y te dice que no fumes tanto y no hagas esto y no hagas aquello, y te da las medicinas y te trae rosas –y bajando más el tono, con una seda cariñosa en la voz, añade–: Lo parece pero no, madre, no es una buena persona. No lo es.

Hay en su mirada y en su voz susurrante un amago de súplica que ella percibe e interpreta emocionalmente, como siempre. De algún modo le llega el perfume de la verdad, aunque los hechos no se ajusten a la verdad. Y en esta ocasión acierta. Hoy sé que la soledad y la pobreza vividas durante unos años y asumidas ambas sin amargura conformaron la sensibilidad de mi madre, su secreta armonía con el mundo, incluidos sus letargos románticos y su indócil sexualidad; lo pienso siempre que me siento desvalido y solo ante cualquier enigma de la vida, y al conjuro de este pensamiento ella acude con el milagro de su indefensión y su fortaleza. A su modo, David había asumido esa contradicción: como si supiera que la verdad no existe, que sólo existe el deseo de encontrarla, luchaba no contra ella, sino contra la fragilidad de su apariencia.

–Está bien –dice mamá soltando su mano–. Acércame las zapatillas y vete a la calle un rato.

–¿A la calle? ¿Por qué?

–Porque el inspector y yo tenemos que hablar. Haz lo que te digo.

Cuando el guripa vuelva a su lado con la toalla la encontrará sentada frente a la tabla llena de patrones y retales, con horquillas en los labios y los desnudos brazos en alto, ordenando la llama roja de sus cabellos. Así es como David la ha dejado, yéndose a regañadientes por la puerta de noche, porque por esa puerta suele entrar y salir el inspector, y quiere verle cuando se vaya. Se queda merodeando cerca del barranco, que a esta hora ya empiezan a sobrevolar los murciélagos; va y viene de un lado a otro por el lecho del torrente. Piensa en las lagartijas que ahora duermen bajo las piedras calientes y a salvo de navajazos, evoca los ojos trabados de Paulino sumidos en su muda paciencia, sus almorranas sangrando sin alivio sobre algún sucio jergón del Asilo Durán, y siente el frío hocico de Chispa, que prolonga su existencia pegado a sus tobillos lastimados, husmeando aromas de arañazos y tintura de yodo. Quieto, valiente, ahora hay que esperar, susurra sin apartar los ojos de la puerta, acechando las sombras. Pero ya le tenemos, ya le tenemos…

Casi una hora después se abre la puerta y sale el inspector llevando la americana en la mano con un descuido impropio de él. La pelirroja no ha salido a despedirle y a cerrar la puerta, como otras veces, así que la cierra él y después, sin moverse de allí, saca del bolsillo trasero del pantalón la petaca de coñac, bebe un trago, la guarda de nuevo, y, mientras se abrocha la americana bajando los tres escalones, se inmoviliza con los ojos en el suelo y rascándose la cabeza. Parece tocado, confuso, realmente como si algún objeto acabara de impactar en su cabeza. Parado allí sobre los escalones, con una mirada que, al decir de David, jamás nadie habría sabido descifrar, termina de abotonarse y vuelve a ponerse en movimiento, alejándose despacio por el sendero que bordea el barranco con las manos en los bolsillos del pantalón y la espalda recta, como solía ir siempre.

Lo que han hablado mamá y el inspector Galván, ella no se lo contará esta noche ni al día siguiente ni al otro, y lo que mi hermano ha estado esperando con impaciencia sentado al borde del tajo, aquello que durante tres meses ha constituido su más ferviente afán, la ocasión de ver al poli desenmascarado y arrojado de casa y de la vida de mamá, quedando por fin ante ella como lo que realmente es, un hipócrita embustero y un matón de la bofia, este deseo se cumplirá sólo a medias, si bien sus consecuencias serán igualmente funestas.

Muy entristecida y sin ganas de remover el asunto, cosiendo a la luz de una vela por causa de las restricciones de la luz, lo único que ella deja entender, más porque David deje de preguntar y vaya a acostarse de una vez que por otra cosa, es que el inspector Galván no volverá por casa, de momento.

–¿Qué quieres decir de momento?

–Pues eso, durante un tiempo por lo menos.

–¿Cuánto tiempo por lo menos?

–Ya veremos.

–¿Lo has decidido tú?

–Sí.

–¿Y ahora qué pasará? ¿Ya no te traerá más cosas?

–Qué importa eso –lo mira fijamente y añade–: El que me preocupa eres tú.

–Tienes que pensar en lo que te he contado…

–Estoy pensando en muchas cosas, hijo. Pero sobre todo en ti.

Efectivamente, el inspector Galván no se dejará ver hasta la primera semana de noviembre, de manera sorpresiva, y en un estado que el mismo David habría de lamentar amargamente. No sólo no volverá a acercarse por casa en los días que siguieron a la acusación que formuló David, sino que tampoco se dejará ver apenas por el barrio durante tres o cuatro semanas, hasta que empieza a frecuentar algunas tabernas y se demora en ellas más de la cuenta. No habla casi nunca con nadie, y si lo hace es para enhebrar el mismo tema, su antigua ocupación de catador de vinos, provocando con ello bromas de los parroquianos a su costa y algún que otro altercado. El abandono y el desmedro se produce a ojos vistas y rápido, ya no parece la misma persona, y yo todavía hoy me pregunto por qué no hizo nada por desmentir la injuriosa patraña de David y recobrar el aprecio y la estimación de la pelirroja. Todo hace pensar que está descuidando cada día más sus deberes profesionales y es probable que los mandos de la Brigada, sus superiores, hayan tomado ya medidas al respecto, pues un representante de la ley y el orden que no se hace respetar, siento mucho tener que decirlo, hija –palabras de la florista en su tienda de la calle Cerdeña, mientras abraza a una niña llorosa que no puede ser otra que la hija del inspector–, un funcionario de policía que da mal ejemplo en los bares y no sabe comportarse ni siquiera en su propia casa, una persona así, por mucho que esté sufriendo, por más que le hayan matado una ilusión, pues yo sé lo que le pasa a este hombre, que ahora mismo tiene otra vez el corazón roto, lo sé, el Señor se apiade de él…

¿Eso dicen, que el Señor se apiade de él?, piensa la pelirroja sin esperar respuesta de nadie, sin dejar de pedalear en la máquina de coser, punteando y acotando pacientemente su parcela de soledad, descalza, los gruesos calcetines blancos de lana ciñendo sus tobillos hinchados y los pies moviéndose sin parar, como dos palomas que no consiguen emparejar su vuelo. Si David estuviera en casa le preguntaría a él, seguro que ha oído cosas por ahí, pero David se acaba de marchar al estudio del fotógrafo Marimón, hoy toca revelar el material de dos bautizos y una boda, y volverá tarde a casa.

Más o menos a la misma hora, las dos y media o las tres de la tarde de este brumoso y frío miércoles de noviembre, el inspector Galván está acodado en el mostrador de una bodeguita no lejos de casa y en trance de repetir por enésima vez a quien quiera oírle, que ya es tiempo de visitar a la señora Bartra nuevamente.

–Dame un café y dime qué te debo. Ya mismo me estoy largando de aquí, ¿me oyes?, ya he esperado bastante... Ya hace por lo menos una semana, fíjate, que tendría que haber ido.

–Con el café serán siete pesetas con cincuenta –dice el tabernero después de contar los vinos–. Aquí tiene –le acerca el café con un terrón de azúcar en el platillo, y, antes de poder retirar la mano, la del inspector atenaza su muñeca como el pico de un ave de presa.

–¡Dos terrones, Amadeo, dos! ¡¿Es qué todavía no lo sabes, o es que eres un jodido roñoso?! –dice sin soltarle–. ¡Yo siempre he tomado el café con dos terrones, a ver si te enteras!

–No me he dado cuenta, perdone, don Manuel... –y en la mano que arde sobre la suya, en el furor que transmiten los golpes de la sangre, el tabernero intuye fugazmente el infierno personal que debe estar viviendo este hombre. Pero el inspector no es un camorrista, no lo había sido antes y no lo es ahora–. No me acordaba. Aquí tiene los dos terrones, ya está arreglado.

–Está bien, está bien... ¿Qué hora tenemos? ¿Casi las tres? Me las piro, que me esperan..

Pero se le va la tarde diciendo que se va, y empieza a caer la noche, y allí sigue, alternando vinos y cafés, y cuando por fin se decide no lo anuncia, simplemente pone la mano plana encima de los bordes del vaso, como si quisiera acallarlo, paga con la otra mano y sale de la taberna con paso firme y decidido. De espaldas al crepúsculo, ve las primeras farolas encendidas más allá de la plaza Sanllehy, oye el piñón de las bicicletas que a esta hora se dejan ir carretera abajo, las voces y los chillidos alegres de las muchachas saliendo de un laboratorio farmacéutico, de nuevo el barranco sombrío bajo la telaraña compulsiva de los murciélagos y enseguida la puerta con aldaba del chalé. El pie tantea inseguro los tres escalones que se deshacen y tropieza. La puerta, que antes no solía estar cerrada con llave, ahora sí lo está, y se ve obligado a dar un amplio rodeo, remontando un trecho junto al torrente, luego emboca el querido callejón por arriba y lo baja hasta la pequeña puerta de día custodiada por la mata de margaritas, ya recortada y sin color. La luz en la ventana del comedor-recibidor parpadea de forma discontinua, como hace una bombilla mal enroscada. Avanza decidido y, unos segundos antes de llegar a la puerta, le asalta el presentimiento de llegar demasiado tarde. Pisando el rastrojo de margaritas se asoma a la ventana y ve en el suelo a la pelirroja caída sobre un costado, junto a la máquina de coser. Lleva puesto el albornoz y tiene el brazo extendido con una zapatilla en la mano. Está inmóvil, pero el inspector observa ligeras convulsiones en esa mano, por lo que se abalanza de inmediato contra la puerta pulsando el timbre insistentemente, aunque ya supone que David no está en casa. Golpea la puerta con todas sus fuerzas y también la ventana, tratando de abrirla, y acto seguido rompe el cristal con el codo, mete la mano y abre por dentro, se desprende de la trinchera y salta al interior. Las convulsiones cesan un rato, mientras intenta reanimarla con cachetes y llamándola por su nombre, arrodillado a su lado, angustiándose al ver sus ojos y sus labios tan hinchados, hasta que desiste y la coge en brazos, abre la puerta y sale al callejón pidiendo a gritos un coche o un taxi, pero sin esperar ninguna ayuda, sin dejar de correr. Algunos vecinos se asoman y le ven torcer furtivamente en una esquina en dirección a la Avenida, allí parará un coche particular identificándose como policía y ordenando al asustado conductor dirigirse a la clínica de la Maternidad sin pérdida de tiempo. Durante el trayecto ella parece recobrar la conciencia, pero al poco rato vuelven las convulsiones y así entrará en el quirófano quince minutos después, ya casi en estado de coma.

Aún no he nacido y ya me estoy muriendo. No pocas veces, en el transcurso de mi vida, habría de lamentar que ella no me llevara consigo esa noche, bien arropado en su ilusión secreta y romántica de ex maestra de escuela represaliada, en esa ensoñación ingenua que he sido para ella durante siete meses, una sombra intrauterina con una pluma en la mano. Sal y cuéntalo, habría dicho, de poder hacerlo. En su día los astros le habían dicho a mi madre que David era el signo que anunciaba la mascarada infame de los tiempos que vendrían, y que yo en cambio sería como la señal de un testimonio luminoso y veraz, pero lo cierto es que, viéndome llegar a este mundo de manera tan esquinada y funesta, viendo como ella se desangra y se nos va inexorablemente en un quirófano mal equipado y cochambroso, nadie habría pronosticado tal cosa. He nacido prematuro, azul de cianosis y pesando menos que un mosquito, con una lesión cerebral que me tendrá postrado no sé cuántos años y una pinta de niño lobo que tira de espaldas. Durante tres meses, mis tiernas zarpas crecerán entre algodones.

–Yo me haré cargo de la criatura, si es que sobrevive, y también de su hermano; esta noche dormirás en mi casa, David –decide la tía Lola una vez ha sido puesta al corriente por el médico, ya que al inspector, al que debe precisamente que le mandaran aviso y la fueran a buscar a su casa, no consigue sacarle una palabra.

Todo acaba de ocurrir tan deprisa. La pelirroja yace todavía bajo una sábana, en el quirófano. Y en el pasillo, un metro siempre por delante del tío Pau, que permanece mudo y visiblemente afectado, embutido en su uniforme de tranviario y con el macuto de cobrador en bandolera, la tía Lola emprende las diligencias más tristes y toma las decisiones pertinentes con talante compungido y poco amable, pero sin titubeos y sin derramar una sola lágrima. De pie junto a la puerta del quirófano desde que ha llegado, con su anticuado abriguito de solapas grises y su bolso de terciopelo negro y cierre de metal dorado que suena como un disparo, mientras escucha las explicaciones del cirujano –el pronóstico era ya infausto antes de entrar en el quirófano, señora Ribas– y atiende a las sugerencias de un sacerdote respecto al servicio religioso de la capilla, puede observar de cerca la ruina y el quebranto de este hombre sentado en un banco del pasillo, el mismo hombre que tiempo atrás la interrogó sobre el paradero de su cuñado Víctor. Algo había llegado últimamente a sus oídos sobre la querencia insensata de un policía hacia su hermana, rumores que no hicieron sino confirmar sus previsiones acerca de lo que ella llamaba las tonterías libertarias de Rosa y las desdichas y calamidades que se estaba buscando desde su infortunado matrimonio, pero ahora prefería mantenerse al margen del asunto, evitar cualquier tipo de familiaridad con este señor.

Esforzándose por mostrarse sereno y dócil, el inspector pregunta a una enfermera si puede entrar en el quirófano, y ella le dice ahora no por favor. Los tíos resuelven otros trámites en algún despacho. En el pasillo desierto, David espera apoyando la espalda en la pared y llorando silenciosamente, y sentado en un banco frente a él, ajeno por completo a su desconsuelo, la cabeza gacha y los codos en las rodillas, el inspector mira obsesivamente las baldosas durante largo rato, y luego se vuelve un instante para mirarle de lado con una mezcla de desesperación y sosegada arrogancia, mientras su cabeza le da vueltas a una sola y obsesiva palabra.

Cuando David la oye por primera vez, la palabra no le dice nada: eclampsia. De una manera pertinente y fatalista, como él suele hacer, no acertará a establecer una causa directa entre mi gestación y la muerte hasta mucho tiempo después, y aún entonces persistirá en su conciencia la amargura de la culpa, ya que nunca dejará de pensar que mamá se encontraba sola en casa al sufrir el ataque, y que si el inspector Galván hubiese podido estar allí haciéndole compañía, como tantas otras veces, de charla con ella y tomando café con sus terrones de azúcar y con sus cigarrillos rubios que a veces le negaba y con su Dupont dorado y su dichosa rosa blanca, si hubiesen podido ambos seguir hablando de papá o de la guerra o de los achaques de ella o de cualquier cosa o de nada, simplemente si este hombre hubiese podido presentarse en casa a la hora que tenía por costumbre, si él no le hubiese inculpado tan sañudamente, la pelirroja habría recibido auxilio y atención médica a tiempo y seguramente aún viviría. He aquí la triste verdad. Nadie, ni el mismo inspector Galván, podía imaginar cuánto le había afectado a David esta circunstancia, y habrían de pasar años de penuria y algunos tranvías de vacío –por decirlo a la manera de papá– para que yo mismo me diera cuenta.

Al levantar David la cabeza, advierte que el inspector sigue sentado en el banco y que su mano hurga en el bolsillo trasero del pantalón la petaca de licor; con dedos ágiles, sorprendentemente rápidos, el poli desenrosca el tapón y acerca el gollete a los labios, pero de pronto se inmoviliza y suspende el trago. David aparta la vista, y casi en el acto, han pasado sólo unos segundos, al volverse para mirarle otra vez, el banco donde se sentaba el inspector está vacío y a su lado se agitan los batientes de la puerta del quirófano, se agitan a destiempo el uno del otro, perdiendo fuerza y sin encontrarse.

RETORNO AL BARRANCO

ebo ahora efectuar una especie de
salto retráctil en la memoria desva-
necida de la sangre, un simulacro de voltereta. No se trata de una
más de mis supinas travesuras intrauterinas, cuya finalidad hasta
ahora no ha sido otra que la de situarme mejor en la placenta de esta historia, sino de representarme años después a mí mismo, el elegido por los astros, en un hogar empobrecido cerca del puente de
Vallcarca, postrado en la cama y apechugando con las secuelas de un
parto prematuro. Con apenas seis años y todavía ovillado como un
feto la mayor parte del tiempo, me veo rodeado de fotografías de
tranvías y garabateando viejas libretas escolares con un lápiz negro y
la vista borrosa. Lucía, la última hija de la tía Lola, tiene dos años y
juega a los pies de mi cama con una muñeca de trapo. Recibo cuidados de los tíos y de la prima Fátima, que ya tiene dieciocho años, y sobre todo de David, que pronto cumplirá los veinte y ahora trabaja a
plena jornada para el retratista Marimón, que ha prosperado mucho
y tiene un estudio fotográfico y una tienda en la Rambla del Prat.

Durante los tres años siguientes a la muerte de la pelirroja, no
hay quien sujete a David y a punto estará de reunirse con su amigo

Paulino en el reformatorio. Pendenciero y solitario, metido siempre en todos los follones del barrio, durante mucho tiempo es un chico bueno para nada, y si no pierde el trabajo lo debe a los buenos oficios y a la tenacidad de la tía Lola, empeñada en enderezarle. De otro lado, la complicidad dulce y sosegada de la prima Fátima en sus primeros y furtivos escarceos amorosos, acaban por aplacarle bastante, al menos temporalmente. Pero nadie podía imaginar que lo que le salvaría de sus propias furias sería el trabajo.

En el estudio fotográfico David aprende la técnica del retrato con retoques para embellecer el modelo, y en ese menester, en el retoque, según el criterio del propio señor Marimón, su pericia es notable; sabe cómo hacer más deslumbrante y atractiva la sonrisa de los novios el día feliz de su boda, y más largas y sedosas sus pestañas, más inocente la mirada de los niños y niñas que posan vestidos de primera comunión, y más fino el cutis o menos engarfiada la nariz de señoritas poco agraciadas. Sin embargo, al cabo de algún tiempo, esos trabajos acaban por aburrirle y su interés se centra en la foto-reportaje, en captar la realidad de la calle con su propia Voitlander de mancha y revelarla sin afeites, sin tener que retocar los negativos con el lápiz afilado. Según el testimonio de la prima Fátima, que siempre anduvo medio enamoriscada de él, David descubrió su verdadera vocación haciéndole fotografías a ella, después de una breve pero entusiasta etapa dedicado a la fotografía artística, una actividad solitaria y alelada cuyos logros más notables habría de obtenerlos en una docena de instantáneas en la playa y en casa –Fátima desnuda sentada en mi cama y oliendo una rosa blanca, guardo la foto entre las páginas de un libro– y, sobre todo, en las que hizo una mañana en el Guinardó, después de callejear durante horas con la cámara colgada al cuello en busca, ingenuamente, de algo imprevisto.

Era un domingo plomizo y silencioso de septiembre y se le ocurrió acercarse al barranco y sacar unas fotos del chalé de ventanas tapiadas, de la pequeña puerta del antiguo consultorio y del torrente, ahora más descalabrado y pedregoso. Las últimas lluvias torrenciales habían depositado en el lecho nuevas y finísimas lenguas de arena blanca, y asomaban entre el fango desperdicios diversos que David fotografió desde ángulos rebuscados y singulares: una bota militar riéndose con la dentadura de clavos torcidos, la cabeza pelona y abollada de una muñeca sin ojos mirando al cielo como podría hacerlo una patata, una correa o un cinturón enroscado en sí mismo y tan carcomido por la humedad que más parecía el pellejo de una serpiente, las patas rígidas de un pájaro semienterrado arañando el cielo, media esfera de un reloj de pared con las horas transitadas por un caracol... En esos desechos, en todos y cada uno de ellos, el ojo de la cámara indaga muy de cerca una identidad oculta y la distingue, la toca y la vuelve a pensar, la recrea más allá de la historia particular que pudiera sugerir su deterioro y su abandono. Fotografías del barranco, de lo poco que queda de sus arruinados flancos y de su vértigo infantil, en las que está depositado un sedimento del tiempo, una reflexión de la luz que no es totalmente ajena a mi propio discurrir en este hueco de almohada. No hay una sola voz de cuantas llevo registradas aquí, ni una sola palabra emborronada en estos viejos cuadernos escolares –olas interminables y simétricas parodiando una escritura ilegible de discapacitado, es lo que oigo decir– que no esté enraizada en aquel torrente desmoronado y pútrido que mi memoria preserva del olvido. Mi lápiz corre sobre el papel pautado solamente para mantener inviolado su recuerdo.

Así pues contra todo pronóstico, pues hay que recordar que los astros no le habían elegido, David estaba en camino de convertirse

347

en un escrupuloso celador de lo veraz, en un artista. Meses después, en los primeros días de marzo de 1951, abandona los rebuscados encuadres, se libra de los resabios técnicos y retoques tan bien aprendidos y se inicia en la foto-reportaje. En estos días fue cuando pasó todo. Yo en la cama, y el tío Pau a mi lado, sonriente y callado, con un vendaje en la frente y la gorra de tranviario mal encajada, acaba de entrar con mi desayuno y me mira mientras se abrocha el uniforme antes de marcharse a las cocheras a cumplir su turno. Ayer una pedrada rompió el cristal trasero de su tranvía y una esquirla le hizo un buen corte en la cabeza, en algún lugar del piso la voz de la tía Lola grita no sé por qué tienes que ir después de lo que te han hecho, quédate en casa y deja que se maten ellos, os van a quemar los tranvías, no vayas, no seas tonto... Pero el tío sigue abrochándose tranquilamente la chaqueta de tranviario y mirándome desayunar mi bocadillo de atún con su tonta sonrisa en los labios, luego sacude algunas migas sobre la colcha, sí que me dieron en el coco, sí, me susurra, dedicándome su sonrisa, tan limpia su mirada y tan paciente su trato con el niño inválido, tan silenciosos y venales sus afanes en esta vida –del tranvía a la taberna, de la taberna a casa, de casa al tranvía–, fue ayer por la tarde en la plaza de Cataluña, me dice como en secreto, una buena pedrada, que no lo oiga la tía, y eso que el tranvía iba de vacío, todo el día circulamos de vacío, y nos tiran piedras y nos insultan...

La huelga de usuarios de tranvías, motivada por una fuerte subida de las tarifas, mantiene a la ciudad en vilo desde hace dos días. El señor Marimón, vinculado a un sindicato clandestino muy activo desde el inicio de la protesta popular, está empeñado en conseguir un testimonio gráfico de lo que está ocurriendo en las calles de Barcelona y hacerlo llegar a la prensa extranjera para su publicación.

Conociendo la creciente afición de David por el reportaje, le propone la idea y le encarga fotos de tranvías circulando de vacío. Conlleva algún riesgo, le dice, pero si consigues una buena foto podrías hacerte famoso.

Al día siguiente, sábado, David se echa a la calle con su Voitlander y se mezcla con los manifestantes, afrontando porrazos y trompadas de la policía a caballo y evitando por los pelos, en varias ocasiones, que los agentes le arrebaten la cámara. Hasta ahora había mostrado escaso interés en el asunto y no se sentía solidario con nadie ni con nada; taciturno y esquivo como siempre, ni en casa ni en el trabajo se le había oído ningún comentario a favor o en contra de la huelga y las algaradas callejeras, y su éxito o fracaso parecían tenerle sin cuidado. Fríamente, moviéndose con astucia y sigilo, ocultando el objetivo bajo la gabardina, consigue terminar un carrete y esta misma noche efectúa el revelado. En todas las fotografías se ven tranvías circulando de vacío, solamente con el conductor y el cobrador, pero el encuadre o el enfoque son deficientes y además ninguna transmite el movimiento y la autenticidad que él busca.

El domingo día cuatro por la tarde gasta otro carrete en las inmediaciones del campo de fútbol de Las Corts, en medio de una muchedumbre que sale de presenciar el partido Barça-Santander. Nadie, a pesar de la intensa lluvia, coge ninguno de los muchos tranvías que la autoridad civil y militar, previendo la gran afluencia de aficionados, ordenó poner a disposición de los usuarios que se habían desplazado al campo. La última foto David la consigue bajo un fortísimo aguacero, plantado sobre las dos piernas en medio de los raíles, en una curva, con una luz muy escasa que anticipa el anochecer y protegiendo la cámara con la gabardina echada sobre la cabeza. Por un momento, el rumor de la lluvia alrededor ahoga el pitido de cafetera instalado ya permanentemente en sus oídos, y algo le dice que esta vez ha acertado de lleno. Y así es, tengo la foto en mis manos: con una luz espectral tras los cristales, un poco torcido y ominoso, el tranvía se te viene encima girando en los raíles bajo una cortina de agua, envuelto en un aura erizada y flanqueado por la multitud indiferente y aterida, un mar de cabezas que gira a su alrededor ignorándolo, hombres acogotados por la inclemencia del tiempo, algunos protegiéndose con paraguas, otros con hojas de diarios, los más sin nada. Dirías que el tranvía iluminado en medio del gentío es una aparición fantasmal surgida de la entraña del aguacero.

Pero antes de revelar el negativo, al examinarlo atentamente la misma noche del domingo, David observa una nubecilla blanca de borrosos contornos en una de las ventanillas laterales. Al positivar, la mancha se hace evidente: es la negra silueta de un pasajero sentado, con sombrero y las solapas de la americana subidas. Seguramente es el único individuo en toda la ciudad que esta tarde se atrevió a viajar en tranvía. Mala suerte. David quiere desechar la foto, pero el señor Marimón, al verla, dice que es tan buena que debe aprovecharse, y le sugiere borrar la silueta humana mediante un retoque de los que sabe hacer él. Opina que el trabajo de David es una muestra excelente del fotoperiodismo que aspira a ejercer y le felicita por ello. En un principio, David se niega a manipular la película: puede lograr instantáneas mejores que ésta, sin necesidad de afeites ni trucajes, le dice. El señor Marimón no entiende sus escrúpulos, se impacienta y le ordena hacerlo para disponer de copias mañana mismo. Aunque de mala gana, David obedece; recupera el negativo y, con la ayuda del lápiz más afilado, procede a tapar cuidadosamente la sombra blanca. Y al positivar de nuevo, el inoportuno pasajero –¿un esquirol tal vez, o un policía?– se ha esfumado sin dejar rastro.

Se lo explica a la prima Fátima en mi cama, mostrándole la foto ya retocada que aún no ha entregado al señor Marimón. En realidad no piensa hacerlo, lo leo en sus ojos al tirarla a mi regazo para que la vea y me entretenga con ella, quizá para que la rompa. Ese niño que balbucea y sonríe mirando a su hermano y luego a la foto y otra vez a su hermano, soy yo, en esa postración desde la que articulo mis visiones y desvaríos rodeado de lápices de colores y migas de pan y libros: le estoy viendo a David cuando se separa un momento de la boca alegre de la prima y me mira a su vez y finge que le digo no me gusta, hermano, has vuelto a las andadas, has hecho trampa.

Sé lo que estás pensando, infeliz prematuro, me dice con los ojos. Pero por mucho que lo pienses y me lo recuerdes, no creas que me harás sentir peor de lo que me siento.

Yo no te culpo de nada.

Deja de lamentarte, monicaco, ya lo hago yo por los dos.

Y esa foto me gusta.

Pucs te la puedes quedar.

–David, escucha –dice la prima a mi lado, abriendo el libro donde pacientemente todas las tardes me señala con el dedo las letras del abecedario y me dice el nombre de las cosas–. Si lo que buscas son tranvías vacíos, vete con papá a las cocheras de Sants y allí podrás fotografiar tranquilamente todos los que quieras… Mira, Víctor: pa-lo-ma. Dilo despacio: pa-lo-ma.

–No –gruñe David mientras frota sus labios con el dorso de la mano–. Ha de ser un tranvía circulando de verdad por la calle.

–Man-za-na. Pa-ja-ri-llo. Be-si-to. Dilo despacio: be-si-to –sonríe la prima, y la mirada de David se ensombrece sobre mí y se aparta de ella aún más–. Hijo, qué te pasa. Tienes una fotografía la mar de bonita, ¿por qué no te conformas? El señor Marimón se enfadará mucho contigo, te despedirá si no le llevas la foto...

–Me da igual, prima. Es para Víctor. Parece que le gusta, mira, no la suelta. Yo haré otra mejor. Otra que será como debe ser.

El lunes día doce, cuando la indignación popular en las calles deriva en un intento de huelga general que desborda el conflicto de tranvías, David acude a su cita con el destino en una bocacalle solitaria de Gracia. Se dirige a la concentración en la plaza de Cataluña, a pie por Bailén, atento a los tranvías de la línea 30 y 38 que bajan de vacío, y saca algunas fotos apostado detrás de un árbol. Cada vez que abre y cierra el objetivo siente que la verdad desnuda y simple, tal como ahora la quiere, penetra en su ojo como un rayo luminoso. Está mordisqueando una manzana que llevaba en el bolsillo cuando, en el cruce con la calle Santa Eulalia, se topa con dos agentes de la policía armada que le exigen la entrega inmediata de la cámara y que se identifique. Uno de los agentes le sujeta el brazo mientras su compañero intenta arrebatarle la cámara, pero él consigue zafarse.

–Está bien. Pero dame eso –dice el agente.

–Eso no, bwana. Soy fotógrafo y tengo permiso del Inspector Galván, de la Brigada Social...

–Ya. Dame la máquina y pórtate bien, venga –exige el agente empuñando la porra.

–Llamen al inspector, verán que no miento –dice David retrocediendo y dando manotazos para librarse del acoso.

–Mira por donde tendré que sacudirte...

Alguna de las fotos que lleva tiradas podría ser muy buena y él lo sabe, o no habría hecho lo que hizo seguidamente: meterle el dedo en el ojo a uno de los agentes, zancadillear al otro y correr al encuentro del tranvía que baja dando tumbos y con el trole chisporro-teando en el cable. Evitando verse agarrado otra vez, cruza temera-riamente los raíles con intención de saltar al estribo del otro lado, pero el tranvía baja a mucha velocidad y no le da tiempo y lo gol-pea, lo lanza unos metros por delante, y, sin tiempo a frenar, lo apre-sa debajo del entramado de hierros de la plataforma delantera y lo arrastra varios metros.

El primero de los dos agentes que llega a su lado no se atreve a tocarlo. David abre los ojos y mira en torno como si no supiera dón-de está.

–Ondia. ¿Tengo las piernas enterradas en la arena…?

–Tienes el cuello roto, maldita sea –mascula el agente.

Su compañero también se agacha, le mira, se levanta rápido y pregunta a un curioso que se ha acercado dónde hay un teléfono. El conductor del tranvía se ha sentado en el estribo y se tapa la cara con las manos. David aprieta la cámara en su pecho y con la otra mano desliza las yemas de los dedos sobre el empedrado húmedo y frío.

–Las manos me arden –dice con un hilo de voz–. A que nunca han visto una cazadora de cuero como ésta...

–Será mejor que no te muevas, muchacho –dice el agente–. Te sacaremos de aquí.

–Nadie me sacará de aquí.

–No te mires el pecho.

–Ningún agujero en la cazadora, por favor…

–No hables, no te muevas. Hazme caso.

El agente se incorpora al ver llegar a su compañero con ayuda. David aparta los ojos de él y con la uña escarba entre los dientes un resto de manzana. Estando en ello siente que se apaga el zumbido de los oídos y ladea la cabeza despacio, sin ningún signo de dolor, como si la reclinara sobre un agua que pasa para escuchar su rumor, o como si la recostara sobre la almohada arrebujado en su propio sueño.

Nadie nos devolvió su Voitlander ni el último carrete que gastó aquella tarde, en el que tal vez estaría, luminosa y emblemática, con ese resplandor genuino que emana de la obstinación, su foto favorita, aquella cuyo negativo quería revelar sin retoques. No sé si consiguió esa foto, no lo sabremos nunca, pero la que yo conservo, la que le hizo días antes al tranvía espectral y encendido bajo la lluvia, rodeado por una muchedumbre sumisa y a la vez obstinada moviéndose a pie, raídas gabardinas en torvas espaldas y periódicos mojados en la cabeza, aquella fotografía que él había manipulado con un lápiz de punta fina en la soledad del cuarto de revelado, hoy sigue siendo la imagen más pertinente y turbadora de cuantas captó David, el testimonio más cabal y más veraz de lo que un día, hace mucho tiempo, conmovió a esta ciudad.

Ahora alguien ha abierto ventanas y celosías, toco bajo la almohada mi lápiz y mis cuadernos llenos de garabatos como olas persiguiéndose en un mar infinito, y enseguida vendrá la prima Lucía con otro vaso de leche y la medicina, después tendré ganas de leer un rato la única novela que conservo de la pelirroja, y le diré a Lucía: alcánzame *Guerra y paz*. Pero tendré que repetirlo varias veces porque, aunque me esfuerzo mucho, lo que me sale de la boca es algo así como cázame guerripa.

Y es que todavía me cuesta hacerme entender.

FIN

ÍNDICE